高职高专"十二五"规划精品教材

省级精品课程教材

经济法（第五版）

主　编　王丽萍

副主编　杨成宇　邵雪飞　王军

JINGJI FA

U0952872

西南财经大学出版社

Southwestern University of Finance & Economics Press

编写说明

为了适应社会对技能型人才的需要，教育部明确提出要大力发展高职高专教育。这促进了高职高专教育的迅猛发展，并逐渐形成了与普通高等教育并驾齐驱的态势。高等职业教育有其自身特点，在教育理念、教育体制、教学内容和教学方式等方面与普通高等教育模式存在较大差异。高等职业教育培养目标十分清晰准确，即定位于培养高技能应用型专门人才。高职高专要办出特色，在教材建设上，就是要能准确体现高职高专特色，能尽快反映企业或行业发展的最新成果。

原有的高职高专教材，对过去的高等职业教育起到了积极作用，但内容陈旧，不成体系，与当前的就业市场联系不够紧密，实用性和实践性不强，职业特色不够鲜明，已不能满足高职高专教育发展的需要。因此，编写一套具有高职高专特色的系列教材有重大的现实意义。

鉴于此，我们与西南财经大学出版社合作，组织了成都航空职业技术学院、四川商务职业学院、成都职业技术学院、四川交通职业技术学院、四川电力职业技术学院、四川托普信息技术职业学院、四川天一学院、四川管理职业学院等学院的老师，共同编写了高职高专系列规划教材。

该系列教材编写的指导思想是：第一，根据高职高专教育的特点，以职业岗位群或行业为主，兼顾学科分类；第二，以服务为宗旨，以就业为导向；第三，坚持与“双证制”紧密衔接；第四，遵循继承、突破、创新和超越的原则，着力向精品化、立体化发展。本系列教材融入了国内相关院校的先进教学成果，并且借鉴了相关优秀教材的编写方法，以学生就业所需的专业知识和操作技能为着眼点，突出高职高专教学的实用性和可操作性，强化实际训练，尽可能做到“教师易教，学生乐学，技能实用”。

为了编好该系列教材，在西南财经大学出版社的支持下，我们进行了多次磋商、讨论。首先，成立了由成都航空职业技术学院副院长陈玉华教授任主任，四川商务职业学院副院长许丹雅副教授、成都职业技术学院副院长凌红副教授任副主任，其他院校主管教学的副院长和相关负责领导参加的编委会。在编委会的组织、协调下，规划了第一批财务与会计、工商管理、物流、旅游管理、计算机（含电子商务）、财经基础、统计、法学、国际商务等十大系列三十余种教材。下一步根据各院校的教学需要，还将组织策划第二批教材，对该系列教材加以补充完善。其次，为保证教材的编写质量，在编委会的协调下，组织各院校具有丰富教学经验并有副教授以上职称的教师担任主编，由各书主编拟出大纲，经编委会审核后编写。同时，每一种教材都邀请了不同院校的教师参加编写，以取长补短。

经过多方的努力，该系列教材终于与读者见面了。在此，我们对八所院校领导和相关工作人员的大力支持，对各位作者的辛勤劳动以及西南财经大学出版社的鼎力相助表示衷心的感谢！

高职高专系列规划教材编委会

2006年7月

第五版前言

《经济法》教材和其辅导书《经济法课程随堂练习》是根据经济法学科的理论研究前沿和发展动态，按照最新的法律制度编写的。本次改版，取消了原第八章《保险法律制度》，并对其他章节的内容进行了完善和修订，及时更新和补充了教学内容，确保经济法教学内容的新颖性。目前，本课程已形成较为成熟、特色鲜明的教学体系。

《经济法》教材从2006年8月第一版的出版至今已经历时五年，在此期间，一直受到各高职院校经济管理类专业师生的欢迎。在此，我们对大家的支持和厚爱由衷地表示感谢，并希望各院校继续提出宝贵的意见和建议。

2009年度由我院（四川电力职业技术学院）教师建设的经济法精品课程被评为四川省省级精品课程，课程选用的正是本教材。本教材现正在申请省级精品课程教材和国家“十二五”规划教材，这将使我们的教材在建设中不断修订和完善。

为方便教学和学习，我们特提供经济法精品课程网址：http：//www.kc.sc.sgcc.com.cn/jjf/. 广大师生可从中获得相关的课件、案例、习题等教学资料。

再次感谢西南财经大学出版社的指导和支持，感谢广大教材使用者的关心和厚爱。

编者

2011年6月

前言

经济法是高职高专管理类专业的一门基础课，为了适应社会主义市场经济和法制建设对学生培养目标的要求，满足教学的需要，我们根据国家有关法律法规编写了本教材。

针对高职高专教学的特点和今后学生的就业需要，为充分体现经济法课程的实践性和适用性，本教材的编写采用了一种全新的模式，即对每一章节的重点、难点问题，均通过案例讨论（案例链接）、课堂讲授、案例评析三个环节，进行深入浅出的讲解，以增强教学的生动性，加深学生对法律理论的理解和掌握。

本教材具有以下特点：①内容新颖，重点突出。教材编写的依据是最新颁布实行的有关经济方面的法律法规，纳入教材体系的是市场经济活动中最基本、具有普遍实用性的法律法规。②通俗简明，实践性强。教材的内容阐述尽可能简洁清晰，重点、难点问题均配有案例讨论和案例评析，将理论教学与实践教学相结合，以帮助学生理解和掌握。③编排合理，配套完善。教材的内容和结构是按照社会主义市场经济法律体系的几大部分编排的，考虑到学生今后工作的需要，本书配套编写了《经济法课程随堂练习》，以增强学生应用法律知识解决实际问题的能力。

本书适用于高等职业教育和高等专科教育管理类专业，其他专业也可选用该教材。

全书共十一章，由王丽萍任主编，杨成宇、邵雪飞、王军任副主编。本书具体分工如下：第一章由杨成宇编写，第二章由邵雪飞、张凤羽编写，第三章由邵雪飞编写，第四章由雷春编写，第五章由王玫编写，第六章由姚会平编写，第七章由王丽萍、吴志平编写，第八章由余迪意编写，第九章由王军编写，第十章由王东编写，第十一章由邵雪飞、张凤羽编写。全书由王丽萍、杨成宇总纂、修改后定稿。

由于编者水平有限，加之时间仓促，书中的缺点与不足之处在所难免，敬请读者批评指正。

编者

2006 年 6 月

目 录

第一章 经济法概论

第一节 法律概述

一、法律的起源与发展

（一）法律的起源

从人类社会发展的历史进程来看，法律不是从来就有的，而是随着人类社会发展到一定历史阶段的产物。法律的产生有一个过程，我们不能将法律的起源简单化理解。过去过分强调法与国家的关系，而忽视法律本身发展的规律，是偏离历史事实的。事实上，法的产生是将原始的习惯转化为法律，即经历了原始习惯—习惯法—成文法的过程，这是人类文明发展的一般规律。原始社会的习惯为法的产生准备了形式和条件，两者存在着明显的继承关系。在原始社会末期，就已经产生了各种法律具体内容的雏形，甚至产生了在形式上很完备的规范。这些规范以习惯为主要内容，主要依靠氏族成员自幼养成的习惯，靠他们自觉地实行，靠传统传承的力量和氏族首领的威望和威严来维持。随着社会分工的出现，生产力进一步发展，氏族制度开始解体，家庭私有制开始出现，相互对立的阶层、阶级也开始出现，这些相互对立的阶级之间的利益冲突不可避免。原有的氏族结构和原始习惯对新产生的这种对立和冲突无力化解和调整，而作为占有生产资料和在经济上强大的统治者，他们为维护自己的利益和统治，不可避免地要以新的社会组织和社会规范来维系自己的利益，镇压对立阶级的反抗，从而产生由一系列暴力机构和专门管理机关组成的社会组织——国家。统治者通过国家将自己的意志创制成一套新的行为规范和准则，并强制社会成员共同遵守，以维护统治阶级的统治秩序，法由此而产生。

（二）法律的发展

法律自产生以来，经历了几千年的历史，在这几千年的发展过程中，法同社会形态的演变是同步的。社会形态的更替，经历了原始社会、奴隶社会、封建社会、资本主义社会和社会主义社会。除了原始社会不存在国家和完备的法律外，历史上依次出现了奴隶制法律、封建制法律、资本主义法律和社会主义法律四种类型的法律。这种法律的演进过程是伴随着人类社会物质生活条件的变化而变化的，当社会生产力发展到一定的水平，原有的生产关系已不能适应生产力的发展，必然会引起生产关系的变化，从而导致经济基础和上层建筑的变革，而作为上层建筑的政治意识形态的法律制度也会随之而变化，由新的历史类型的法律来代替旧的法律，这是法律发展的一般规律。

二、法律的特征与本质

（一）法的特征

1. 法是由国家和社会认同的行为规范体系

所谓的规范是指规定社会成员应该做或不应该做、允许做或不允许做的事情，这种规范是通过国家来强制实施的。它通过对社会成员遵守有关规范的行为进行鼓励和肯定性评价，对违反有关规范的社会成员的行为进行禁止和否定性评价，来实现其对社会成员行为的约束。法律是由国家制定和认可的，带有强制性的特点，正是这一特点，使法律具有了权威性。

2. 法是以权利和义务为内容的行为规范体系

法作为规范性的体系，它对社会成员的行为调整是通过确认其权利和义务的内容来实现的。它通过规定社会成员可以怎样行为，应当怎样行为，为其社会成员提供基本的行为模式。社会成员通过明确了解自己所拥有的权利，即可明确在法律的范围内自己可以怎样行为。同时，社会成员根据法律规定的义务切实地履行自己的责任，从而明确自己应当怎样行为。

3. 法是由国家强制力保证实施的行为规范体系

法的这种强制性规范是法区别于其他社会规范的重要特征。如前所述，这种强制性规范会对社会成员的行为做出肯定或否定性的评价，当出现否定性的评价时，就会为其带来法律上的不利益，给社会成员带来不利的结果。国家的这种强制力是任何个人和组织都无法抗拒的。正是由于国家作为暴力机关，有其强大的国家机构做后盾，这就使法律的行使有了可靠的保障，不论其社会成员的主观愿望如何，他必须严格遵守法律的规定，否则就会受到法律的制裁。

（二）法的本质及概念

随着社会的发展，法的功能不仅体现为统治阶级专政和统治的工具，更多地还体现为法的社会性职能，这种职能就必然表现为法是为了人们一定的需要而创设的，因而，在法的创设过程中，就必然体现人的意志，这种对人的意志的体现，应表达多数人的意志，并且是在公平、正义的基础上来实现的。法的社会性职能体现了人们对通过法所要达到的社会目标有一种清晰、明确的追求。法律作为人的行为规则就不再是外化于人的行为，而是内化于人的内心，使法同人的许多习俗和天性产生一种必然的亲和性，这样，法就可以成为一种凝聚人们思想和行为的精神力量，表达出人们的共同关注和共同价值追求。法律也得以充分体现其公平如水的特性，从而实现法的公平、正义的价值追求。当然，这种具有“公意”的法是通过国家制定和认可的。它是调整人们行为规则的体系，这种行为规则体系是以人的权利和义务为内容，并且通过国家的强制力保证其实施的行为规则体系，这体现出法的本质内涵。因此，将法定义为：法是体现人们意志的，被国家和社会认同的调节人的行为规范的总和。它通过确定人们的权利和义务来确定人的行为准则，并通过国家强制力来保证执行。

三、法律的作用

根据行为的主体不同，法律的规范作用可分为指引、评价、教育、预测、强制五种。

1. 指引作用

法律的指引作用是法的作用中最重要的作用，它通过对人们的行为提供一种既定的模式，引导人们在法律所许可的范围内从事社会活动。通过法律指引使人们明白法律对人们行为的肯定或否定，从而对自己的行为进行选择。法律规范的指引作用，一方面在于鼓励、肯定人们从事某种行为，另一方面在于否定、防止人们从事某种行为。

2. 评价作用

法律的评价作用是指法律具有判断、衡量他人行为是否合法或有效的作用。法律评价是对法律上的人（包括自然人、法人及国家）所进行的行为进行评价。这种评价具有一定的客观的标准。这个标准就是依据法律来进行判断，依此标准，将法律上的人的行为分为合法行为与违法行为。

3. 教育作用

法律的教育作用指通过法律的规定和实施，通过对人们今后行为所发生的积极影响，引导人们积极依法行为。这种教育作用主要通过影响人们的思想得以实现。法律是否真正起教育作用，作用的程度如何，最终要取决于法律规定本身是否真正体现了大多数社会成员的利益，只有法律符合大多数社会成员的利益，使其内化为社会成员的自觉行动，这样法律的实质效果才能得以实现。

4. 预测作用

法律的预测作用指人们根据法律的规定，可以预先估计到自己行为的结果或他人将如何安排自己的行为，从而决定自己的行为。一方面，人们可以根据法律的规定对自己已经作出的或即将作出的行为以及将必然导致的法律后果作出预先的判断，通过这种预先的判断，人们可以自觉地调整自己的行为。另一方面，人们通过预测他人的行为，作出判断，从而调整自己的行为。

5. 强制作用

法律的强制作用指法律对违法犯罪的行为实施制裁和惩罚的功能。其作用对象是违法者的行为，其实施主体是国家。法律的这种强制作用，主要针对社会成员中一部分不依法律规定行事的人，对违法犯罪者进行惩戒，以保护其他守法的社会成员的利益和安全，使社会秩序得以稳定。

四、法律关系

（一）法律关系的概念

法律关系是法律在调整人的行为的过程中形成的一种特殊社会关系，即人们的权利和义务关系。

（二）法律关系的要素

法律关系的要素包括主体、客体和内容。

1. 法律关系的主体

法律关系的主体指参与法律关系并依法享有权利和承担义务的人。根据法律的规定，能参与法律关系的主体包括：

（1）自然人。自然人是指基于出生而取得民事主体资格的人。自然人包括本国公民、外国人和无国籍人。

（2）法人。法人是指具有权利能力和行为能力，依法独立享有民事权利和承担民事义务的组织。法人是依法律创设的民事主体。

（3）国家。在特殊情况下，国家可以作为一个整体参与到法律关系中，成为法律关系的主体。

2. 法律关系的客体

法律关系的客体指法律关系主体的权利和义务所指向的对象。它包括：

（1）物。物是指能满足人的需要，能够为人所控制和支配的物质对象。

（2）行为。行为是指与人的意志有关的能引起法律关系产生、变更或消灭的活动。

（3）智力成果。智力成果是指人们从事智力活动所取得的成果。

（4）人身利益。它包括人格权和身份权，基于一定的人格和身份而产生，体现的是人的精神和道德上的利益。

3. 法律关系的内容

法律关系的内容指法律关系主体之间的权利和义务。在某些法律关系中，主体的权利和义务同时发生，不可分离，主体既是权利的享有者，又是义务的承担者。在某些法律关系中，主体的权利和义务是同一的，主体既是权利的行使者，又是义务的履行者。

（三）法律关系的形成与演变

每一种法律关系的形成和存在都是以法律的规定为前提的，都是基于法律规定的权利义务关系而产生和存在的。因此法律关系的演变，即法律关系的产生、变更和消灭，也是基于法律本身。大多数的法律关系的产生、变更和消灭，除法律规定外，还需要一定的条件，这个条件就是法律事实。法律事实是导致具体法律关系的产生、变更和消灭的另一原因。法律事实又分为事件和行为。

（1）事件。事件是指能直接引起法律关系发生、变更和消灭而又不以人的意志为转移的客观现象，如人的死亡、自然灾害、战争等。

（2）行为。行为是指能引起法律关系产生、变更和消灭的人们的行为。

五、法律责任

（一）法律责任的概念

法律责任指行为人违反法律规定，因损害法律上保护的权利义务关系而导致相关主体受侵害所应承担的不利的法律后果。

（二）法律责任的构成

如上所述，法律责任是一种不利的法律后果，而构成这种不利后果的情况或原因有三类，即违法行为、违约行为及法律规定。

1. 违法行为

违法行为指当事人不履行法定的义务，从而破坏法定权利义务关系的行为。

2. 违约行为

违法行为指当事人不履行约定的义务，从而破坏约定权利义务关系的行为。

3. 法律规定

法律规定指从表面上看当事人并没有从事任何违法行为或违约行为，仅出于由于法律所规定的法律事实而需要承担某种赔偿责任，如产品致人损害。

（三）法律责任的类型

根据引起责任的行为性质不同，可将法律责任划分为民事责任、刑事责任、行政责任、违宪责任。

1. 民事责任

民事责任指违反民事法律规定，违反约定或由于民法规定所应承担的一种法律责任。民事责任的特点是：民事责任主要是一种经济责任。它主要通过救济当事人的权利，赔偿或补偿当事人的损失来实现。在法律许可的条件下，民事责任可由当事人自行协商解决。

2. 刑事责任

刑事责任指行为人因犯罪行为所必须承受的由国家司法机关依法所确定的否定性法律后果。

3. 行政责任

行政责任指因违反行政法或因行政法规定而应承担的法律责任。

4. 违宪责任

违宪责任指有关国家机关制定的某种法律、法规、规章与宪法相抵触，或有关国家机关、社会组织或公民从事与宪法规定相抵触的活动而产生的法律责任。对违宪责任的追究一般通过违宪审查制度来查处。在我国，实施违宪监督的权力属于全国人民代表大会及其常务委员会。

（四）法律责任的承担和减免

1. 法律责任的承担

法律责任的承担指责任主体所应承担的不利的法律后果。法律责任的承担方式分为两种：

（1）主动承担方式。它是指责任主体自觉地承担法律责任，主动支付赔偿、补偿和恢复受损害的利益和权利。

（2）被动承担方式。它是指责任主体根据司法机关和行政机关的确认承担相应的法律责任。

2. 法律责任的减免

法律责任的减免是指法律责任由于法律规定的条件的出现，从而使责任人的法律责任被部分或全部免除。

法律责任的减免形式有：

（1）时效免责。

（2）当事人不起诉的免责。

（3）自首或立功的免责。

（4）法定无责任能力人的免责。

（5）因履行不能而免责。

六、我国法的渊源

法的渊源是指法的创制方式和表现形式。我国法的渊源主要表现为有权创制法律规范的国家机关制定的规范性文件，即制定法。我国法的渊源分为以下几类：

1. 宪法

宪法是我国的根本大法，在我国法律渊源中处于最高的法律地位，是其他一切法律法规的立法依据，具有最高的法律效力。

2. 法律

法律是由全国人民代表大会及其常务委员会制定和颁布的规范性法律文件。在我国法的渊源中，法律是仅次于宪法的主要法律渊源。其中，基本法由全国人民代表大会制定和修改，主要调整国家和社会生活中某一方面的最基本的问题，如《中华人民共和国民法通则》以及《中华人民共和国物权法》等。而基本法以外的一般法律是指由全国人民代表大会常务委员会制定和修改的，旨在调整国家和社会生活某一具体方面的法律，如《中华人民共和国产品质量法》、《中华人民共和国未成年人保护法》、《中华人民共和国商标法》等。

3. 行政法规

行政法规是由国家最高行政机关国务院根据宪法和法律及全国人民代表大会及常务委员会的授权制定的有关国家行政管理方面的规范性法律文件。行政法规的效力仅次于宪法和法律。

4. 地方性法规

地方性法规是由省、自治区、直辖市以及省级人民政府所在地的市和经国务院批准的较大的市的人民代表大会及其常委会有权制定的规范性文件的总称。

七、我国的法律部门和法律体系

法律部门又称部门法，是以调整社会关系的领域和调整方法作为主要标准，对现行法律进行分类的概念。我国的基本部门法包括宪法、行政法、民商法、经济法、劳动法、刑法、诉讼法等。

法律体系是指由各法律部门组成的一国现行法律有机联系的整体。法律体系由法律部门构成，从而形成一国法律的整体。这便是法律体系的基本框架。

第二节　经济法与其他部门法的关系

任何一个法律部门都不是绝对独立存在的，它与其他相关的法律部门存在着必然的联系，经济法与民法、行政法联系最为密切。虽然民法、行政法和经济法在调整社会关系上各有侧重，但在某些方面他们又是相互交叉和相互联系的。

一、经济法与民法

经济法与民法联系最为密切。在经济法形成和发展过程中，两者相互影响，协调发展，民法的一些制度、原则为经济法所采用，经济法的一些理论观点对民法的发展也有促进作用。但两者的区别也是明显的，主要表现在：

第一，经济法与民法调整的对象不同。民法调整的是平等主体的自然人之间、法人之间、其他组织之间，以及他们互相之间发生的人身关系和财产关系，它强调主体之间的平等性；经济法调整的是在国家协调本国经济运行过程中发生的经济关系，不调整人身关系，它强调主体之间的层次性。

第二，民法和经济法调整的范围不同。民法调整的社会关系属于私法领域，国家一般不予干预，体现民法强调的平等主体之间的“意思自治”、“私权绝对”的原则；经济法强调社会关系中的整体利益，强调市场竞争的有序性，通过国家对市场的干预维护市场的公平竞争秩序。

第三，经济法与民法两者的作用不同。民法的作用表现为作为体现市场调节机制之法，以维护自然人、法人和其他组织的利益为主，强调的是个人自由和个人权利的实现，体现个人本位和权利本位；经济法作为国家协调本国经济运行之法，以社会本位为核心，维护国家和社会公共利益，强调无论国家还是企业都必须对社会负责。

第四，经济法与民法调整的方法不同。民法主要采取民事制裁的形式进行调整；经济法则采取奖励与惩罚相结合的调整方法，就惩罚而言，主要采用追究经济责任和非经济责任相结合的制裁形式，非经济责任包括行为责任、信誉责任、资格减免责任等。

如前所述，经济法与民法虽然存在明显的区别，但两者的联系却是最为密切的，在经济法的发展过程中，民法的一些制度也为经济法所采用，如代理制度和诉讼时效制度。

（一）代理

【案例讨论】张某与邻居刘某因相邻房屋的排水问题发生争执。争执中，张某将刘某打伤，经法医鉴定为轻微伤。刘某向县人民法院起诉，要求张某赔偿其医药费、误工费、营养费等共计1.2万元。在县人民法院通知张某应诉后，张某与某律师事务所办理了委托代理手续，并出具了一份授权委托书，委托书载明：律师刘华为本案张某的代理人，有权代张某进行和解和签收调解书等。后该案经调解结案，张某赔偿对方5000元。刘华代签了调解书。当刘华将已生效的调解书交给张某时，张某表示不满，认为赔偿额在3000元以内可以接受，超过3000元他不能接受。张某随后向法院要求申请再审，理由是，该调解协议不是他本人与对方达成的，法院作出的调解书未征得他本人同意也不是他本人签收的，所以不具有法律效力。问：

刘华代签的调解书是否具有法律效力？为什么？

1. 代理的概念和特征

代理是指代理人在代理权限内，以被代理人的名义与第三人实施民事法律行为，其所产生的法律后果由被代理人承担的法律制度。代理制度的产生，充实了民事自由，使当事人意思自治得以真正实现。当事人依其自由意思表示，为其设定权利、承担义务，这不仅是指当事人依其意思亲自为法律行为，而且还可以使当事人依其自由意思授权他人代其为意思表示。通过代理人实施民事法律行为，使无民事行为能力人或限制民事行为能力人的民事行为能力通过代理得以弥补。完全民事行为能力人也可以不受自身的时间、体力、业务能力、地域的限制，通过代理使其民事行为能力得以扩张。代理制度中以被代理人名义实施民事行为的人，称为代理人；由他人代为实施民事行为的人，称为被代理人，也称本人；与代理人实施法律行为的人，称为第三人。

代理的特征：

（1）代理人以被代理人的名义为被代理人的利益进行民事行为。

(2) 代理人在代理权限内独立进行意思表示。由于代理是代理人以自己的技能为被代理人服务，代理人应以自己的技能为被代理人的利益独立进行意思表示。

(3) 代理行为的法律后果由被代理人承担。

2. 代理的种类

根据代理权产生的根据，将代理分为委托代理、法定代理和指定代理三种类型。

(1) 委托代理。委托代理是指基于被代理人的委托授权而发生的代理，又称意定代理，是最广泛、最常见的一种代理形式。被代理人的委托授权是被代理人以其单方意思表示授予代理人代理权的民事法律行为，代理权的产生是由被代理人的单方意思决定的。委托授权的形式可以是书面形式，也可以是口头形式。法律规定使用书面形式的，应当采用书面形式。

(2) 法定代理。法定代理是指依法律直接规定而产生的代理。这种代理方式主要适用于无民事行为能力人或限制民事行为能力人。限制民事行为能力人依法不能独立实施的民事行为，由他的法定代理人代理或征得法定代理人的同意实施；无民事行为能力人由他的法定代理人代理其民事活动。无民事行为能力人、限制民事行为能力人的监护人是他的法定代理人。

(3) 指定代理。指定代理是指根据人民法院或指定单位的指定而发生的代理。

【案例评析】本案中张某同刘华之间的关系为典型的委托代理关系。刘华在代理中并未超出权限，也无恶意行为。这一代理产生的法律后果应由张某完全承担。张某所提出的调解协议不是他本人与对方达成的，法院作出的调解书未征得他本人同意也不是他本人签收的，是没有根据的，所以不具有法律效力。因为在授权书中，他已明确将和解的权利授予了刘华，刘华据此授权进行调解，调解给付多少赔偿，无须再征得他的同意，人民法院也无须征询张某的意见。

(二) 诉讼时效

【案例讨论】张某与王某是好朋友。1988 年 10 月，张某因买房向王某借款 2 万元。当时，张某给王某写有借据，借据上写明在 1989 年 10 月以前将借款还清。到了还款时间，张某未向王某还款，也未提及此事。因王某和张某关系很好，王某也不好意思提及此事。直到 1994 年 2 月，王某见张某仍不还钱，也不提及此事，只好向张某说明他等钱用，希望张某尽快还钱。谁知张某却声称并无此事。王某遂将张某诉至人民法院，要求张某归还借款并支付因逾期还款应归还的利息。

1. 诉讼时效的概念

诉讼时效是指权利人在法定期限内不行使权利即丧失请求人民法院予以保护其民事权益的权利的法律制度。法律规定的权利人请求人民法院保护其民事权利的法定期间就是诉讼时效期间。权利人在其权利受到侵害时，有权请求人民法院予以保护。但人民法院保护权利人的权利也不是无限制的，权利人应在法律规定的期间内请求保护，超过该期间，法院将不再对权利人的权利予以保护。请求诉讼保护的权利是实体意义上的胜诉权，诉讼时效一旦届满后，虽然程序上权利人可以向法院起诉，但权利人丧失了通过诉讼获得胜诉的救济，其权利也不再受法律保护。诉讼时效的意义在于督促权利人及时行使权利，使当事人之间的权利义务关系确定化。如果权利人长期不行使其权利，义务人的法律地位也将长期处于不确定状态，从而导致当事人之间社会关系的事实状态和法律状态长期不一致，不利于当事人建立新的、确定化的社会关系。诉讼时效制度的设立，还有利于法院及时、正确地处理民事纠纷，避免对年久日深的民事纠纷进行查证、取证的困难。

2. 诉讼时效的种类

（1）一般诉讼时效。一般诉讼时效是指民法统一规定的诉讼时效期限，期限为两年。除法律另有规定外，一般民事权利的保护都适用一般诉讼时效。

（2）特殊诉讼时效。特殊诉讼时效是指民法特别规定的短期时效和各种单行法规定的时效期限。《中华人民共和国民法通则》（以下简称《民法通则》）规定下列四种性质的案件诉讼时效为一年：①身体受到伤害要求赔偿的；②出售质量不合格的商品未声明的；③延付或拒付租金的；④寄存物被丢失或者毁损的。

（三）诉讼时效的开始、中止、中断和延长

1. 诉讼时效的开始

诉讼时效期间从知道或者应当知道权利被侵害时起计算。债权定有履行期限的，诉讼时效期间自期限届至时起计算，未定履行期限的，时效期间自债发生之时起计算。但是，自权利被侵害之日起超过20年的，人民法院不予保护。超过诉讼时效期间，当事人自愿履行的，不受诉讼时效限制。

2. 诉讼时效的中止

诉讼时效的中止是指在诉讼时效期间的最后六个月内，因不可抗力或其他障碍不能行使请求权的，诉讼时效中止。从诉讼时效中止的原因消除之日起，诉讼时效期间继续计算。

3. 诉讼时效的中断

诉讼时效的中断是指在诉讼时效进行中，诉讼时效因提起诉讼、当事人一方提出要求或同意履行义务而中断。从中断时起，诉讼时效重新计算。

4. 诉讼时效的延长

诉讼时效的延长是指因特殊情况权利人不可能按诉讼时效期限行使请求权的，人民法院可以延长诉讼时效期限。

【案例评析】此案为借款纠纷，王某虽有借据可以证明张某向其借款的事实，但他在还款期限届满时既未向张某催还借款，也未向人民法院起诉，在他起诉时，已过二年的诉讼时效期，已丧失请求人民法院保护其民事权益的权利。

二、经济法与行政法

【案例讨论】甲市某酒厂酿造的“蓝星”系列白酒深为当地人喜爱。甲市政府办公室发文指定该酒为“接待用酒”，要求各机关、企事业单位、社会团体在业务用餐时，酒类应以“蓝星”系列为主。同时，该酒厂公开承诺，用餐者凭市内各酒楼出具的证明，可以取得消费100元返还10元的奖励。问：

市政府的做法是否合法？为什么？

经济法与行政法相同之处表现为：体现国家对社会生活的干预，经济法调整的国民经济管理关系中有很多具有一定的行政管理性质；经济法对经济关系的调整必要时也会采用行政手段加以调节。

两者的区别也很明显，主要表现为：

第一，经济法与行政法的调整对象不同。经济法调整在本国经济运行过程中发生的经济关系，其中包括市场监管关系、宏观调控关系等经济管理关系；行政法调整行政管理关系，而不调整经济管理关系。

第二，经济法与行政法调整的范围不同。经济法调整的范围比行政法调整的范围更为宽泛，它调整的经济关系本质上是一种物质利益关系；行政法调整的范围固定而且比较狭窄，它仅限于不具有经济内容的行政关系。

第三，经济法与行政法调整的方法不同。经济法在调整过程中，除采取奖励方法外，对违反经济法义务而引起的不利法律后果，采取追究多种经济责任和非经济责任的制裁形式；而行政法除采取奖励外，对于违反行政法义务而引起的不利法律后果，主要采取行政制裁形式。

第四，经济法与行政法的作用不同。经济法对于引导、推进和保障经济体制改革的发展起着重要作用，在推动国民经济的发展方面所起的作用比行政法更为直接和明显；而行政法对引导、推进和保障政治体制改革的发展起着重要作用。

可见，经济法、行政法、民法在调整社会关系上各有所长并各有侧重，而在某些方面又是交叉的；任何的片面理解或绝对割裂都是不可取的。经济法作为一个独立的法律部门出现是随着社会经济发展的需要而产生的，对社会经济的发展过程中出现的一些新问题，如垄断、不正当竞争、消费者权益保护等，传统的民法和行政法均难以有效地解决，经济法就是顺应这种社会经济发展的需要而产生的。

【案例评析】本案中市政府的行为明显属于利用行政权力限定他人购买指定经营者商品的行政性强制经营行为，属于法律禁止的限制竞争行为，对此，应由其上级部门责令改正。

第三节　经济法概述

一、经济法的概念与特征

（一）经济法的概念

“经济法”一词产生于18世纪，是法国著名的空想共产主义者摩莱里在1755年出版的《自然法典》一书中第一次提出的，这是经济法最早的词源。

20世纪，德国法学家赫尔曼在其《经济学字典》中使用了“经济法”一词。在此之后，许多国家的法学著作中都先后使用了“经济法”这一概念，以至于在有些国家颁布的法律中，也先后使用了“经济法”这一概念。但这还不是现代意义上的“经济法”的概念，现代意义上的“经济法”是在资本主义从自由资本主义向垄断资本主义发展的进程中产生的，自由竞争时期的资本主义采取的是自由放任主义，主张政府对社会经济生活不要轻易干预，应该让市场按自身规律自我调节，充分发挥市场机制自身的调节作用。1929年开始的持续三年的世界性经济危机，促使人们对过去采取的对经济不干预的理论进行反思。在对经济不干预理论进行批判的同时，以凯恩斯为代表的经济学家提出了国家应干预社会经济生活，以解决经济危机和就业问题。第二次世界大战以后，和过去国家不干预经济领域的做法不同，很多国家为了保障社会的正常发展，以经济性政策或经济性法律来直接干预社会经济活动，提出了经济法的任务是通过政府的经济性政策或经济性法律直接干预社会经济活动。这既保留了一定程度的契约自由，又具有行政强制的特点。

因此，经济法被定义为是国家为了保证经济协调发展而制定的有关干预和调整国民经济管理关系和市场运行关系的法律规范的总称。

（二）经济法的特征

经济法与其他部门法相比，具有以下法律特征：

1. 国家干预性

国家对社会经济活动的干预是经济法产生的直接原因。市场经济的发展要求公平、平等和自由的经济秩序，但是干扰、影响甚至破坏市场经济秩序的行为时有发生。对此，国家必须以经济立法的手段来调控和管理市场经济秩序，对违法经济行为进行惩治，以此实现公平和正义。

2. 经济性和社会性

调整经济关系往往具有一定的经济目的性。社会发展需要经济的发展和生活水平的提高，经济法调整经济关系，从而使社会整体达到较好的经济效益。经济法的宏观调控特性体现了效率的原则，指导市场主体合理地配置各种资源。同时，经济法的根本目标是维护社会整体经济利益，促进社会经济运行协调和稳定的发展。

3. 多样性

经济法对社会经济的干预涉及的问题非常广泛，采用的法律手段也比较多，经济法可以采用民事的、行政的甚至是刑事的法律手段，来综合调整经济关系。经济法的多样性特点，是由经济法所调整的经济关系的错综复杂性所决定的。

4. 变动性

经济法是随着社会经济的发展和变化而变化的。社会经济发展是比较快的，社会经济和市场发展变化后，必然要求经济法做出相应的调节和改变。

二、经济法的基本原则

经济法的基本原则，是经济法立法、执法、司法和守法的根本准则，具有指导作用。

（一）国家适度干预的原则

国家适度干预的原则是体现经济法本质特征的原则。经济法就是国家对社会经济进行干预的法律表现形式。所谓适度干预，就是要求国家授权政府在法律规定的范围内对经济进行干预，这种干预应当积极、主动地进行，同时干预不能过多也不能过少。是否适度是以经济发展是否健康有序、是否持续为标准的。

（二）社会本位原则

与其他法律相比，经济法以社会责任为本位，它从社会效益的角度来协调各种矛盾，而行政法强调国家本位，注重保护国家的利益，民法则强调个人本位，注重保护民事主体的利益。在市场经济中，个人利益只有与社会公共利益平衡发展才能得到实现。经济法以保护社会公共利益作为自己的基本出发点，即经济法强调社会整体利益。它要求个人利益与社会利益相协调，必要时为了社会的需要，个人利益要做出必要的牺牲。经济法强调市场参与的各方都必须对社会负责，对社会发展负责，因此，经济法是以社会效益或社会责任为本位的法。

（三）经济公平原则

民法和经济法都将公平作为自己的基本原则，但是两者的侧重点有所不同。民法更强调机会的公平，而经济法更注重结果意义上的公平，因为这一原则体现了人类对终极意义上的公平的追求。市场交易的过程由民法进行规范，经济法则主要对交易的结果进行干预和调整。有时经济法也会干预交易过程，但其目的是为了维护社会整体利益，并非纯粹维护公平交易。经济法中的许多法律制度都体现了这一原则。

（四）经济效益原则

经济效益是经济工作的重点和归宿，也是国家干预经济运行和经济立法的终极目标。经济活动组织的微观经济活动讲究效益，国家的宏观调控也要讲效益。经济效益包括企业经济效益和社会经济效益。两者是互相联系的，企业经济效益应当符合社会经济效益，社会经济效益则是企业经济效益的总和。经济法中的任何具体的法律制度，都要以是否能促进社会整体经济的发展和经济公平为标准。

三、经济法律关系

（一）经济法律关系的概念

经济法律关系是指在国家干预社会经济活动过程中产生的社会经济关系通过经济法的调整而产生的权利和义务关系。

经济法律关系与经济关系是两个密切联系但又有所区别的概念。经济关系是在一定生产方式基础上产生的所有生产、交换、分配和消费诸种关系的总称。经济关系是人类社会最基本的社会关系，是人类社会存在和发展的基础。当经济关系成为经济法的调整范围而为经济法所调整时，就形成了经济法律关系。

（二）经济法律关系的构成要素

任何法律关系都由主体、客体、内容三要素构成。经济法律关系也是由经济法律关系的主体、客体和内容三要素构成，三要素相互联系，缺少其中任何一个要素，都不能构成经济法律关系。

1. 经济法律关系的主体

经济法律关系的主体即经济法主体，是指参与经济法律关系并依法享有权利和承担义务的人。在我国，经济法律关系的主体主要包括两类：一类是国家经济管理主体。这类主体是相对特定的，指担负国家经济管理职能的机关。另一类是国家经济的被管理主体。经济法律关系的主体具体包括：

（1）国家管理机关。国家管理机关是行使国家职能的各种机关的通称，包括国家权力机关、国家行政机关和国家司法机关等。作为国家经济法律关系主体的国家机关主要是指国家行政机关中的经济管理机关。国家机关在经济法律关系中主要是行使经济管理职能。

（2）企业和其他社会组织。企业是经济法律关系主体中最重要的一类，它是以营利为目的的社会经济组织。其他社会组织是指事业单位、社会团体等。

（3）企业内部组织。企业内部组织是指企业、公司和其他组织的内部单位。企业内部组织要成为经济法律关系的主体必须具备一定的前提条件，并非所有的企业内部组织都可以成为经济法律关系的主体，只有其获得一定的相对独立的活动职能，并能独立承担责任，才能成为经济法律关系的主体，如实行内部承包经营责任制、内部实行独立经济核算等。

（4）个体工商户、承包户、专业户和自然人。个体工商户、承包户、专业户和自然人属于民事法律关系主体的一类。在他们参加经济活动过程中，依法同国家机关、企业、事业单位、公司和社会团体发生经济权利和义务关系时，就成为经济法律关系的主体。

2. 经济法律关系的客体

经济法律关系的客体是指经济法律关系主体的权利和义务共同指向的具体对象。客体是确定权利义务关系性质的依据，如果没有客体，经济权利义务就失去了所依附的目标，就无法引起法律关系主体双方经济权利和义务关系的发生。目前，经济法律关系的客体有以下三类：

（1）物。物是指可以为人所控制和支配、具有价值和使用价值的物质。物包括自然存在物和人类劳动生产的产品以及货币和有价证券等。物是经济法律关系中存在最广泛的客体。

（2）经济行为。经济行为是指经济法律关系主体为达到一定的经济目的，实现其权利和义务所进行的经济活动。经济行为主要包括经济管理行为、提供劳务行为和完成工作行为等。作为经济法律关系的经济行为仅指为实现权利和义务而实行的行为。

（3）智力成果。智力成果是指人们从事智力劳动所创造的成果，又称知识产品。它是文学艺术和科学作品、发明、实用新型、外观设计、商标以及创造性劳动成果的统称。智力成果本身不直接表现为物质财富，但可以转化为物质财富。

3. 经济法律关系的内容

经济法律关系的内容即经济法律关系主体所享有的经济权利和应承担的经济义务。

经济权利是经济法律关系主体被经济法律所确认的许可和资格，主要包括所有权、经济职权、经营管理权、法人财产权、知识产权等，具体如下：

（1）所有权。所有权是指所有人依法对自己所有的财产享有的占有、使用、收益和处分的权利。所有权具有排他性、绝对性，一物只能附一所有权。所有权有四项权能，即占有权、使用权、收益权和处分权。其中，占有权是指对财产的实际控制权利；使用权是指按照财产的性能与用途加以利用的权利；收益权是指获取财产所产生的利益的权利；处分权是指决定财产事实上和法律上命运的权利。这四项权利可以在一定条件下与所有人分离，这种分离是所有人行使所有权的一种方式。

（2）经济职权。经济职权是指国家机关及工作人员在行使经济管理职能时依法所享有的权利。经济职权是具有隶属性质的权利，具有一定的行政权力性质。在国家机关及工作人员依法行使经济职权时，其他经济主体均应服从。

（3）经营管理权。经营管理权是指企业对所有人授予其经营管理时所享有的占有、使用和依法处分的权利，以及由此而产生的对企业管理的权利。

（4）法人财产权。法人财产权是指企业法人对企业所有者投资所设企业的全部财产在经营中所享有的占有、使用、收益和处分的权利。

（5）知识产权。知识产权是指智力成果的创造人依法所享有的权利和生产经营活动中标记所有人依法享有的权利的总称。

经济义务是经济法律所规定的，经济法律关系主体所应承担的一种责任。为了保证国家、社会和经济法律关系主体的利益，我国法律法规为经济法律关系主体设定了多方面的义务，如遵守法律、法规的义务，严格履行合同的义务，依法纳税的义务，保证产品质量的义务，不得侵犯消费者权益的义务等。

（三）经济法律事实

经济法律事实是指能够引起经济法律关系设立、变更和消灭的客观情况。经济法律事实是经济法律关系产生、变更和消灭的客观情况。经济法律事实可以依照其发生与当事人意志有无关系，分为行为和事件。

第二章
企业法律制度

第一节　企业法律制度概述

一、企业概述

（一）企业的概念和基本特征

1. 企业的概念

对于企业的概念，目前较为一致的观点认为，企业是指依法设立的，以营利为目的，从事生产经营活动或服务性业务的独立核算的经济组织。

2. 企业的特征

企业具有以下特征：

（1）组织性。所谓组织性，是指企业（即使是自然人企业）应具有一定的人员和机构，控制一定的财产，具有独立或相对独立的地位。在企业内部应有合理的分工，有密切的配合，能够将人力与物力聚集起来进行高效的生产经营活动。

（2）营利性。企业是以营利为目的从事生产经营活动的社会经济组织。企业的这一特征决定了企业必须注重经济效益，实现资产的保值增值，以维护自身的生存和发展。以营利为目的，是企业与国家机关、事业单位、社会团体之间的根本区别。

（3）独立性。企业是实行独立核算、自主经营、自负盈亏的经济组织。

（4）合法性。企业必须依法设立，取得法律关系主体资格，才能以企业的名义从事生产经营活动。企业在追求盈利的同时，必须承担一定的社会责任，如竞争手段合法，不得损害社会公共利益，不得破坏和污染环境等。

（二）企业的分类

依据不同的划分标准，可以将企业划分为不同的类型。

1. 以企业的所有制形式为标准划分

根据企业的所有制形式的不同，可将企业划分为国有企业、集体所有制企业、私营企业、外商投资企业以及混合所有制企业。

2. 以企业的组织形式为标准划分

根据企业的组织形式的不同，可将企业划分为独资企业、合伙企业、公司等。这种划分方式反映了承担企业风险责任形式的不同。这种分类是国际上有关企业立法的主要分类方式。

3. 以企业经营的事业为标准划分

根据企业经营的事业的不同，可将企业划分为工业企业、农业企业、商业企业和各种服务性企业等。这样划分的目的是为了满足国家经济统计和国家管理的需要。

4. 以企业的法律地位为标准划分

根据企业的法律地位的不同，可将企业划分为法人企业和非法人企业。

法人企业是指具有法人主体地位的企业。所谓法人，是指具有权利能力和行为能力，依法独立享有民事权利和承担民事义务的组织。法人是由法律创设的民事主体，是与自然人相对应的概念。法人应当具备下列条件：①依法成立；②有必要的财产或者经费；③有自己的名称、组织机构和场所；④能够独立承担民事责任。

法人能够独立承担民事责任，这意味着法人能以自己的财产承担自己行为的法律后果，而非以法人成员、法人创始人或其他法人的财产承担责任。法人的成员对法人的债务只负有限责任，当法人的财产不足以承担法人的债务时，未承担的债务消灭，法人成员不再以个人财产清偿。公司是典型的法人企业。

非法人企业是指不具有法人主体地位的企业。非法人企业的成员或部分成员对企业的债务要承担无限责任，即当企业的财产不足以承担企业的债务时，不足的部分以企业成员或部分成员的个人财产承担。个人独资企业和合伙企业是典型的非法人企业。

二、企业法的调整对象与体系

（一）企业法的调整对象

企业法是指调整国家对企业进行组织管理以及企业在生产经营或服务性活动中所发生的各种经济关系的法律规范的总称。经济关系主要包括两方面的关系，即企业在设立、组织与活动中所发生的经济管理关系和财产关系。

（二）企业法体系

新中国成立以来，主要是按照企业的所有制形式制定和划分各种企业法，形成了具有中国特色的企业法体系：以单行法规为基本形式，以企业所有制形式为立法出发点，原则规定与实施细则相结合，以经济行政、民事和劳动法律规范为企业法的三大支柱。主要的立法有《中华人民共和国全民所有制工业企业法》、《中华人民共和国城镇集体所有制企业条例》、《中华人民共和国乡村集体所有制企业条例》、《中华人民共和国乡镇企业法》、《中华人民共和国中外合资经营企业法》、《中华人民共和国中外合作经营企业法》、《中华人民共和国外资企业法》等。

传统企业法因所有制性质不同而使企业处于不平等的地位。企业间的权利、义务不平等，企业间的竞争也不平等。按所有制为划分标准的立法不科学，立法规则也不统一，出现了各自为政的单行法规重复立法的现象。这种立法模式严重阻碍了市场经济的发展，与 WTO 的基本规则也不相适应。

随着市场经济体制的建立和现代企业制度的确立，我国传统企业法的立法模式已被打破，逐步建立起了当今世界通行的企业立法体系，即依据企业的组织形式分类的方法，分别制定和修改了《中华人民共和国个人独资企业法》、《中华人民共和国合伙企业法》、《中华人民共和国公司法》及相应的配套法规。同时在结合中国国情的前提下，在企业的退出机制方面尽量与国际上通行的破产立法相衔接，制定了《中华人民共和国企业破产法》。该法普遍适用于国内所有的企业法人，其他非法人企业在破产清算时也可参照适用，该法为完善我国的市场经济体制、建立现代企业制度提供了良好的法律环境。

尽管现行企业法体系还处于两种立法模式并存的阶段，但是随着改革的不断深入发展，尤其是公司制改造的不断深化，这种并存的立法模式将最终根据公平、平等、开放、竞争的市场规则要求，建立起以组织形式、投资者责任方式为标准，对市场主体进行科学分类的我国新型的市场经济体制下的企业立法体系。

本章主要介绍合伙企业法、个人独资企业法及企业破产法，而公司法将在第三章中专门介绍。

第二节　合伙企业法

一、合伙企业概述

（一）合伙企业的概念与分类

合伙企业是一种古老的企业形态，早在古罗马时期就已经存在。一般情况下，合伙企业是指由合伙人共同订立合伙协议，共同出资、合伙经营、共享收益、共担风险，并依法对合伙企业债务承担无限连带责任的企业组织。

为适应市场经济的不断发展，鼓励投资，《中华人民共和国合伙企业法》规定，合伙企业是由自然人、法人和其他组织依法设立的普通合伙企业和有限合伙企业。其中，普通合伙企业由普通合伙人组成，合伙人对合伙企业债务承担无限连带责任，但对特殊的普通合伙企业另有规定的除外。有限合伙企业则由普通合伙人和有限合伙人组成，普通合伙人对合伙企业债务承担无限连带责任，有限合伙人以其认缴的出资额为限对合伙企业债务承担责任。

（二）合伙企业法的概念与适用范围

合伙企业法有广义和狭义两种理解。狭义的合伙企业法是指国家最高立法机关依法制定的规范合伙企业合伙关系的专门法律，即由第八届全国人民代表大会常务委员会第二十四次会议于1997年2月23日通过，自1997年8月1日起施行的《中华人民共和国合伙企业法》（以下简称《合伙企业法》），该法由第十届全国人民代表大会常务委员会第二十三次会议于2006年8月27日修订通过后自2007年6月1日起施行。广义的合伙企业法是指国家立法机关或者其他机关依法制定的、调整合伙企业合伙关系的各种法律规范的总称。因此，除了《合伙企业法》外，国家有关法律、行政法规和规章中关于合伙企业的法律规范，都属于合伙企业法的范畴。

《合伙企业法》适用于按照现行行政管理划分规定应由工商行政管理机关登记管理的合伙企业。采用合伙制的律师事务所、会计师事务所等专业服务机构并未注册为企业的，不适用合伙企业法的规定，但在责任形式上可以适用合伙企业法规定的特殊的普通合伙企业的责任形式。

（三）合伙企业的设立程序

1．向企业登记机关提出申请，并提交相关文件

申请设立合伙企业，应当向企业登记机关提交登记申请书、合伙协议书、合伙人

身份证明等文件。合伙企业的经营范围中有属于法律、行政法规规定在登记前须经批准的项目的，该项经营业务应当依法经过批准，并在登记时提交批准文件。

2. 企业登记机关审核作出是否登记的决定

申请人提交的登记申请材料齐全、符合法定形式，企业登记机关能够当场登记的，应予当场登记，发给营业执照。除前述规定情形外，企业登记机关应当自受理申请之日起20日内，作出是否登记的决定。予以登记的，发给营业执照；不予登记的，应当给予书面答复，并说明理由。

合伙企业的营业执照签发日期，为合伙企业成立日期。合伙企业领取营业执照前，合伙人不得以合伙企业名义从事合伙业务。此外，合伙企业设立分支机构，应当向分支机构所在地的企业登记机关申请登记，领取营业执照。

二、普通合伙企业

（一）普通合伙企业的设立

《合伙企业法》规定设立合伙企业应当具备下列条件：

1. 有2个以上合伙人

对于一些特殊市场主体来说，如果让其成为合伙企业的普通合伙人，对合伙企业债务承担无限连带责任，不利于保护国有资产和上市公司利益以及公共利益。因此，修订后的《合伙企业法》第3条规定："国有独资公司、国有企业、上市公司以及公益性的事业单位、社会团体不得成为普通合伙人。"按此规定，上述组织只能参与设立有限合伙企业，成为有限合伙人，而不得成为普通合伙人。

合伙人为自然人的，应当具有完全民事行为能力。无民事行为能力人、限制民事行为能力人不得成为普通合伙人。

2. 有书面合伙协议

合伙协议是依法由全体合伙人协商一致，以书面形式订立，以确定合伙人相互间的权利、义务，具有法律约束力的文件。合伙协议经全体合伙人签名、盖章后生效。合伙协议未约定或者约定不明确的事项，由合伙人协商决定；协商不成的，依照《合伙企业法》和其他有关法律、行政法规的规定处理。根据《合伙企业法》第18条的规定，合伙协议应当载明下列事项：

（1）合伙企业的名称和主要经营场所的地点；

（2）合伙目的和合伙经营范围；

（3）合伙人的姓名或者名称、住所；

（4）合伙人的出资方式、数额和缴付期限；

（5）利润分配、亏损分担方式；

（6）合伙事务的执行；

（7）入伙与退伙；

（8）争议解决办法；

（9）合伙企业的解散与清算；

（10）违约责任。

3. 有合伙人认缴或者实际缴付的出资

合伙人可以用货币、实物、知识产权、土地使用权或其他财产权利出资，也可以用劳务出资。合伙人以实物、知识产权、土地使用权或其他财产权利出资，需要评估作价的，可以由全体合伙人协商确定，也可以由全体合伙人委托法定评估机构评估。合伙人以劳务出资的，其评估办法由全体合伙人协商确定，并在合伙协议中载明。

合伙人应当按照合伙协议约定的出资方式、数额和缴付期限履行出资义务。以非货币财产出资的，依照法律、行政法规的规定，需要办理财产权转移手续的，应当依法办理。

4. 有合伙企业的名称和生产经营场所

合伙企业的名称应当符合企业名称登记管理的要求，并且合伙企业名称中应当标明“普通合伙”字样。经营场所是指合伙企业从事生产经营活动的所在地，合伙企业一般只有一个经营场所，即在企业登记机关登记的营业地点。经营场所的法律意义在于确定债务履行地、诉讼管辖、法律文书送达地等。

5. 法律、行政法规规定的其他条件

法律、行政法规有其他规定的，应当具备相应条件。《合伙企业法》规定，外国企业或者个人在中国境内设立合伙企业的管理办法由国务院规定。

（二）普通合伙企业的财产

【案例讨论】张某、王某和李某于 2004 年 1 月成立了合伙企业，经营客户的货物运输服务，经营效益一直很好。2006 年 5 月，张某的母亲突发疾病，需要住院治疗，于是张某想将自己在合伙企业中投资的 8 万元所形成的合伙份额转让，用来给母亲治病。张某的表兄谭某想受让其财产份额，张某表示乐意转让。于是在没有通知王某和李某的情况下，两人就完成了转让行为。在谭某要行使合伙企业中的权利时，王某和李某才得知张某已将自己的份额转让，两人非常生气，不承认转让的效力，并表示他们愿意出同样的价格受让张某在合伙企业中的财产份额。但是张某认为，自己是本人财产份额的权利人，他想转让给谁由自己决定，王某和李某无权干涉。于是，王某和李某将张某告上法庭，请求认定张某的转让行为无效，并将张某的财产份额转让给他们。问：

法庭应如何判决？

1. 合伙企业财产的构成

（1）合伙人的出资。当合伙人的出资转入合伙企业时就变成了合伙企业的财产。

（2）以合伙企业名义取得的收益。合伙企业作为一个独立的经济实体，以其名义取得的收益作为合伙企业获得的财产，成为合伙企业财产的一部分。

（3）依法取得的其他财产。如接受赠与取得的财产。

2. 合伙企业财产的性质

合伙企业的财产只能由全体合伙人共同管理和使用，即合伙企业的合伙财产具有共同共有财产的性质，对合伙财产的占用、使用、收益和处分，均应依据全体合伙人的共同意志进行。除《合伙企业法》有特别规定外，合伙人在合伙企业清算前不得请求分割合伙企业的财产。

3. 合伙企业财产的转让

合伙企业财产的转让是指合伙人将自己在合伙企业中的财产份额转让给他人。由于合伙企业及其财产性质的特殊性，其财产的转让将会影响到合伙企业以及各合伙人的切身利益，因此，《合伙企业法》对合伙企业财产的转让作了以下限制性规定：

（1）合伙人之间转让其在合伙企业中的全部或者部分财产份额时，应当通知其他合伙人。

（2）除合伙协议另有约定外，合伙人向合伙人以外的人转让其在合伙企业中的全部或者部分财产份额时，须经其他合伙人的一致同意。

（3）除合伙协议另有约定外，合伙人向合伙人以外的人转让其在合伙企业中的财产份额的，在同等条件下，其他合伙人有优先购买权。

合伙人以外的人依法受让合伙人在合伙企业中的财产份额的，经修改合伙协议即成为合伙企业的合伙人，依照《合伙企业法》和修改后的合伙协议享有权利，履行义务。

4. 合伙企业财产的出质

所谓出质，就是债务人或第三人将特定的财产作为债的担保移交债权人占有。当债务人不履行债务时，债权人有权依法将其特定的财产折价、拍卖或变卖，所得的价款优先受偿。《合伙企业法》第25条规定，合伙人以其在合伙企业中的财产份额出质的，须经其他合伙人一致同意；未经其他合伙人一致同意，其行为无效，由此给善意第三人造成损失的，由行为人依法承担赔偿责任。

【案例评析】张某无权在未经过王某和李某同意的情况下将自己的财产份额转让。因为当张某将出资转入合伙企业时，其出资就变成了合伙企业的财产，不能随意处分，他向合伙人以外的谭某转让其在合伙企业中的财产份额时，应该征得王某和李某的同意，而且在同等条件下王某和李某有优先购买权。因此，法院应该支持王某和李某两人的请求，判决张某与谭某的转让行为无效，张某应将其财产转让给王某和李某。

（三）普通合伙企业的事务执行

【案例讨论】李某、陈某、吴某、刘某、宋某五人均属红星饮料厂的合伙人。2004年12月7日，李某、陈某又与张某一起合伙办了一家饮料厂，专门生产冰淇淋、汽水等饮料，其产品与红星饮料厂的产品相同。2005年5月，红星饮料厂发现李某、陈某的这一行为，要求李某、陈某停止与张某进行的经营活动，遭到二人拒绝。红星饮料厂经研究决定，以合伙企业的名义向人民法院提出诉讼，要求陈某、李某赔偿损失5万元。法院支持了红星饮料厂的起诉，判决陈某、李某赔偿红星饮料厂损失5万元，并承担诉讼费用。问：

合伙人在合伙企业事务执行中有哪些权利和义务？

1. 合伙事务执行的形式

根据我国《合伙企业法》的规定，合伙人执行合伙企业事务可以有两种形式：一是全体合伙人共同执行合伙企业事务；二是按照合伙协议的约定或者经全体合伙人决定，委托一个或者数个合伙人对外代表合伙企业，执行合伙事务。采用第二种形式的，其他合伙人不再执行合伙事务。但是合伙企业的下列事项除合伙协议另有约定外，应当经全体合伙人一致同意：

（1）改变合伙企业的名称；

（2）改变合伙企业的经营范围、主要经营场所的地点；

（3）处分合伙企业的不动产；

（4）转让或者处分合伙企业的知识产权和其他财产权利；

（5）以合伙企业名义为他人提供担保；

（6）聘任合伙人以外的人担任合伙企业的经营管理人员。

作为合伙人的法人、其他组织执行合伙事务的，由其委派的代表执行。

2. 合伙人在执行合伙事务中的权利和义务

（1）合伙人在执行合伙事务中的权利。《合伙企业法》规定，合伙人在合伙事务中的权利主要有：①合伙人对执行合伙事务享有同等的权利。②不执行合伙事务的合伙人有权监督执行事务合伙人执行合伙事务的情况。③合伙人为了解合伙企业的经营状况和财务状况，有权查阅合伙企业会计账簿等财务资料。④合伙人分别执行合伙事务的，执行事务合伙人可以对其他合伙人执行的事务提出异议。提出异议时，应当暂停该项事务的执行。如果发生争议，依照合伙企业事务执行的决议办法作出决定。⑤受委托执行合伙事务的合伙人不按照合伙协议或者全体合伙人的决定执行事务的，其他合伙人可以决定撤销该委托。

（2）合伙人在执行合伙事务中的义务。

依据《合伙企业法》的规定，合伙人在合伙事务中的义务主要有：①执行事务合伙人应当定期向其他不执行合伙事务的合伙人报告事务执行情况以及合伙企业的经营和财务状况。②合伙人不得自营或者同他人合作经营与本合伙企业相竞争的业务。③除合伙协议另有约定或者经全体合伙人一致同意外，合伙人不得同本合伙企业进行交易。④合伙人不得从事损害本合伙企业利益的活动。

【案例评析】上述案例中，陈某、李某违反了竞业禁止义务，即合伙人不得自营或者同他人合作经营与本合伙企业相竞争的业务。法律作这样的规定，主要是为了保护合伙企业的利益。因为如果个别合伙人开办与合伙企业存在竞争关系的业务，那么他们势必会利用合伙企业的经营信息和商业秘密，从而使合伙企业在竞争中处于不利地位，利益受到损害。本案中，被告陈某、李某与吴某、刘某、宋某等一起作为红星饮料厂的合伙人，却又与张某一起开办了另一家饮料厂，且其饮料厂的产品与红星饮料厂的产品相同，直接影响到了红星饮料厂的经营，违反了其竞业禁止义务，因此，法院支持了红星饮料厂的诉讼请求。

3. 合伙企业事务执行的决议办法

合伙人对合伙企业有关事项作出决议，按照合伙协议约定的表决办法办理。合伙协议未约定或者约定不明确的，实行合伙人一人一票并经全体合伙人过半数通过的表决办法。《合伙企业法》对合伙企业的表决办法另有规定的，从其规定。

4. 合伙企业的利润分配与亏损分担

合伙企业的利润分配、亏损分担，按照合伙协议的约定办理，合伙协议未约定或者约定不明确的，由合伙人协商决定，协商不成的，由合伙人按照实缴出资比例分配、分担，无法确定出资比例的，由合伙人平均分配、分担。合伙协议不得约定将全部利润分配给部分合伙人或者由部分合伙人承担全部亏损。

5. 非合伙人参与经营管理

经全体合伙人同意，合伙企业可以聘任合伙人以外的人担任合伙企业的经营管理人员。被聘任的合伙企业的经营管理人员应当在合伙企业的授权范围内履行职务。被聘任的合伙企业的经营管理人员超越合伙企业授权范围履行职务，或者在履行职务过程中因故意或者重大过失给合伙企业造成损失的，依法承担赔偿责任。

（四）合伙企业与第三人的关系

1. 合伙企业与善意第三人

《合伙企业法》规定，合伙企业对合伙人执行合伙事务以及对外代表合伙企业权利的限制，不得对抗善意第三人。这里所指的合伙人，是指在合伙企业中有合伙事务执行权与对外代表权的合伙人；这里的“限制”，是指合伙企业对合伙人所享有的事务执行权与对外代表权权利能力的一种界定；善意第三人是指本着合法交易的目的，诚实地通过合伙企业的事务执行人，与合伙企业之间建立民事、经济法律关系的法人、非法人组织或自然人。

2. 合伙企业债务的清偿

合伙企业对其债务，应先以其全部财产进行清偿。合伙企业不能清偿到期债务的，合伙人承担无限连带责任。合伙人由于承担无限连带责任，清偿数额超过其亏损分担比例的，有权向其他合伙人追偿。

3. 合伙人个人债务的清偿

【案例讨论】合伙人甲因个人炒股，欠债15万元，鉴于甲在合伙企业中有价值15万元的设备出资，因此债权人提出直接取得甲在合伙企业中财产份额或者直接将该设备变卖后偿清甲的全部债务。问：

本案中债权人的请求是否合法？

合伙人发生与合伙企业无关的债务，相关债权人不得以其债权抵消其对合伙企业的债务，也不得代位行使合伙人在合伙企业中的权利。

合伙人的自有财产不足清偿其与合伙企业无关的债务的，该合伙人可以以其从合伙企业中分取的收益用于清偿；债权人也可依法请求人民法院强制执行该合伙人在合伙企业中的财产份额用于清偿。人民法院强制执行合伙人的财产份额时，应当通知全体合伙人，其他合伙人有优先购买权；其他合伙人未购买，又不同意将该财产份额转让给他人的，依法为该合伙人办理退伙结算，或者办理削减该合伙人相应财产份额的结算。

（五）入伙与退伙

【案例讨论】2006年1月，赵、钱、孙、李四人决定投资设立合伙企业，并签订了书面合伙协议。合伙协议中规定：赵以货币出资10万元，钱以实物折价出资8万元，经其他三人同意，孙以劳务折价出资6万元，李以货币出资4万元。四人对利润分配和风险承担也作出了规定。2007年1月，李提出退伙，其退伙并不给合伙企业造成不利影响，于是，李与其他合伙人进行结算后，撤资退伙。之后，合伙企业又接纳周入伙，周出资4万元。2008年5月，合伙企业的债权人绿叶公司就合伙人李退伙前发生的债务24万元要求合伙企业的现合伙人赵、钱、孙、周和退伙人李共同承担连带清偿责任。李以自己已退伙为由，拒绝承担清偿责任。周以自己新入伙为由，拒绝对其入伙前的债务承担清偿责任。问：

李、周的主张能否成立？为什么？

1. 入伙

入伙是指在合伙企业存续期间，合伙人以外的第三人加入合伙企业，从而取得合伙人资格。

（1）入伙的条件与程序。新合伙人入伙，除合伙协议另有约定外，应当经全体合伙人一致同意，并依法订立书面入伙协议。订立入伙协议时，原合伙人应当向新合伙人如实告知原合伙企业的经营状况和财务状况。

（2）新合伙人的权利与责任。入伙的新合伙人与原合伙人享有同等权利，承担同等责任。入伙协议另有约定的，从其约定。新合伙人对入伙前合伙企业的债务承担无限连带责任。

2. 退伙

退伙是指合伙人退出合伙企业，从而丧失合伙人资格。

（1）退伙的情形。第一种退伙的情形是自愿退伙。自愿退伙是指合伙人基于自愿的意思表示而退伙。自愿退伙可以分为协议退伙和通知退伙两种。合伙协议约定合伙企业的经营期限的，有下列情形之一时，合伙人可以退伙：①合伙协议约定的退伙事由出现；②经全体合伙人一致同意；③发生合伙人难以继续参加合伙的事由；④其他合伙人严重违反合伙协议约定的义务。

合伙协议未约定合伙企业的经营期限的，合伙人在不给合伙企业事务执行造成不利影响的情况下，可以退伙，但应当提前30日通知其他合伙人。合伙人违反上述规定擅自退伙的，应当赔偿由此给其他合伙人造成的损失。

第二种退伙的情形是法定退伙。法定退伙是指合伙人因出现法律规定的事由而退伙。法定退伙分为当然退伙和除名退伙。

当然退伙的法定情形有：①作为合伙人的自然人死亡或者被依法宣告死亡；②个人丧失偿债能力；③作为合伙人的法人或者其他组织依法被吊销营业执照、责令关闭、撤销，或者被宣告破产；④法律规定或者合伙协议约定合伙人必须具有相关资格而丧失该资格；⑤合伙人在合伙企业中的全部财产份额被人民法院强制执行。当然退伙以法定事由实际发生之日为退伙生效日。

合伙人被依法认定为无民事行为能力人或者限制民事行为能力人的，经其他合伙人一致同意，可以依法转为有限合伙人，普通合伙企业依法转为有限合伙企业。其他合伙人未能一致同意的，该无民事行为能力或者限制民事行为能力的合伙人退伙。

除名退伙的法定情形为：①未履行出资义务；②因故意或者重大过失给合伙企业造成损失；③执行合伙企业事务时有不正当行为；④发生合伙协议约定的其他事由。除名退伙须经其他合伙人一致同意，可以决议将其除名。对合伙人的除名决议应当书面通知被除名人，被除名人自接到除名通知之日起，除名生效，被除名人退伙。被除名人对除名决议有异议的，可以自接到除名通知之日起30日内，向人民法院起诉。

（2）退伙的效力。退伙的效力包括：

第一，退伙人丧失合伙人身份。

第二，合伙人退伙，其他合伙人应当与该退伙人按照退伙时的合伙企业财产状况进行结算，退还退伙人的财产份额。退伙人对给合伙企业造成的损失负有赔偿责任的，相应扣减其应当赔偿的数额。退伙时有未了结的合伙企业事务的，待该事务了结后进行结算。退伙人在合伙企业中财产份额的退还办法，由合伙协议约定或者由全体合伙人决定，可以退还货币，也可以退还实物。

第三，合伙人退伙以后并未能解除其对于合伙企业既往债务的连带责任。《合伙企业法》规定，退伙人对其退伙前已发生的合伙企业债务与其他合伙人承担连带责任。

第四，合伙人死亡或者被依法宣告死亡的，对该合伙人在合伙企业中的财产份额享有合法继承权的继承人，按照合伙协议的约定或者经全体合伙人一致同意，从继承开始之日起，取得该合伙企业的合伙人资格。合伙企业也可以依法退还被继承合伙人的财产份额。合伙人的继承人为无民事行为能力人或者限制民事行为能力人的，经全体合伙人一致同意，可以依法成为有限合伙人，普通合伙企业依法转为有限合伙企业。全体合伙人未能一致同意的，合伙企业应当将被继承合伙人的财产份额退还该继承人。

【案例评析】在普通合伙企业中，入伙的新合伙人对入伙前合伙企业的债务承担连带责任，退伙人对其退伙前已发生的合伙企业债务，与其他合伙人承担连带责任。因此，李、周的主张都不能成立，两人应该对债权人绿光公司的24万元债务与其他合伙人一起承担连带责任。

三、有限合伙企业

【案例讨论】2006年6月，甲、乙、丙共同设立有限合伙企业，并签订了合伙协议。协议中约定：甲以房屋作价人民币8万元出资，乙以技术作价人民币4万元出资，丙以现金人民币5万元出资并为有限合伙人；各合伙人按相同比例分配盈利、分担亏损。合伙企业成立后，为扩大经营，于2006年7月向银行贷款人民币5万元，期限为1年。后因经营环境变化，企业严重亏损。2007年5月，甲、乙、丙决定解散合伙企业，并将合伙企业现有财产价值人民币3万元予以分配，但对未到期的银行贷款未予清偿。2007年8月，银行贷款到期后，银行找合伙企业清偿债务，发现该企业已经解散，遂向甲、乙两人要求偿还全部贷款，甲称只承担合伙协议约定比例的债务，乙称无钱偿还。银行向丙要求偿还全部贷款，丙则表示根据合伙协议，不承担偿还银行贷款义务。问：

本案中合伙企业所欠银行的债款应该如何偿还？

有限合伙企业，是指对合伙企业债务承担无限责任的普通合伙人与承担有限责任的有限合伙人共同组成的合伙企业。与普通合伙企业相比，有限合伙具有资本的优势，这是因为有限合伙人享有有限责任的特权；与公司相比较，有限合伙又具有信用的优势，这是由于普通合伙人对合伙企业债务承担无限责任或者无限连带责任。有限合伙将资金与管理有机地结合起来了，尤其有利于高风险企业的投融资。根据我国建设创新型社会的需要，为鼓励推动风险投资事业的发展，修改后的《合伙企业法》特增加有限合伙企业一章，主要从以下几个方面阐述有限合伙企业的特别之处（未规定部分适用普通合伙企业及其合伙人的规定）：

（一）有限合伙企业的设立条件

（1）有限合伙企业由2个以上50个以下合伙人设立，但是法律另有规定的除外。有限合伙企业至少应当有一个普通合伙人。

（2）合伙协议除符合普通合伙企业的规定外，还应当载明下列事项：①普通合伙人和有限合伙人的姓名或者名称、住所；②执行事务合伙人应具备的条件和选择程序；③执行事务合伙人权限与违约处理办法；④执行事务合伙人的除名条件和更换程序；⑤有限合伙人入伙、退伙的条件、程序以及相关责任；⑥有限合伙人和普通合伙人相互转变程序。

（3）有限合伙人可以用货币、实物、知识产权、土地使用权或者其他财产权利作价出资。但是，有限合伙人不得以劳务出资。

（4）有限合伙企业名称中应当标明“有限合伙”字样。有限合伙企业登记事项中应当载明有限合伙人的姓名或者名称及认缴的出资数额。

（二）有限合伙企业的事务执行

1. 有限合伙企业的事务执行的形式

有限合伙企业由普通合伙人执行合伙事务。执行事务合伙人可以要求在合伙协议中确定执行事务的报酬及报酬提取方式。有限合伙人不执行合伙事务，不得对外代表有限合伙企业。但是，有限合伙人的下列行为不视为执行合伙事务：

（1）参与决定普通合伙人入伙、退伙；

（2）对企业的经营管理提出建议；

（3）参与选择承办有限合伙企业审计业务的会计师事务所；

（4）获取经审计的有限合伙企业财务会计报告；

（5）对涉及自身利益的情况，查阅有限合伙企业财务会计账簿等财务资料；

（6）在有限合伙企业中的利益受到侵害时，向有责任的合伙人主张权利或者提起诉讼；

（7）执行事务合伙人怠于行使权利时，督促其行使权利或者为了本企业的利益以自己的名义提起诉讼；

（8）依法为本企业提供担保。

2. 有限合伙人的权利与义务

（1）有限合伙人可以同本有限合伙企业进行交易，但是，合伙协议另有约定的除外。

（2）有限合伙人可以自营或者同他人合作经营与本有限合伙企业相竞争的业务，但是合伙协议另有约定的除外。

（3）有限合伙人可以将其在有限合伙企业中的财产份额出质，但是合伙协议另有约定的除外。

（4）有限合伙人可以按照合伙协议的约定向合伙人以外的人转让其在有限合伙企业中的财产份额，但应当提前30日通知其他合伙人。

（5）第三人有理由相信有限合伙人为普通合伙人并与其交易的，该有限合伙人对该笔交易承担与普通合伙人同样的责任。

（6）有限合伙人未经授权以有限合伙企业名义与他人进行交易，给有限合伙企业或者其他合伙人造成损失的，该有限合伙人应当承担赔偿责任。

3. 利润分配与亏损分担

有限合伙企业不得将全部利润分配给部分合伙人，但是合伙协议另有约定的除外。

（三）有限合伙人的入伙与退伙

1. 入伙

新入伙的有限合伙人对入伙前有限合伙企业的债务，以其认缴的出资额为限承担责任。

2. 退伙

有限合伙人有下列情形之一的，当然退伙：

（1）作为合伙人的自然人死亡或者被依法宣告死亡；

（2）作为合伙人的法人或者其他组织依法被吊销营业执照、责令关闭、撤销，或者被宣告破产；

（3）法律规定或者合伙协议约定合伙人必须具有相关资格而丧失该资格；

（4）合伙人在合伙企业中的全部财产份额被人民法院强制执行。

作为有限合伙人的自然人在有限合伙企业存续期间丧失民事行为能力的，其他合伙人不得因此要求其退伙。

作为有限合伙人的自然人死亡、被依法宣告死亡或者作为有限合伙人的法人及其他组织终止时，其继承人或者权利承受人可以依法取得该有限合伙人在有限合伙企业中的资格。

有限合伙人退伙后，对基于其退伙前发生的有限合伙企业债务，以其退伙时从有限合伙企业中取回的财产承担责任。

（四）有限合伙人与普通合伙人的转化

除合伙协议另有约定外，普通合伙人转变为有限合伙人，或者有限合伙人转变为普通合伙人，应当经全体合伙人一致同意。有限合伙人转变为普通合伙人的，对其作为有限合伙人期间有限合伙企业发生的债务承担无限连带责任。普通合伙人转变为有限合伙人的，对其作为普通合伙人期间合伙企业发生的债务承担无限连带责任。

有限合伙企业仅剩有限合伙人的，应当解散；有限合伙企业仅剩普通合伙人的，转为普通合伙企业。

【案例评析】甲、乙为该有限合伙企业的普通合伙人，因此，对该合伙企业的债务承担无限连带责任，而丙由于是有限合伙人，故只以从合伙企业中返回的财产承担责任。

四、合伙企业的解散与清算

1. 合伙企业的解散

合伙企业的解散，是指各合伙人解除合伙协议，合伙企业终止活动。合伙企业有下列情形之一的，应当解散：

（1）合伙期限届满，合伙人决定不再经营；

（2）合伙协议约定的解散事由出现；

（3）全体合伙人决定解散；

（4）合伙人已不具备法定人数满 30 天；

（5）合伙协议约定的合伙目的已经实现或者无法实现；

（6）依法被吊销营业执照、责令关闭或者被撤销；

（7）法律、行政法规规定的其他原因。

2. 清算人的产生与职责

合伙企业解散，应当由清算人进行清算。清算人由全体合伙人担任。经全体合伙人过半数同意，可以自合伙企业解散事由出现后 15 日内指定一个或者数个合伙人，或者委托第三人，担任清算人。自合伙企业解散事由出现之日起 15 日内未确定清算人的，合伙人或者其他利害关系人可以申请人民法院指定清算人。清算人在清算期间执行下列事务：

（1）清理合伙企业财产，分别编制资产负债表和财产清单；

（2）处理与清算有关的合伙企业未了结事务；

（3）清缴所欠税款；

（4）清理债权、债务；

（5）处理合伙企业清偿债务后的剩余财产；

（6）代表合伙企业参加诉讼或者仲裁活动。

3. 清算程序

（1）通知和公告债权人。清算人自被确定之日起10日内将合伙企业解散事项通知债权人，并于60日内在报纸上公告。债权人应当自接到通知书之日起30日内，未接到通知书的自公告之日起45日内，向清算人申报债权。

（2）债权人申报债权。债权人申报债权，应当说明债权的有关事项，并提供证明材料。清算人应当对债权进行登记。

（3）清偿顺序。合伙企业财产在支付清算费用和职工工资、社会保险费用、法定补偿金以及缴纳所欠税款、清偿债务后的剩余财产，依照利润分配的相关规定进行分配。

（4）注销登记。清算结束，清算人应当编制清算报告，经全体合伙人签名、盖章后，在15日内向企业登记机关报送清算报告，申请办理合伙企业注销登记。

合伙企业注销后，原普通合伙人对合伙企业存续期间的债务仍应承担无限连带责任。合伙企业不能清偿到期债务的，债权人可以依法向人民法院提出破产清算申请，也可以要求普通合伙人清偿。合伙企业依法被宣告破产的，普通合伙人对合伙企业债务仍应承担无限连带责任。

第三节　个人独资企业法

一、个人独资企业法概述

（一）个人独资企业的概念和特征

个人独资企业是最古老的一种企业组织形式，它产生于商品经济初期，并发展延续至今。

个人独资企业是指依照《中华人民共和国个人独资企业法》（以下简称《个人独资企业法》）在中国境内设立，由一个自然人投资，财产为投资人个人所有，投资人以其个人财产对企业债务承担无限责任的经营实体。

作为一种企业形态，个人独资企业具有以下特征：

1. 个人独资企业是由一个自然人投资的企业

根据《个人独资企业法》的规定，个人独资企业的设立人只能是一个自然人，国家机关、国家授权投资的机构或者国家授权的部门、企业、事业单位等都不能作为个人独资企业的设立人。《个人独资企业法》第47条规定，外商独资企业不适用本法。可见，在我国，只有中国公民可以设立个人独资企业。

2. 个人独资企业的投资人对企业的债务承担无限责任

当个人独资企业的财产不足以清偿到期债务时，投资人应以自己个人的全部财产用于清偿。这实际上将企业的责任与投资人的责任联系在了一起。

3. 个人独资企业的内部机构设置简单，经营管理方式灵活

个人独资企业的投资人既是企业的所有者，又是企业的经营者，对企业的事务有绝对的控制权和支配权，完全可以按照自己的意志去经营所属的企业。因此，法律对其内部机构和经营管理方式不像公司和其他企业那样加以严格的规定。

4. 个人独资企业是非法人企业

个人独资企业由一个自然人出资，投资人对企业的债务承担无限责任，在权利义务上，企业和个人是融为一体的，企业的责任即是投资人个人的责任，企业的财产即是投资人的财产。因此，个人独资企业不具有法人资格，也无独立承担民事责任的能力。但它具备独立的法律主体资格，可依法以自己的名义从事民事、经济活动，其合法行为受法律保护。

（二）个人独资企业法的概念

个人独资企业法有广义和狭义之分。广义的个人独资企业法是指国家关于个人独资企业的各种法律规范的总称。狭义的个人独资企业法是指1999年8月30日第九届全国人民代表大会常务委员会第十一次会议通过并于2000年1月1日开始实施的《中华人民共和国个人独资企业法》（以下简称《个人独资企业法》）。《个人独资企业法》的颁布实施，对于规范独资企业的行为、保护投资企业的投资人和债权人的合法权益、维护市场经济秩序、促进市场经济的健康发展都发挥了重要作用。

二、个人独资企业的设立

（一）个人独资企业的设立条件

【案例讨论】王光是一家国有企业的职工，由于王光所在的企业效益连年下滑，收入很低，因此王光想创办一家企业，利用自己多余的时间经营管理，同时也可以为自己增加收入。经过一系列的市场调查，王光决定成立一家名为“悦来”的快餐店，取名为“悦来快餐食品有限责任公司”，听说独资企业的注册资本只需要1元钱，即象征性地出一点就可以了，所以资本暂定为400元，外加一些碗筷、几套桌椅。王光觉得自己出资越低，他承担的责任就越少，经营风险就越低。另外，由于找不到合适的营业场地，王光借用了一个朋友的一处即将拆迁的临街门面作为经营场地，雇用了3名职工，从事快餐制作销售，并决定不设置账簿，不配备专门的财会人员。同时由于王光还必须到工厂上班，所以另外聘请一人担任经理来进行日常管理，快餐店的重大事项由王光自己决定。一切准备妥当后，王光来到工商行政管理部门申请营业执照准备开业。问：

工商行政管理部门会予以登记吗？设立个人独资企业应该具备什么条件？

根据《个人独资企业法》第8条的规定，设立个人独资企业应当具备下列条件：

1. 投资人为一个自然人，且只能是中国公民

个人独资企业的投资人应为一自然人，且只能是中国公民。但是，并不是所有的中国公民都可以投资设立个人独资企业，无民事行为能力人、国家公务员、党政机关领导干部、警官、法官、检察官、现役军人等人员，不得作为投资人申请个人独资企业。

2. 有合法的企业名称

个人独资企业的名称应当符合国家关于企业名称登记管理的有关规定。如果不对

企业名称进行法律上的规定，就可能出现重名的混乱现象，造成经济交往和法律诉讼中的无序。因此，企业名称是企业登记的一项重要内容。由于个人独资企业名称的重要性和专用性，《个人独资企业法》还规定，企业名称应与其责任形式及从事的营业范围相符合，不得使用“有限”、“有限责任”或“公司”字样。同时在企业名称中不得标明与所从事的营业不相符的内容，如服装店用“串串香”的名称就不合适。

3. 有投资人申报的出资

投资人申报的出资，是指在设立个人独资企业时，投资人承诺将投入企业资本的总和。它既是企业设立和经营的财产保障，也是登记机关据以登记的企业注册资本额。为了鼓励个人兴办企业，《个人独资企业法》对设立个人独资企业的出资数额未作限制，但是投资人申报的出资额应当与企业的生产经营规模相适应。个人独资企业的出资方式也是多样的，可以用货币出资，也可以用实物、土地使用权、知识产权或者其他财产权利出资。采取实物、土地使用权、知识产权或者其他财产权利出资的，应将其折算成货币数额，依法需要评估作价的，应当由法定机构进行评估。

4. 有固定的生产经营场所和必要的生产经营条件

固定的生产经营场所和必要的生产经营条件是企业开展经营活动的物质基础。生产经营场所包括企业的住所和与生产经营相适应的处所。住所是企业的主要办事机构所在地，是企业的法定地址。处所是企业的生产经营场所。《个人独资企业法》规定个人独资企业住所只能有一处，而生产经营场所可以根据实际需要设置，可以是一处，也可以是多处。只有一处经营场所时，其处所即是住所；当有多处经营场所时，主要办事机构所在地即为其住所。

5. 有必要的从业人员

个人独资企业要有与其生产经营范围、经营规模相适应的从业人员。从业人员是企业开展经营活动必不可少的要素和条件，只有有了与企业经营规模相适应的从业人员，才能保证企业所提供的产品或服务达到合格要求，企业才能顺利发展。关于个人独资企业的从业人员的人数，我国法律并没有作具体规定，由个人独资企业视其经营情况自行决定。

（二）个人独资企业的设立程序

1. 提出申请

申请设立个人独资企业，应当由投资人或者其委托的代理人向个人独资企业所在地的登记机关提出设立申请。投资人申请设立登记，应当向登记机关提交下列文件：

（1）设立申请书；

（2）投资人身份证明；

（3）企业住所证明和生产经营场所使用证明等文件；

（4）委托代理人申请设立登记的，应当提交投资人的委托书和代理人的身份证明或者资格证明；

（5）其他文件。从事法律、行政法规规定须报经有关部门审批的业务的，如经营烟草、旅店、印刷、音像制品等，应当提交有关部门的批准文件。

2. 工商登记

登记机关应当在收到设立申请文件之日起 15 日内，对符合个人独资企业法规定条件的予以登记，并发给营业执照；对不符合个人独资企业法规定条件的，不予登记，并发给企业登记驳回通知书。个人独资企业的营业执照的签发日期为个人独资企业的成立日期。在领取个人独资企业营业执照前，投资人不得以个人独资企业的名义从事经营活动。

个人独资企业设立分支机构，应当由投资人或者其委托的代理人向分支机构所在地的登记机关申请设立登记。分支机构的民事责任由设立该分支机构的个人独资企业承担。个人独资企业在存续期间登记事项发生变更的，应当在作出变更决定之日起15日内依法向登记机关申请办理变更登记。

【案例评析】工商行政管理机关应该不予登记。因为：第一，王光是国有企业的职工，不符合设立个人独资企业的主体资格，如果王光坚持要创办快餐店，须先辞去其国有企业职工的岗位。第二，其“悦来快餐食品有限责任公司”的企业名称不符合法律规定。第三，虽然法律对设立个人独资企业的注册资金没有下限限制，但申请人出资设立个人独资企业时应如实申报，并且其出资数额应与企业的经营规模相适应。而且个人独资企业的投资人要对企业债务承担无限责任，因此，“出资越低，他承担的责任就越少，经营风险就越低”的想法是错误的。第四，王光决定不设置会计账簿的做法是不当的，个人独资企业可以不配备专门的财会人员，但是应当依法设置会计账簿，进行会计核算。因此，工商行政管理机关应该不予以登记。

三、个人独资企业的事务管理

（一）个人独资企业事务管理的方式

【案例讨论】周某于2001年2月投资设立一个从事水产品加工的个人独资企业。周某因身体原因委托何某管理企业事务。委托合同约定：何某仅对5万元以下的交易有决定权，5万元以上的交易须经过周某的批准。2001年5月，何某见市场上水产品的价格下降，遂与渔民甲订立了20万元的水产品交易合同。甲按时履行了交付水产品的义务，但该个人独资企业却没有按照合同支付价款。甲遂与该企业发生了争议，向法院提起了诉讼。问：

法院应该如何认定和处理？

个人独资企业的投资人可以自行管理企业事务，也可以委托或者聘用其他具有民事行为能力的人负责管理企业的事务。投资人委托或者聘用他人管理个人独资企业事务，应当与受托人或者被聘用的人签订书面合同，明确委托的具体内容和授予的权利范围。

投资人对受托人或者被聘用的人员职权的限制，不得对抗善意第三人。这里的善意第三人是指本着合法交易的目的，诚实地通过受托人或者被聘用的人员，与个人独资企业从事交易的人，包括法人、非法人团体和自然人。个人独资企业的投资人与受托人或者被聘用的人员之间有关权利义务的限制只对受托人或者被聘用的人员有效，对第三人并无约束力，受托人或者被聘用的人员超出投资人的限制与善意第三人的有关业务交往应当有效。

【案例评析】个人独资企业委托或聘用他人管理事务的，在委托合同中可以约定受托人或受聘人的权限范围，但这种约定不具有对抗善意第三人的效力，所以何某代表独资企业订立的合同虽然超越权限，却是有效的。因此，法院应该判决该个人独资企业按照合同履行义务，向渔民甲支付价款。

（二）个人独资企业事务管理的内容

（1）会计事务管理。个人独资企业应当依法设置会计账簿，进行会计核算。

（2）用工管理事务。个人独资企业招用职工的，应当依法与职工签订劳动合同，保障职工的劳动安全，按时、足额发放职工工资。

（3）社会保险事务。个人独资企业应当按照国家规定参加社会保险，为职工缴纳社会保险费。

四、个人独资企业的解散和清算

【案例讨论】2001年2月1日，张某出资10万元设立了甲个人独资企业（以下简称甲企业），由张某自己经营管理。2001年10月5日，甲企业发生亏损，不能支付到期所欠李某的债务。张某决定解散企业，并请求法院指定清算人。10月10日，人民法院指定王某为清算人，对甲企业进行清算。经查，甲企业和张某的资产及债权债务情况如下：甲企业欠税款4000元，欠雇工工资1万元，欠社会保险费1万元，欠李某20万元；甲企业银行存款2万元，实物折价16万元；张某在乙合伙企业出资12万元，占50%的出资额，乙合伙企业每年可向合伙人分配利润；张某个人其他可执行的财产价值2万元。结合上述案例，问：

1. 甲企业的财产清偿顺序是什么？

2. 如何满足李某的债权请求？

（一）个人独资企业的解散

个人独资企业的解散是指个人独资企业终止活动使其民事主体资格消灭的行为。根据《个人独资企业法》第26条的规定，个人独资企业有下列情形之一时，应当解散：

（1）投资人决定解散。只要不违反法律规定，投资人有权决定在任何时候解散独资企业。

（2）投资人死亡或者被宣告死亡，无继承人或者继承人决定放弃继承。在投资人死亡或被宣告死亡的情况下，如果其继承人继承了独资企业，则企业可以继续存在，只需办理投资人的变更登记，但若出现无继承人或全部继承人均决定放弃继承的情形，独资企业失去继续经营的必备条件，故应当解散。

（3）被依法吊销营业执照。被依法吊销营业执照是个人独资企业解散的强制原因。个人独资企业被处以吊销营业执照的处罚的原因包括：独资企业提交虚假文件以骗取手段取得登记情节严重的行为；涂改、出租、转让营业执照情节严重的行为；企业成立后无正当理由超过6个月未开业或开业后自行停业连续6个月以上的行为等。

（4）法律、行政法规规定的其他情形。

（二）个人独资企业的清算

个人独资企业解散时应当进行清算。《个人独资企业法》对个人独资企业的清算的规定主要有：

1. 清算人的产生

个人独资企业解散，由投资人自行清算或者由债权人申请人民法院指定清算人进行清算。因此，个人独资企业的清算原则上由投资人担任清算人。但经债权人申请，人民法院得指定投资人以外的人为清算人。

2. 通知和公告债权人

个人独资企业解散，由投资人自行清算或者由债权人申请人民法院指定清算人进行清算。投资人自行清算的，应当在清算前15日内书面通知债权人，无法通知的，应当予以公告。债权人应当在接到通知之日起30日内，未接到通知的应当在公告之日起60日内，向投资人申报其债权。

3. 财产清偿顺序

个人独资企业解散的，财产应当按照下列顺序清偿：①所欠职工工资和社会保险费用；②所欠税款；③其他债务。个人独资企业财产不足以清偿债务的，投资人应当以其个人的其他财产予以清偿。

4. 清算期间对投资人的要求

清算期间，个人独资企业不得开展与清算目的无关的经营活动。在按前述财产清偿顺序清偿债务前，投资人不得转移、隐匿财产。如有转移、隐匿财产的行为，依法追回其财产，并按照有关规定予以处罚。构成犯罪的，依法追究刑事责任。

5. 投资人的持续偿债责任

个人独资企业解散后，原投资人对个人独资企业存续期间的债务仍应承担偿还责任，但债权人在5年内未向债务人提出偿债请求的，该责任消灭。

6. 注销登记

个人独资企业清算结束后，投资人或者人民法院指定的清算人应当编制清算报告，并于清算结束之日起15日内向原登记机关申请注销登记。个人独资企业办理注销登记时，应当缴回营业执照。

【案例评析】甲企业现有财产共18万元（银行存款2万元加上实物折价16万元），按照《个人独资企业法》对财产清偿顺序的规定，甲企业应该按如下顺序清偿：首先，清偿所欠职工工资和社会保险费用共2万元；其次，清偿所欠税款4000元；清偿上两项后还剩余13.6万元，不足以清偿其所欠李某的债务。由于个人独资企业的投资人承担无限责任，因此剩余的债务应以张某的个人财产清偿。张某用可执行的个人财产2万元清偿后，剩余的债务4.4万元，可用张某在乙合伙企业中的分红偿还。

第四节　企业破产法

一、企业破产法概述

（一）破产的概念与特征

【案例讨论】南昌某地下商场由于企业管理混乱，经营决策失误，加之地下室营业费用大和地下水的影响，亏损额达到87.9万元。该商场负债164.3万元，欠缴税款0.9万元，已经无力清偿债务。南昌市副食品批发公司作为该地下商场132万元银行贷款的担保人，承担了向银行还款的责任，成为地下商场的最大债权人。其他数家债权人担心不能收回债权，纷纷要求该地下商场偿还债务。为避免损失扩大，南昌市副食品批发公司向南昌市中级人民法院提出了该地下商场破产的申请。经审理，法院确认了地下商场破产的事实，通告各债权人申报债权并予以登记，作出了破产裁定。原地下商场的破产财产77.3万元中，优先清偿了破产费用0.318万元，清偿所欠职工工资

1.8 万元和欠缴的税款 0.9 万元，剩余财产由债权人按比例分配。问：

结合本案事实，分析企业破产具有哪些特征？

破产是商品经济中的必然现象，是市场竞争、优胜劣汰的产物。所谓破产，是指在债务人不能清偿到期债务时，经债权人或者债务人申请，由人民法院依法定程序宣告其破产并强制执行其全部财产，公平清偿给全体债权人，或者在人民法院的监督下，由债权人会议达成和解协议或重整计划以使企业复苏，避免企业倒闭清算的法律制度。破产具有如下法律特征：

1. 破产必须以债务人不能清偿到期债务为前提

不能清偿到期债务是指：①债务的履行期限已届满；②债务人明显缺乏清偿债务的能力。当债务人停止清偿到期债务并呈连续状态时，如无相反证据，也可推定为“不能清偿到期债务”。

2. 存在两个以上的债权人

如果只有一个债权人，采用一般的民事执行程序即可清偿债务。当存在多数债权人时，如何对债务人的财产进行公正的分配，满足债权人的清偿要求，一般的民事执行程序无法解决，必须由法律进行特别规定。

3. 破产以公平清偿债权为宗旨

破产主要的目的是将债务人的财产按照一定的程序和比例公平合理地分配给各债权人，不能清偿的部分也由各债权人公平分担。

4. 按诉讼程序处理

从破产申请到破产宣告，从债权申报到财产清理，从破产分配到破产终结，有关当事人的活动均应在法院的主持和监督下按法定程序进行。

【案例讨论】 本案中，南昌某地下商场亏损达 87.9 万元，在债务清偿期到来时已经无力清偿债务。其债权人中既有南昌市副食品批发公司这一最大债权人，同时还有其他债权人存在，债权人数额在两人以上。南昌市副食品批发公司的破产申请是向人民法院提出的，由法院作出其破产的裁定，此后的一系列程序均在法院主持和监督下进行。该地下商场的破产财产在优先清偿相关费用后，剩余财产由一般债权人按照债权比例受偿，债权人得到了公平满足。可以说，本案的处理鲜明地体现了企业破产所具有的法律特征。

（二）企业破产法的概念与适用范围

1. 企业破产法的概念

企业破产法是指调整破产债权人和债务人、法院、管理人以及其他破产参加人相互之间在破产过程中所发生的社会关系的法律规范的总称，主要包括破产程序规范和破产实体规范。在我国，狭义上的企业破产法是指中华人民共和国第十届全国人民代表大会常务委员会第二十三次会议于 2006 年 8 月 27 日通过，自 2007 年 6 月 1 日起施行的《中华人民共和国企业破产法》（以下简称《企业破产法》）。广义上的企业破产法还包括其他处理破产案件的程序规范和实体规范，如《公司法》、《合伙企业法》、《保险法》等单行法中关于破产的实体性规范。

2. 破产法的适用范围

根据《企业破产法》第 2 条、第 134 条、第 135 条的规定，企业破产法适用范围为：

（1）企业法人，即适用于所有具有法人资格的企业。

（2）商业银行、证券公司、保险公司等金融机构出现破产原因后，国务院金融监督管理机构可以向人民法院提出对该金融机构进行重整或者破产清算的申请。

（3）为缓解其他非法人组织的破产无法可依的问题，规定企业法人之外的其他组织（如合伙企业）如果属于破产清算的，可以参照适用《企业破产法》规定的程序。

二、破产申请与受理

（一）破产界限

破产界限，也称破产原因，是指适用破产程序所依据的特定的法律条件或法律事实，也就是受理破产案件的实质条件。我国《企业破产法》第 2 条规定了企业法人的破产界限的三种情形：

（1）不能清偿到期债务，并且资产不足以清偿全部债务。

（2）不能清偿到期债务，明显缺乏清偿能力的。

（3）有明显丧失清偿能力可能的。该项仅适用于提起重整申请。

（二）破产申请的提出

破产申请是指破产申请人向法院请求受理破产案件，适用破产程序，宣告破产的意思表示。我国现行破产法采用了申请主义，即债务人在符合破产界限时，可以向人民法院提出重整、和解或者破产清算申请；债务人不能清偿到期债务，债权人可以向人民法院提出对债务人进行重整或者破产清算的申请；企业法人已解散但未清算或者未清算完毕，资产不足以清偿债务的，依法负有清算责任的人应当向人民法院申请破产清算。向人民法院提出破产申请，应当提交破产申请书和有关证据。破产申请应当向债务人住所地人民法院提出。

（三）破产申请的受理

破产案件的受理，是指人民法院在收到破产申请后，认为申请符合法定条件而予以接受，并由此开始破产程序的司法行为。破产案件受理的程序如下：

1. 审查和处理

债权人提出破产申请的，人民法院应当自收到申请之日起 5 日内通知债务人。债务人对申请有异议的，应当自收到人民法院的通知之日起 7 日内向人民法院提出。人民法院应当自异议期满之日起 10 日内裁定是否受理。除前述情形外，人民法院应当自收到破产申请之日起 15 日内裁定是否受理。有特殊情况需要延长前两款规定的裁定受理期限的，经上一级人民法院批准，可以延长 15 日。

人民法院受理破产申请的，应当自裁定作出之日起 5 日内送达申请人。债权人提出申请的，人民法院应当自裁定作出之日起 5 日内送达债务人。债务人应当自裁定送达之日起 15 日内，向人民法院提交财产状况说明、债务清册、债权清册、有关财务会计报告以及职工工资的支付和社会保险费用的缴纳情况。

人民法院裁定不受理破产申请的，应当自裁定作出之日起 5 日内送达申请人并说明理由。人民法院受理破产申请后至破产宣告前，经审查发现债务人不符合破产界限的，可以裁定驳回申请。申请人对裁定不服的，可以自裁定送达之日起 10 日内向上一级人民法院提起上诉。

2. 指定管理人

管理人是指在破产程序进行过程中负责债务人或破产人财产的管理、处分、业务经营以及破产方案拟定和执行的专门机构。人民法院裁定受理破产申请的，应当同时指定管理人。债权人会议认为管理人不能依法、公正执行职务或者有其他不能胜任职务情形的，可以申请人民法院予以更换。这一规定使债务人财产从破产程序一开始就置于专门管理人的管理和控制之下，有效地避免了部分债务人因某种目的采取不当或非法的手段处置财产、损害债权人利益的事情发生，从而可以最大限度地保障债权人的利益。

(1) 管理人的组成及报酬。《企业破产法》规定，可以担任管理人的有：①由有关部门、机构的人员组成的清算组；②依法设立的律师事务所、会计师事务所、破产清算事务所等社会中介机构；③人民法院根据债务人的实际情况，可以在征询有关社会中介机构的意见后，指定该机构具备相关专业知识并取得执业资格的人员担任管理人。

同时，《企业破产法》还规定了不得担任管理人的情形：①因故意犯罪受过刑事处罚；②曾被吊销相关专业执业证书；③与本案有利害关系；④人民法院认为不宜担任管理人的其他情形。个人担任管理人的，应当参加执业责任保险。

管理人的报酬由人民法院确定。债权人会议对管理人的报酬有异议的，有权向人民法院提出。指定管理人和确定管理人报酬的办法，由最高人民法院规定。

(2) 管理人的职责与义务。管理人履行下列职责：①接管债务人的财产、印章和账簿、文书等资料；②调查债务人财产状况，制作财产状况报告；③决定债务人的内部管理事务；④决定债务人的日常开支和其他必要开支；⑤在第一次债权人会议召开之前，决定继续或者停止债务人的营业；⑥管理和处分债务人的财产；⑦代表债务人参加诉讼、仲裁或者其他法律程序；⑧提议召开债权人会议；⑨管理人经人民法院许可，可以聘用必要的工作人员；⑩人民法院认为管理人应当履行的其他职责。

管理人应当履行下列义务：①管理人依照本法规定执行职务，向人民法院报告工作，并接受债权人会议和债权人委员会的监督；②管理人应当列席债权人会议，向债权人会议报告职务执行情况，并回答询问；③在第一次债权人会议召开之前，管理人决定继续或者停止债务人的营业或者有《企业破产法》第 69 条规定的行为之一的，应当经人民法院许可；④管理人应当勤勉尽责，忠实执行职务；⑤管理人没有正当理由不得辞去职务。管理人辞去职务应当经人民法院许可。

3. 通知和公告

人民法院应当自裁定受理破产申请之日起 25 日内通知已知债权人，并予以公告。通知和公告应当载明法律规定的事项。自人民法院受理破产申请的裁定送达债务人之日起至破产程序终结之日，债务人的有关人员（如企业的法定代表人；经人民法院决定，可以包括企业的财务管理人员和其他经营管理人员）承担下列义务：

(1) 妥善保管其占有和管理的财产、印章和账簿、文书等资料；

(2) 根据人民法院、管理人的要求进行工作，并如实回答询问；

(3) 列席债权人会议并如实回答债权人的询问；

(4) 未经人民法院许可，不得离开住所地；

(5) 不得新任其他企业的董事、监事、高级管理人员。

4. 破产受理裁定的法律效力

破产受理后将产生下列法律效力：

（1）债务人对个别债权人的债务清偿无效。

（2）债务人的债务人或者财产持有人应当向管理人清偿债务或者交付财产。债务人的债务人或者财产持有人故意违反前述规定向债务人清偿债务或者交付财产，使债权人受到损失的，不免除其清偿债务或者交付财产的义务。

（3）管理人对破产申请受理前成立而债务人和对方当事人均未履行完毕的合同有权决定解除或者继续履行，并通知对方当事人。管理人自破产申请受理之日起两个月内未通知对方当事人，或者自收到对方当事人催告之日起30日内未答复的，视为解除合同。管理人决定继续履行合同的，对方当事人应当履行，但是，对方当事人有权要求管理人提供担保，管理人不提供担保的，视为解除合同。

（4）有关债务人财产的保全措施应当解除，执行程序应当中止。

（5）已经开始而尚未终结的有关债务人的民事诉讼或者仲裁应当中止，在管理人接管债务人的财产后，该诉讼或者仲裁继续进行。

（6）有关债务人的民事诉讼，只能向受理破产申请的人民法院提起。

三、债权人会议与债权人委员会

债权人会议是由全体债权人组成，以维护债权人共同利益为目的，在法院监督下对有关破产事宜表达债权人意思的临时性机构。它伴随着破产程序的开始而产生，破产程序终结后，其使命也宣告结束。

（一）债权申报

【案例讨论】某建筑公司自创办以来，连年亏损，至破产申请时亏损高达300万元。法院依法受理了建筑公司的申请后，发布公告通知债权人申报债权，要求债权人在3个月内申报，并提交相应书面材料。公告期满后，共申报债权240万元。另某电梯公司有债权30万元，人民法院去函通知其申报债权，因该单位地址搬迁，其他单位代收后未及时转送，超过了申报期限。问：

电梯公司未能在法定期间申报债权，能否再次申报？

人民法院受理破产申请后，应当确定债权人申报债权的期限。债权申报期限自人民法院发布受理破产申请公告之日起计算，最短不得少于30日，最长不得超过3个月。

债权人应当在人民法院确定的债权申报期限内向管理人申报债权。债务人所欠职工的工资和医疗、伤残补助、抚恤费用，所欠的应当划入职工个人账户的基本养老保险、基本医疗保险费用，以及法律、行政法规规定应当支付给职工的补偿金等不必申报，由管理人调查后列出清单并予以公示。职工对清单记载有异议的，可以要求管理人更正，管理人不予更正的，职工可以向人民法院提起诉讼。

在人民法院确定的债权申报期限内，债权人未申报债权的，可以在破产财产最后分配前补充申报。但是，此前已进行的分配，不再对其补充分配。为审查和确认补充申报债权的费用，由补充申报人承担。债权人未依法申报债权的，不得行使权利。

管理人收到债权申报材料后，应当登记造册，对申报的债权进行审查，并编制债权表。债权表和债权申报材料由管理人保存，供利害关系人查阅，并应当提交第一次债权人会议核查。

债务人、债权人对债权表记载的债权无异议的，由人民法院裁定确认。债务人、债权人对债权表记载的债权有异议的，可以向受理破产申请的人民法院提起诉讼。

【案例评析】本案中，在人民法院确定的债权申报期限内，电梯公司未在法定期间申报债权，可以在破产财产最后分配前补充申报。但是，此前已进行的分配，不再对其补充分配。为审查和确认补充申报债权的费用，由电梯公司承担。

（二）债权人会议

1. 债权人会议的组成

依法申报债权的债权人为债权人会议的成员，有权参加债权人会议，享有表决权。债权尚未确定的债权人，除人民法院能够为其行使表决权而临时确定债权额的外，不得行使表决权。债权人会议设主席一人，由人民法院从有表决权的债权人中指定。债权人会议主席主持债权人会议。债权人会议应当有债务人的职工和工会的代表参加，对有关事项发表意见。

2. 债权人会议的职权

债权人会议行使下列职权：①核查债权；②申请人民法院更换管理人，审查管理人的费用和报酬；③监督管理人；④选任和更换债权人委员会成员；⑤决定继续或者停止债务人的营业；⑥通过重整计划；⑦通过和解协议；⑧通过债务人财产的管理方案；⑨通过破产财产的变价方案；⑩通过破产财产的分配方案；⑪人民法院认为应当由债权人会议行使的其他职权。其中，对债务人的特定财产享有担保权的债权人，未放弃优先受偿权利的，对于和解协议和破产财产的分配方案不享有表决权。

3. 债权人会议的召集与决议

（1）债权人会议的召集。第一次债权人会议由人民法院召集，自债权申报期限届满之日起 15 日内召开。以后的债权人会议，在人民法院认为必要时，或者管理人、债权人委员会、占债权总额 1/4 以上的债权人向债权人会议主席提议时召开。召开债权人会议，管理人应当提前 15 日通知已知的债权人。

（2）债权人会议的决议。债权人会议的决议，由出席会议的有表决权的债权人过半数通过，并且其所代表的债权额占无财产担保债权总额的 1/2 以上。但是，企业破产法另有规定的除外。债权人会议的决议对于全体债权人均有约束力。

债权人认为债权人会议的决议违反法律规定，损害其利益的，可以自债权人会议作出决议之日起 15 日内，请求人民法院裁定撤销该决议，责令债权人会议依法重新作出决议。

对于债务人财产的管理方案和破产财产的变价方案，经债权人会议表决未通过的，或者债权人会议对所议事项经两次表决仍未通过的，由人民法院裁定。对此裁定，人民法院可以在债权人会议上宣布或者另行通知债权人。

（三）债权人委员会

1. 债权人委员会的组成

债权人会议可以决定设立债权人委员会。债权人委员会由债权人会议选任的债权人代表和一名债务人的职工代表或者工会代表组成。债权人委员会成员不得超过 9 人。债权人委员会成员应当经人民法院书面决定认可。

2. 债权人委员会的职权

债权人委员会行使下列职权：①监督债务人财产的管理和处分；②监督破产财产

分配；③提议召开债权人会议；④债权人会议委托的其他职权。

债权人委员会执行职务时，有权要求管理人、债务人的有关人员对其职权范围内的事务作出说明或者提供有关文件。管理人、债务人的有关人员违反法律规定拒绝接受监督的，债权人委员会有权就监督事项请求人民法院作出决定，人民法院应当在5日内作出决定。

3. 债权人委员会对管理人的约束

管理人实施下列行为，应当及时报告债权人委员会：①涉及土地、房屋等不动产权益的转让；②探矿权、采矿权、知识产权等财产权的转让；③全部库存或者营业的转让；④借款；⑤设定财产担保；⑥债权和有价证券的转让；⑦履行债务人和对方当事人均未履行完毕的合同；⑧放弃权利；⑨担保物的取回；⑩对债权人利益有重大影响的其他财产处分行为。未设立债权人委员会的，管理人实施前述规定的行为应当及时报告人民法院。

四、重整与和解

（一）重整

重整是指已具破产界限或有破产界限之虞而又有再生希望的债务人实施的旨在挽救其生存的法律程序。其目的不在于公平分配债务人财产，因而有别于破产程序。其手段为调整债权人、股东及其他利益关系人与重整企业的利益关系，并限制担保物权的行使，故又有别于和解程序。

1. 重整申请的提出

债务人或者债权人可以依照企业破产法的规定，直接向人民法院申请对债务人进行重整。债权人申请对债务人进行破产清算的，在人民法院受理破产申请后、宣告债务人破产前，债务人或者出资额占债务人注册资本1/10以上的出资人，可以向人民法院申请重整。

2. 重整期间

（1）重整期间的时间界定。人民法院经审查认为重整申请符合企业破产法规定的，应当裁定债务人重整，并予以公告。自人民法院裁定债务人重整之日起至重整程序终止，为重整期间。

（2）重整期间的相关内容。第一，在重整期间，经债务人申请，人民法院批准，债务人可以在管理人的监督下自行管理财产和营业事务。已接管债务人财产和营业事务的管理人应当向债务人移交财产和营业事务，管理人的职权由债务人行使。第二，管理人负责管理财产和营业事务的，可以聘任债务人的经营管理人员负责营业事务。第三，在重整期间，对债务人的特定财产享有的担保权暂停行使。但是，担保物有损坏或者价值明显减少的可能，足以危害担保权人权利的，担保权人可以向人民法院请求恢复行使担保权。第四，在重整期间，债务人或者管理人为继续营业而借款的，可以为该借款设定担保。第五，债务人合法占有的他人财产，该财产的权利人在重整期间要求取回的，应当符合事先约定的条件。第六，在重整期间，债务人的出资人不得请求投资收益分配。债务人的董事、监事、高级管理人员不得向第三人转让其持有的债务人的股权。但是，经人民法院同意的除外。

3. 重整计划的制定和批准

（1）重整计划的制定。债务人或者管理人应当自人民法院裁定债务人重整之日起6个月内，同时向人民法院和债权人会议提交重整计划草案。上述规定的期限届满，经债务人或者管理人请求，有正当理由的，人民法院可以裁定延期3个月。

债务人自行管理财产和营业事务的，由债务人制作重整计划草案。管理人负责管理财产和营业事务的，由管理人制作重整计划草案。重整计划草案应当包括下列内容：①债务人的经营方案；②债权分类；③债权调整方案；④债权受偿方案；⑤重整计划的执行期限；⑥重整计划执行的监督期限；⑦有利于债务人重整的其他方案。

（2）重整计划的表决。下列各类债权的债权人参加讨论重整计划草案的债权人会议，依照下列债权分类，分组对重整计划草案进行表决：①对债务人的特定财产享有担保权的债权；②债务人所欠职工的工资和医疗、伤残补助、抚恤费用，所欠的应当划入职工个人账户的基本养老保险、基本医疗保险费用，以及法律、行政法规规定应当支付给职工的补偿金；③债务人所欠税款；④普通债权。人民法院在必要时可以决定在普通债权组中设小额债权组对重整计划草案进行表决。

人民法院应当自收到重整计划草案之日起30日内召开债权人会议，对重整计划草案进行表决。出席会议的同一表决组的债权人过半数同意重整计划草案，并且其所代表的债权额占该组债权总额的2/3以上的，即为该组通过重整计划草案。债务人或者管理人应当向债权人会议就重整计划草案作出说明，并回答询问。债务人的出资人代表可以列席讨论重整计划草案的债权人会议。重整计划草案涉及出资人权益调整事项的，应当设出资人组，对该事项进行表决。

（3）重整计划的通过。各表决组均通过重整计划草案时，重整计划即为通过。自重整计划通过之日起10日内，债务人或者管理人应当向人民法院提出批准重整计划的申请。

部分表决组未通过重整计划草案的，债务人或者管理人可以同未通过重整计划草案的表决组协商。该表决组可以在协商后再表决一次。双方协商的结果不得损害其他表决组的利益。未通过重整计划草案的表决组拒绝再次表决或者再次表决仍未通过重整计划草案，但重整计划草案符合法律特别规定的，债务人或者管理人可以申请人民法院批准重整计划草案。人民法院经审查认为重整计划草案符合法律规定的，应当自收到申请之日起30日内裁定批准，终止重整程序，并予以公告。

4. 重整计划的效力与执行

经人民法院裁定批准的重整计划，对债务人和全体债权人均有约束力。债权人未依法申报债权的，在重整计划执行期间不得行使权利，在重整计划执行完毕后，可以按照重整计划规定的同类债权的清偿条件行使权利。债权人对债务人的保证人和其他连带债务人所享有的权利，不受重整计划的影响。

重整计划由债务人负责执行。人民法院裁定批准重整计划后，已接管财产和营业事务的管理人应当向债务人移交财产和营业事务。自人民法院裁定批准重整计划之日起，在重整计划规定的监督期内，由管理人监督重整计划的执行。在监督期内，债务人应当向管理人报告重整计划的执行情况和债务人财务状况。监督期届满时，管理人应当向人民法院提交监督报告，自监督报告提交之日起，管理人的监督职责终止。管理人向人民法院提交的监督报告，重整计划的利害关系人有权查阅。经管理人申请，人民法院可以裁定延长重整计划执行的监督期限。

5. 重整计划的终止

（1）在重整期间，有下列情形之一的，经管理人或者利害关系人请求，人民法院应当裁定终止重整程序，并宣告债务人破产：①债务人的经营状况和财产状况继续恶化，缺乏挽救的可能性；②债务人有欺诈、恶意减少债务人财产或者其他显著不利于债权人的行为；③由于债务人的行为致使管理人无法执行职务。

（2）债务人或者管理人未按期提出重整计划草案的，人民法院应当裁定终止重整程序，并宣告债务人破产。

（3）重整计划草案未获得通过且未依法获得批准，或者已通过的重整计划未获得批准的，人民法院应当裁定终止重整程序，并宣告债务人破产。

（4）债务人不能执行或者不执行重整计划的，人民法院经管理人或者利害关系人请求，应当裁定终止重整计划的执行，并宣告债务人破产。但为重整计划的执行提供的担保继续有效。人民法院裁定终止重整计划执行的，债权人在重整计划中作出的债权调整的承诺失去效力。债权人因执行重整计划所受的清偿仍然有效，债权未受清偿的部分作为破产债权。前述规定的债权人，只有在其他同顺位债权人同自己所受的清偿达到同一比例时，才能继续接受分配。按照重整计划减免的债务，自重整计划执行完毕时起，债务人不再承担清偿责任。

（二）和解

【案例讨论】四川省某市川南电器厂，因经营不善，产品不适销，亏损严重，至2005年4月，亏损额达1000万元。经上级主管部门同意，该厂向市中级人民法院申请破产。经法院裁定，宣告该企业进入破产程序。此后于2005年6月，川南电器厂向债权人会议提交和解协议草案。债权人会议有表决权的债权人有8人，以6票通过，所代表的债权额占无财产担保额的50%。当债权人会议将该协议草案提交法院后，被法院驳回。问：

法院驳回和解协议草案的原因何在？

和解是指人民法院在受理破产案件后，债务人与债权人之间在延期、分期清偿债务或者免除或部分免除债务人的债务达成协议，以终止破产程序，防止债务人破产的制度。和解协议一经法院认可，即对全体债权人具有约束力。

1. 和解申请

债务人可以依照企业破产法的规定，直接向人民法院申请和解，也可以在人民法院受理破产申请后、宣告债务人破产前，向人民法院申请和解。债务人申请和解，应当提出和解协议草案。人民法院经审查认为和解申请符合法律规定的，应当裁定和解，予以公告，并召集债权人会议讨论和解协议草案。对债务人的特定财产享有担保权的权利人，自人民法院裁定和解之日起可以行使权利。

2. 和解协议的通过

债权人会议通过和解协议的决议，由出席会议的有表决权的债权人过半数同意，并且其所代表的债权额占无财产担保债权总额的2/3以上。

债权人会议通过和解协议的，由人民法院裁定认可，终止和解程序，并予以公告。管理人应当向债务人移交财产和营业事务，并向人民法院提交执行职务的报告。

和解协议草案经债权人会议表决未获得通过，或者已经债权人会议通过的和解协议未获得人民法院认可的，人民法院应当裁定终止和解程序，并宣告债务人破产。

【案例评析】 本案中，尽管债权人会议有表决权的债权人已过半数通过了和解协议草案，但其所代表的债权总额未达到无财产担保债权总额的2/3，因此，法院驳回了和解协议草案。

3. 和解协议的效力

经人民法院裁定认可的和解协议，对债务人和全体和解债权人（即人民法院受理破产申请时对债务人享有无财产担保债权的人）均有约束力。和解债权人未依法申报债权的，在和解协议执行期间不得行使权利，在和解协议执行完毕后，可以按照和解协议规定的清偿条件行使权利。和解债权人对债务人的保证人和其他连带债务人所享有的权利，不受和解协议的影响。

债务人应当按照和解协议规定的条件清偿债务。因债务人的欺诈或者其他违法行为而成立的和解协议，人民法院应当裁定和解协议无效，并宣告债务人破产。和解债权人因执行和解协议所受的清偿，在其他债权人所受清偿同等比例的范围内，不予返还。

债务人不能执行或者不执行和解协议的，人民法院经和解债权人请求，应当裁定终止和解协议的执行，并宣告债务人破产，但为和解协议的执行提供的担保继续有效。人民法院裁定终止和解协议执行的，和解债权人在和解协议中作出的债权调整的承诺失去效力。和解债权人因执行和解协议所受的清偿仍然有效，和解债权未受清偿的部分作为破产债权，该债权人只有在其他债权人同自己所受的清偿达到同一比例时，才能继续接受分配。

4. 和解协议的终结

人民法院受理破产申请后，债务人与全体债权人就债权债务的处理自行达成协议的，可以请求人民法院裁定认可，并终结破产程序。按照和解协议减免的债务，自和解协议执行完毕时起，债务人不再承担清偿责任。

五、破产清算

【案例讨论】 某市一国有公司被法院宣告破产，清算组查明，该公司在宣告破产时经营的财产价值150万元，未到期的净债权价值50万元，已作担保的财产价值20万元，在法院受理该公司破产案件的半年内，公司隐匿、无偿转让、放弃债权共60万元，后被清算组追回。清算组花去清算费用10万元，公司欠税款10万元，欠职工工资60万元。公司破产公告后，债权人乙登记债权100万元，债权人丙登记债权75万元，由于清算组决定终止该公司所签合同，为此给债权人丁造成25万元损失。问：乙、丙、丁各能获得多少清偿?

（一）破产宣告

破产宣告是指受理破产案件的法院依法定程序对已具备破产要件的债务人所作出的宣告其为破产人的司法审判行为。

人民法院依法宣告债务人破产的，应当自裁定作出之日起5日内送达债务人和管理人，自裁定作出之日起10日内通知已知债权人，并予以公告。债务人被宣告破产后，债务人称为破产人，债务人财产称为破产财产，人民法院受理破产申请时对债务人享有的债权称为破产债权。

破产宣告前，有下列情形之一的，人民法院应当裁定终结破产程序，并予以公告：①第三人为债务人提供足额担保或者为债务人清偿全部到期债务的；②债务人已清偿全部到期债务的。

（二）破产财产与破产债权

1. 破产财产

破产财产是指在破产宣告后，依法定程序对债权人的债权进行清偿的破产企业的财产。根据我国企业破产法的规定，破产申请受理时属于债务人的全部财产，以及破产申请受理后至破产程序终结前债务人取得的财产，为破产财产。

人民法院受理破产申请前一年内，涉及债务人财产的下列行为，管理人有权请求人民法院予以撤销，并有权追回：①无偿转让财产的；②以明显不合理的价格进行交易的；③对没有财产担保的债务提供财产担保的；④对未到期的债务提前清偿的；⑤放弃债权的。人民法院受理破产申请前六个月内，债务人符合破产界限时，仍对个别债权人进行清偿的，管理人有权请求人民法院予以撤销并有权追回。但是，个别清偿使债务人财产受益的除外。为逃避债务而隐匿、转移财产或虚构债务或者承认不真实的债务的行为无效，管理人有权追回由此取得的债务人财产。债务人的董事、监事和高级管理人员利用职权从企业获取的非正常收入和侵占的企业财产，管理人应当追回。

人民法院受理破产申请后，管理人可以通过清偿债务或者提供为债权人接受的担保，取回质物、留置物。前款规定的债务清偿或者替代担保，在质物或者留置物的价值低于被担保的债权额时，以该质物或者留置物当时的市场价值为限。人民法院受理破产申请后，债务人的出资人尚未完全履行出资义务的，管理人应当要求该出资人缴纳所认缴的出资，而不受出资期限的限制。人民法院受理破产申请后，债务人占有的不属于债务人的财产，该财产的权利人可以通过管理人取回。但是，企业破产法另有规定的除外。人民法院受理破产申请时，出卖人已将买卖标的物向作为买受人的债务人发运，债务人尚未收到且未付清全部价款的，出卖人可以取回在运途中的标的物。但是，管理人可以支付全部价款，请求出卖人交付标的物。上述追回或取回的财产列入破产财产。

2. 破产债权

人民法院受理破产申请时对债务人享有的债权称为破产债权。对破产人的特定财产享有担保权的权利人，对该特定财产享有优先受偿的权利。具有优先受偿权利的债权人未能完全受偿的，其未受偿的债权作为普通破产债权，放弃优先受偿权利的，其债权作为普通破产债权。

债权人在破产申请受理前对债务人负有债务的，可以向管理人主张抵消。但是，有下列情形之一的，不得抵消：①债务人的债务人在破产申请受理后取得他人对债务人的债权的。②债权人已知债务人有不能清偿到期债务或者破产申请的事实，对债务人负担债务的。但是，债权人因为法律规定或者有破产申请一年前所发生的原因而负担债务的除外。③债务人的债务人已知债务人有不能清偿到期债务或者破产申请的事实，对债务人取得债权的。但是，债务人的债务人因为法律规定或者有破产申请一年前所发生的原因而取得债权的除外。

（三）破产财产的变价和分配

1. 破产财产的变价

管理人应当及时拟订破产财产变价方案，提交债权人会议讨论。管理人应当按照债权人会议通过的或者人民法院依照企业破产法的规定裁定的破产财产变价方案，适时变价出售破产财产。变价出售破产财产应当通过拍卖进行。但是，债权人会议另有决议的除外。破产企业可以全部或者部分变价出售。企业变价出售时，可以将其中的无形资产和其他财产单独变价出售。按照国家规定不能拍卖或者限制转让的财产，应当按照国家规定的方式处理。

2. 破产财产的清偿顺序

破产财产在优先清偿破产费用和共益债务后，依照下列顺序清偿：

（1）破产人所欠职工的工资和医疗、伤残补助、抚恤费用，所欠的应当划入职工个人账户的基本养老保险、基本医疗保险费用，以及法律、行政法规规定应当支付给职工的补偿金；

（2）破产人欠缴的除前项规定以外的社会保险费用和破产人所欠税款；

（3）普通破产债权。

破产财产不足以清偿同一顺序的清偿要求的，按照比例分配。同时，对于破产企业的董事、监事和高级管理人员的工资按照该企业职工的平均工资计算。破产财产的分配应当以货币分配方式进行。但是，债权人会议另有决议的除外。

（四）破产程序的终结

破产人无财产可供分配的，管理人应当请求人民法院裁定终结破产程序。管理人在最后分配完结后，应当及时向人民法院提交破产财产分配报告，并提请人民法院裁定终结破产程序。人民法院应当自收到管理人终结破产程序的请求之日起15日内作出是否终结破产程序的裁定。裁定终结的，应当予以公告。管理人应当自破产程序终结之日起10日内，持人民法院终结破产程序的裁定，向破产人的原登记机关办理注销登记。

自破产程序终结之日起2年内，发现有应当追回或其他可供分配的财产，债权人可以请求人民法院按照破产财产分配方案进行追加分配，但财产数量不足以支付分配费用的，不再进行追加分配，由人民法院将其上交国库。

破产人的保证人和其他连带债务人，在破产程序终结后，对债权人依照破产清算程序未受清偿的债权，依法继续承担清偿责任。

【案例评析】本案中，公司的破产财产共计280万元（150万元+50万元+60万元+20万元），其中20万元已作担保，因此由担保权人优先受偿，破产财产的其他260万元按顺序清偿清算费用10万元，工资60万元，税款10万元后，剩余180万元由公司的普通破产债权按比例清偿，而公司的普通破产债权为200万元（100万元+75万元+25万元），因此乙、丙、丁分别获得90万元、67.5万元、22.5万元。

第三章 公司法律制度

第一节 公司法概述

一、公司的概念与分类

（一）公司的概念

【案例讨论】 王某是一个经营服装百货的个体户，两年前，他欠了一家服装厂20多万元货款，无力偿还，债主向法院起诉。法院判决王某败诉，并将王某商店里的财产和他的轿车以及部分生活用品变卖后用来偿还债务。两年来，王某做了充分的市场调研，东山再起，商店的效益与日俱增。但某公司从他这里批发了一批服饰，欠下王某30万元货款迟迟不还，王某几次讨债未果，遂向法院提起诉讼，法院判决王某胜诉。但是该公司因经营不善，严重亏损，无力偿还债务，故判决迟迟未得到执行。王某要求法院将该公司法定代表人的私房变卖后抵偿，法院不予支持。王某想不通，为什么他欠下的债要用家产来抵偿，别人欠债就不必用家产来抵偿？法院告诉王某，因为债务人是公司，而当时王某是个体户。问：

结合本案事实，想想什么是公司。

公司是目前世界上普遍存在的、相对于个人独资企业和合伙企业的一种企业组织形式。由于各国立法规定不一，因此公司的法律概念也不尽相同。一般认为，我国规范的公司是指依照法律规定，以营利为目的，由股东投资而设立的企业法人。要正确理解这一概念，应注意把握公司的下列法律特征：

1. 公司的营利性

公司设立的宗旨是为了通过各种生产经营活动，满足社会各种需求并获取利润。对某些法人团体来说，其在业务活动中虽然也取得一定收入并实现盈利，但如果不是以营利为目的，则不能将其认定为公司。公司的营利性特征已为世界上多数国家和地区的公司立法所确认，从而成为公司的基本属性。

2. 公司的法人性

公司的法人属性使公司财产与公司成员的个人财产完全区别开来，公司是以自己的名义依法独立享有民事权利，承担民事义务，参与各种法律活动的。而公司的股东只以其认缴的出资额或认购的股份为限对公司承担有限责任，这一属性是公司与非法人企业的最大区别。

3. 公司的合法性

公司只有依法定条件和程序设立才能取得法人资格。如果一个企业不是按照公司法的规定设立，即使它的名称冠有公司字样，也不能将其视为公司。在公司成立后，公司也必须按照公司法律规定的条件并依照法律规定的程序活动。

【案例评析】王某的债务人是公司，必须以公司的全部资产来承担法律责任。当公司资产不足以清偿债务时，超过其资产部分的债务依法可以免除，无须以公司法定代表人或股东的家产来抵偿债务，所以法院不支持王某的主张。而王某作为债务人时，是一个个体户，依法要承担无限责任，所以法院强制执行判决时要将他的家产变卖后清偿债务。

（二）公司的种类

公司的种类繁多，根据不同的标准，公司有不同的分类：

1. 按股东对公司所负责任的不同，公司分为无限责任公司、有限责任公司、股份有限公司和两合公司

无限责任公司指股东对公司的债务承担无限责任的公司；有限责任公司指由法定数额的股东组成，股东以其认缴的出资额为限对公司债务承担责任的公司；股份有限公司是指由法定数额以上的发起人发起，将公司的全部资本分为等额股份，股东以其认购的股份为限对公司债务承担责任的公司；两合公司是指由承担有限责任的股东和承担无限责任的股东共同投资设立的公司。两合公司中的有限责任股东以其出资额为限对公司负责，如果以其所持股份对其股份公司负责的，则该公司称为股份两合公司。

2. 按公司信用基础的不同，公司分为人合公司、资合公司和人合兼资合公司

人合公司是指以股东的信用作为公司信用基础的公司。人合公司的人格与其股东的人格没有完全分离，是一种较低级的公司，其典型形式为无限公司。资合公司是指以股东的出资额为信用基础的公司，股份有限公司是典型的资合公司。人合兼资合公司是指同时具有人的信用和资本信用两种因素的公司，两合公司即属于这种公司。

3. 按公司体系的不同，公司分为总公司与分公司、母公司与子公司

总公司又称本公司，是在一公司体系中处于管辖地位，具有独立法人资格的公司；分公司则是指在一公司体系中处于隶属（被管理）地位的公司，分公司是总公司不可分割的组成部分，并且不具有独立的法人资格。母公司是指通过持有其他公司的股份而能实际控制其他公司经营活动的公司。子公司是指其一定比例的股份被其他公司持有，经营活动受其他公司控制的公司，子公司具有独立的法人资格，其独立承担民事责任。

4. 以公司开放性程度不同，公司可分为封闭式公司和开放式公司

封闭式公司是指其股票不能在股票交易所挂牌，不能在股票市场上自由转让的公司。开放式公司是指其股票可以在股票交易所挂牌公开交易的公司。

二、公司的权利能力与行为能力

（一）公司的权利能力

公司的权利能力是指公司作为法律主体依法享有权利和承担义务的资格。这种资格是由法律赋予的，它是公司在市场经济活动中具体享有权利、承担义务的前提。公

司的权利能力于公司成立时产生，至公司终止时消灭。公司与自然人不同，公司的权利能力受到公司固有性质的限制，公司无从取得专属于自然人的权利。再者，由于某些法律政策上的原因，也使公司权利能力受到限制，主要体现在如下方面：

1. 经营范围的限制

经营范围是国家允许企业生产和经营的商品类别、品种以及服务项目等。公司经营范围由公司章程规定，并依法登记。公司可以修改公司章程，改变其经营范围，但是应当办理变更登记。公司的经营范围中属于法律、行政法规规定须经批准的项目，应当依法经过批准。

2. 转投资的限制

转投资是指公司以其现金、实物、无形资产作为出资，成为另一法律实体的所有人或者债权人的行为。公司作为一个法人，应当有自由经营和承担责任的权利和能力，用公司的财产进行投资是公司经营活动的一部分。但公司的对外投资不应该影响公司的稳定和发展，所以必须在公司的营利和安全价值之间寻找一种平衡，故《中华人民共和国公司法》（以下简称《公司法》）第 15 条规定，公司可以向其他企业投资，但是，除法律另有规定外，不得成为对所投资企业的债务承担连带责任的出资人。

3. 为他人提供担保的限制

《公司法》规定，依照公司章程的规定，由董事会或者股东会、股东大会决议，公司可以为他人提供担保；公司章程对投资或者担保的总额及单项投资或者担保的数额有限额规定的，不得超过规定的限额。公司为公司股东或者实际控制人提供担保的，必须经股东会或者股东大会决议。考虑到可能出现关联交易和控股股东控制的情况，《公司法》设置了利害关系股东的回避制度，规定当公司为公司股东或者实际控制人提供担保时，该股东或实际控制人不得参加该事项的表决，该项表决由出席会议的其他股东所持表决权的过半数通过。

（二）公司的行为能力

公司的行为能力是指公司基于自己的意思表示，以自己的行为独立取得权利和承担义务的能力。公司的行为能力与其权利能力同时产生，同时终止。公司行为能力的范围和内容与其权利能力的范围和内容相一致，即公司有权从事实现公司经营目的所必需的一切法律行为。当然，公司权利能力所受到的限制，也同样适用于公司行为能力。

公司是法人，具有法律上的团体人格，它在按照自己的意志实施行为时，与自然人有所不同，公司的行为能力通过公司的法人机关来行使。公司的法人机关由公司的股东（或股东大会）、董事会和监事会组成，它们依照《公司法》规定的职权和程序，相互配合又相互制衡，进行公司的意思表示。

三、公司法的概念与基本原则

（一）公司法的概念与调整范围

公司法是调整公司的设立、组织机构及其在对内对外活动中发生的社会关系的法律规范的总称。20 世纪 90 年代，我国加快了公司法立法的步伐，1993 年12 月 29 日第八届全国人民代表大会常务委员会第五次会议通过了《中华人民共和国公司法》。该法于 1999 年、2004 年、2005 年进行了三次修改完善。尤其是 2005 年的全面修改，及时反映了市场经济发展的要求，通过一系列的制度设计，注重平衡和保护了各相关利益主体的利益。

《公司法》第2条明确规定，本法所称公司是指依照本法在中国境内设立的有限责任公司和股份有限公司，即《公司法》的适用范围仅包括按照公司法规定在中国境内设立的有限责任公司和股份有限公司。

（二）公司法的基本原则

【案例讨论】2002年4月，原告电力公司与被告喜洋洋食品有限公司（以下简称“喜洋洋”）发生了一笔果冻购销生意，后“喜洋洋”拖欠电力公司25万元货款。“喜洋洋”的理由是公司已停止生产经营，无力偿还各项债务。后来，电力公司发现“喜洋洋”系台商独资企业，于1991年由谢某投资成立，法定代表人为谢某；永昌荣食品有限公司（以下简称“永昌荣”）也系台商独资企业，于1993年11月由谢某投资成立，法定代表人也是谢某；这两家公司的经营地址、电话号码、组织机构、从业人员完全相同。电力公司认为，谢某掏空“喜洋洋”，将财产转移到“永昌荣”，以此逃避债务。为此，电力公司将谢某、“喜洋洋”、“永昌荣”告上法庭，要求三被告共同偿还25万元货款及利息。

法院经庭审及各方取证后查明：“永昌荣”设立至今，从未实际开展生产经营活动，也无机器设备，名下的土地、厂房及两部汽车均由“喜洋洋”无偿使用，日常费用则由“喜洋洋”支付。两公司的财务账目虽分别立册记账，但均由“喜洋洋”的会计人员负责制作，且“永昌荣”本身从未对员工发放过工资。且这两家公司的唯一投资者谢某在经营期间也挪用、侵占“喜洋洋”的财产至少72万元以上，这部分财产全部作为谢某个人对债务的清偿和对交通肇事的赔偿。

结合本案事实，谈一谈公司法人格否认制度。

1. 公司的独立人格和股东责任有限原则

公司是企业法人，有独立的法人财产，享有法人财产权。股东将其财产投入到公司，便失去了对该部分财产的占有、使用和处分的权利，其财产转化为公司的全部法人财产权，而股东换回了资产受益、重大决策和选择管理者的权利。股东只承担有限责任，即有限责任公司的股东以其认缴的出资额为限对公司承担责任；股份有限公司的股东以其认购的股份为限对公司承担责任。

2. 股权保护原则

公司股东作为出资者依法享有资产收益、重大决策和选择管理者等权利。股东有权要求分取收益，享有知晓公司经营活动和经营业绩真实性情况的权利。当其权益受到损害时，有权向人民法院提起诉讼。

3. 科学管理原则

公司治理结构是公司制的核心。公司治理结构具体表现为公司的组织制度和管理制度。我国《公司法》按决策、执行、监督三种管理职能分设三种不同的机构，即股东（大）会、董事会（经理）、监事会，“三权分立”的领导体制可以保障公司决策的准确性、执行的统一性、监督的有效性。管理制度则包括公司基本管理制度和具体规章，是保证公司法人财产始终处于高效有序运营状态的主要手段，也是保证公司各负其责、协调运转、有效制衡的基础。

4. 利益分享原则

公司是利益共同体，公司的利益是投资者、经营者、劳动者三方的共同利益。公司在一定程度上承担了社会责任。《公司法》明确规定公司必须保护职工的合法权益，职工有权依法组织工会等。公司的社会责任强调的是对其他利益相关者的利益保护，以纠正立法上对股东们利益的过度保护，从而体现出法律的公平性。

【案例评析】本案中，“永昌荣”与“喜洋洋”作为关联企业的两公司，投资者、经营地址、电话号码及管理、从业人员完全相同，实为一套人马、两块牌子，必然导致两公司缺乏各自独立意志而共同听从于谢某。因此，有确凿的事实和理由认定两公司之间存在人格混同。现“喜洋洋”徒具空壳，无力偿还数额巨大的众多到期债务，而“永昌荣”从未开展业务活动却有数百万元的资产，足以推定谢某操纵并利用关联公司之间的财产转移来逃避债务。被告谢某作为“喜洋洋”和“永昌荣”的唯一股东，无视公司的独立人格，滥用其控制权，挪用公司资产归个人使用，致使公司与其个人之间财务、财产均发生混同；而“喜洋洋”和“永昌荣”之间的混同情况则更为严重地背离了公司法人制度的分离原则，因此，应认定谢某、“喜洋洋”和“永昌荣”三者之间存在人格混同。如在本案中仅追究“喜洋洋”的责任，则作为善意相对人的原告将无法或可能无法实现其债权，不符合诚实信用原则和公平理念。因此，应当对“喜洋洋”适用公司法人格否认制度，要求谢某和“永昌荣”承担连带责任。

第二节　有限责任公司

一、有限责任公司的概念与特征

【案例讨论】1994年5月，甲、乙、丙三方准备出资设立一有限公司。1994年6月14日，3人共同签订了发起人协议，约定公司资本全部由三方股东认缴，其中甲以货币30万元出资，乙以办公用房出资，而丙本准备以劳务出资，但在查阅了《公司法》后了解到，不能以劳务出资，故改为以非专利技术出资。但在验资时，丙未能向会计师提供承诺在公司成立后转让非专利技术的承诺函，故最终该项非专利技术出资未得到认可，丙只得改以现金出资5万元。但丙同时与其他股东约定，一旦公司成立后，公司应聘请其作为公司的技术总监。公司成立后，丙如约成为公司的技术总监。2000年，丙提出要将其所持有的全部股份转让给丁，但甲认为丁并不熟悉公司所从事的行业，无法如丙那样为公司服务，故不同意向丁转让股份，并提出由其购买丙所持的股份。最终，丙所持的股份由甲购得。问：

1. 怎样理解有限责任公司的人资两合性？

2. 设立有限责任公司有哪几种出资方式？

有限责任公司，亦称有限公司，是指由符合法定要求的股东依法设立，股东以其认缴的出资额为限对公司承担责任，公司以其全部财产对公司的债务承担责任的企业法人。与其他企业形式相比，有限责任公司有如下特征：

1. 股东人数的限制性

对有限责任公司的股东人数，许多国家的公司法都有下限和上限的规定。对有限责任公司的股东作出最高限制，是由于有限责任公司是一种人合兼资合的公司，股东人数不可能太多。因此，我国《公司法》第24条规定，有限责任公司由50个以下股东出资设立。另外，从公司实务来看，一人公司已大量存在，且很难避免，同时考虑到一人公司设立比较便捷，管理成本比较低，实际需要比较迫切，因此，我国允许设立一人有限责任公司，这也有利于经济发展和促进就业，故我国在2005年修改《公司法》时，取消了对公司股东人数最低的限制。

2. 股东责任的有限性

相对于个人独资企业和合伙企业来说，有限责任公司的股东仅以其出资额为限对公司负责，股东对公司债权人不负直接责任。

3. 公司性质的人资两合性

有限责任公司的性质介于股份公司与无限公司之间，因此，它兼有资合与人合的色彩。其资合性表现在，每个股东都必须出资，不出资的人是不能成为公司股东的。然而，当一个人仅有资金可出，而与其他出资人不存在任何信任关系时，是不可能被接纳为公司股东的，因为其他人会怀疑他的目的与动机，担心他的加入会影响公司日后的正常经营。因此，股东之间的相互信任及良好关系是公司得以成立的又一重要前提。

4. 公司运作的封闭性

由有限责任公司的人资两合性可以推出，有限责任公司通常是股东基于相互信任而联合起来出资组建的，具有一定的封闭性，股东不能随意转让出资，公司的财务也不对外公开。

5. 公司机构设置的灵活性

有限责任公司性质的双重性，决定了有限责任公司从规模上说多属于中小型企业，从而使其内部组织机构的设置，无论在立法上还是在实务中，都呈现出一定的灵活性，公司的权力机构、决策机构及监督机构的设置及职权的行使，可由公司依其规模及实际需要而灵活决定。

二、有限责任公司的设立

纵观世界各国的公司发展史，公司设立的立法体例大体经历了自由设立主义、特许主义、核准主义、准则主义的过程。在我国，有限责任公司的设立，除其他法律、行政法规有特别规定以外，原则上采用准则主义。

（一）设立条件

《公司法》规定，设立有限责任公司，应当具备下列条件：

（1）股东符合法定人数，即不超过50人。

（2）股东出资达到法定资本最低限额。有限责任公司注册资本的最低限额为人民币3万元。法律、行政法规对有限责任公司注册资本的最低限额有较高规定的，从其规定。

（3）股东共同制定公司章程。公司章程是公司自治性文件，规定公司组织与活动原则，表明公司的名称、设立宗旨、经营范围、注册资金、组织形式、内部机构设置、股东的权利义务等。设立公司必须依法制定公司章程，公司章程必须采取书面形式，经全体股东或发起人同意并在章程上签名、盖章后才能生效。

（4）有公司名称，建立符合有限责任公司要求的组织机构。公司名称是一个公司区别于其他公司的标记，是公司人格的具体体现。公司名称具有排他性，在一定范围内，一个公司只能使用特定的经过注册的名称，该名称属于知识产权的范畴，与企业的注册商标一样是企业拥有的无形资产。公司的名称应由公司的类别、公司注册机关所在地的行政区划、公司所属行业或经营特点、商号四部分组成，如“四川长虹电器股份有限公司”就是一个完整的公司名称。

有限责任公司的组织机构通常包括股东会、董事会和监事会等公司内部权力机构、执行机构及监督机构。但规模较小或股东人数较少的有限责任公司可以不设董事会和监事会，而只设1名执行董事和1至2名监事。

（5）有公司住所。公司的住所是公司经济活动的中心，公司以其主要办事机构所在地为其住所。公司主要办事机构是指公司主要的经营管理机构。公司可以有多个营业场所，但只能有一个住所。住所在法律上有很重要的意义，它是企业享受权利和履行义务的法定场所，是决定对公司进行司法管辖、商事登记管辖和税收管辖的依据，也是民事诉讼司法文书的送达地。

（二）设立程序

有限责任公司的设立程序较为简单，主要有以下步骤：

（1）发起人发起。除国有独资公司和一人有限责任公司外，发起人实施发起行为时，通常都要先签订一个发起人协议，以明确各自的权利、义务和责任。

（2）制定公司章程。制定公司章程是设立程序中的重要一环。全体发起人应依照法定要求并结合拟成立公司的具体情况制定章程。章程的内容不仅要合法，而且应尽可能全面并具可操作性。

（3）申请公司名称预先核准。

（4）缴纳出资。公司全体股东的首次出资额不得低于公司注册资本的20%，也不得低于法定的注册资本最低限额，其余部分由股东自公司成立之日起2年内缴足；其中，投资公司可以在5年内缴足。股东可以用货币出资，也可以用实物、知识产权、土地使用权等可以用货币估价并可以依法转让的非货币财产作价出资，但是法律、行政法规规定不得作为出资的财产除外。对作为出资的非货币财产应当评估作价，核实财产，不得高估或者低估作价。法律、行政法规对评估作价有规定的，从其规定。全体股东的货币出资金额不得低于有限责任公司注册资本的30%。股东以货币出资的，应当将货币出资足额存入有限责任公司在银行开设的账户；以非货币财产出资的，应当依法办理其财产权的转移手续。

（5）验资。股东缴纳出资后，必须经依法设立的验资机构验资并出具证明。

（6）经营范围或行业涉及审批的，应报政府有关部门审批。

（7）办理设立登记手续并领取营业执照。股东的首次出资经依法设立的验资机构验资后，由全体股东指定的代表或者共同委托的代理人向公司登记机关报送公司登记申请书、公司章程、验资证明等文件，申请设立登记。公司登记机关，即各级工商行政管理部门，对公司设立登记的申请进行审查，对符合法定设立条件的申请予以登记并发给营业执照，否则不予登记。公司营业执照签发日期为公司成立日期。

（8）公告公司成立。

（9）签发出资证明书。出资证明书是证明股东已缴纳出资额的文件。有限责任公司成立后，应当向股东签发出资证明书，并由公司盖章。

【案例评析】本案中，丙原计划以劳务作为出资，这不符合《公司法》的规定，故最终只得以货币出资。这明显不同于合伙企业。合伙企业中的合伙人可以以劳务出资，只要各合伙人对此达成一致即可。究其根本，即在于有限责任公司的对外信用基础除了股东个人信用外，还在于公司的资本信用，而合伙企业则完全在于合伙人的个人信用。此外，丙在转让其出资时必须取得其他股东过半数的同意，且甲根据《公司法》的规定行使优先购买权，阻止了丁成为公司的股东，这充分体现了有限责任公司的人合性质。有限责任公司往往较之股份公司更强调股东之间的相互信任，在股东直接参与公司经营时，往往更强调股东间的信任与合作，因此，股东意欲转让出资时，其他股东可以通过对优先购买权的行使，防止他们不信任的其他人介入公司成为新股东。

三、有限责任公司的股东

【案例讨论】1997 年，某商场经过企业改制成为有限责任公司。在改制时，公司有部分职工根据自愿原则在该公司投资入股。首届股东会会议选举王某任董事长兼总经理，刘某任副董事长。2001 年 5 月 11 日，王某在未召开任何董事会会议的情况下，以董事会的名义下发了退股公告，大意为“经2001 年5 月 11 日董事会会议研究决定，入股的在职职工退股 60%，内退职工退股 100%”。公告下发后，许多职工向公司提出抗议，要求公司董事会撤销该退股公告，未果。于是，股东刘某（副董事长）和李某（监事）受 84 名职工股东的委托，以公司董事长王某为被告，以王某的行为违反公司章程为由，请求确认公司 2001 年 5 月 11 日的董事会会议决定无效并要求赔偿损失。法院经审理后认为，股东依其出资而享有股东权利，该种权利不得由董事会作出决议而取消，并且公司章程也未规定职工股东在一定条件下负有退股的义务，遂判决确认公司 2001 年 5 月 11 日的董事会会议决定无效。问：

股东权利的内容有哪些？如何保护股东的权利？

（一）有限责任公司股东的概念

有限责任公司的股东即公司的出资人。在公司获准设立之后，各出资人即成为公司的股东。在我国，除国家有禁止或限制的特别规定外，公民、法人、国家以及外国投资者均可成为有限责任公司的股东。但当国家成为股东时，应通过国家授权的部门或者机构进行。

（二）有限责任公司股东的权利

公司股东依法享有分享资产收益、参与重大决策和选择管理者等权利。具体来讲，有限责任公司的股东享有如下权利：

（1）股东有权查阅和复制公司章程、股东会会议记录、董事会会议决议、监事会会议决议和财务会计报告。

（2）股东按照实缴的出资比例分取红利；公司新增资本时，股东有权优先按照实缴的出资比例认缴出资。但是，全体股东约定不按照出资比例分取红利或者不按照出资比例优先认缴出资的除外。

（3）股东可以要求查阅公司会计账簿。股东要求查阅公司会计账簿的，应当向公司提出书面请求，说明目的。公司有合理根据认为股东查阅会计账簿有不正当目的，可能损害公司合法利益的，可以拒绝提供查阅，并应当自股东提出书面请求之日起 15

日内书面答复股东并说明理由。公司拒绝提供查阅的，股东可以请求人民法院要求公司提供查阅。

（4）股东之间可以相互转让其全部或者部分股权。股东向股东以外的人转让股权，应当经其他股东过半数同意。股东应就其股权转让事项书面通知其他股东征求同意，其他股东自接到书面通知之日起满30日未答复的，视为同意转让。其他股东半数以上不同意股权转让的，不同意的股东应当购买其转让的股权；不购买的，视为同意转让。经股东同意转让的股权，在同等条件下，其他股东有优先购买权。两个以上股东主张行使优先购买权的，协商确定各自的购买比例；协商不成的，按照转让时各自的出资比例行使优先购买权。公司章程对股权转让另有规定的，从其规定。人民法院依照法律规定的强制执行程序转让股东的股权时，应当通知公司及全体股东，其他股东在同等条件下有优先购买权。其他股东自人民法院通知之日起满20日不行使优先购买权的，视为放弃优先购买权。

（5）异议股东股份回购请求权。有下列情形之一的，对股东会该项决议投反对票的股东可以请求公司按照合理的价格收购其股权：①公司连续5年不向股东分配利润，而公司该5年连续盈利，并且符合公司法规定的分配利润条件的；②公司合并、分立、转让主要财产的；③公司章程规定的营业期限届满或者章程规定的其他解散事由出现，股东会会议通过决议修改章程使公司存续的。

自股东会会议决议通过之日起60日内，股东与公司不能达成股权收购协议的，股东可以自股东会会议决议通过之日起90日内向人民法院提起诉讼。

（6）自然人股东死亡后，其合法继承人可以继承其股东资格，但公司章程另有规定的除外。

（三）有限责任公司股东的义务

公司股东在享有权利的同时，还应当尽到下列义务：

（1）股东应当按期足额缴纳公司章程中规定的各自所认缴的出资额。

（2）公司成立后，股东不得抽逃出资。

（3）有限责任公司成立后，发现作为设立公司出资的非货币财产的实际价额显著低于公司章程所定价额的，应当由交付该出资的股东补足其差额；公司设立时的其他股东承担连带责任。

【案例评析】本案中，公司董事长擅自以董事会的名义宣布取消部分股东的股权，这实际上是剥夺了部分股东的股权，按此决议，部分股东将丧失其股东主体资格，这显然是不合法的。

四、有限责任公司的组织机构

【案例讨论】上海某某实业有限公司（以下简称某某公司）是依法成立的有限责任公司，李某系该公司的股东。1995年2月25日，某某公司召开董事会，会议通过第5号、第6号两份决议，其内容为增补马某、莫某为公司董事。同年8月12日，某某公司又召开董事会，会议通过第7号决议，增补方某为公司董事并增选其为常务副董事长。某某公司董事会增补上述3人为董事的依据是1994年4月28日某某公司股东会通过的公司章程。该章程第18条规定：“股东会闭会期间，董事人选有必要变动时，由董事会决定，但所增补的董事人数不得超过董事总数的1/3。”章程第20条规定：

"董事会设董事长1人，根据需要可设副董事长1至2人。董事长和副董事长由董事会以全体董事过半数选举和更换。"这些决议作出后，作为股东的李某提出了异议，认为由某某公司董事会增补方某、马某、莫某为董事，是违反《公司法》的行为，侵犯了股东的权益。但某某公司董事会却坚持认为其所作出的决议是依据公司章程而为，而公司章程是经股东会表决通过的，故增补董事决议有效，并不违反《公司法》的规定。于是李某向法院起诉，请求法院判令董事会作出的决议无效。法院最终认定上述董事会决议违法，要求公司予以撤销，并及时召开临时股东会，对缺额董事进行重新选举。问：

何谓有限责任公司的组织机构？

（一）股东会

1. 股东会的设置与地位

有限责任公司股东会由全体股东组成。股东会是公司的权力机构，有权对公司的重大事项作出决议。除法律有特别规定，有限责任公司必设股东会。

2. 股东会的职权

依《公司法》规定，股东会行使下列职权：

（1）决定公司的经营方针和投资计划；

（2）选举和更换非由职工代表担任的董事、监事，决定有关董事、监事的报酬事项；

（3）审议批准董事会的报告；

（4）审议批准监事会或者监事的报告；

（5）审议批准公司的年度财务预算方案、决算方案；

（6）审议批准公司的利润分配方案和弥补亏损方案；

（7）对公司增加或者减少注册资本作出决议；

（8）对发行公司债券作出决议；

（9）对公司合并、分立、解散、清算或者变更公司形式作出决议；

（10）修改公司章程；

（11）公司章程规定的其他职权。

对上述所列事项股东以书面形式一致表示同意的，可以不召开股东会会议，直接作出决定，并由全体股东在决定文件上签名、盖章。

3. 股东会会议

有限责任公司股东会会议分为定期会议和临时会议。定期会议应当依照公司章程的规定按时召开。代表1/10以上表决权的股东，1/3以上的董事，监事会或者不设监事会的公司的监事提议召开临时会议的，应当召开临时会议。

有限责任公司首次股东会会议由出资最多的股东召集和主持。之后的股东会，设立董事会的，由董事会召集，由董事长主持；董事长不能履行职务或者不履行职务的，由副董事长主持；副董事长不能履行职务或者不履行职务的，由半数以上董事共同推举1名董事主持。有限责任公司不设董事会的，股东会会议由执行董事召集和主持；董事会或者执行董事不能履行或者不履行召集股东会会议职责的，由监事会或者不设监事会的公司的监事召集和主持；监事会或者监事不召集和主持的，代表1/10以上表决权的股东可以自行召集和主持。

公司召开股东会会议，应当于会议召开15日前通知全体股东；但是，公司章程另有规定或者全体股东另有约定的除外。股东会应当将所议事项的决定作成会议记录，出席会议的股东应当在会议记录上签名。

4. 股东会决议

股东会决议由股东按照出资比例行使表决权；但是，公司章程另有规定的除外。股东会会议作出的修改公司章程、增加或者减少注册资本的决议，以及公司合并、分立、解散或者变更公司形式的决议，必须经代表2/3以上表决权的股东通过。除此之外，股东会的议事方式和表决程序由公司章程规定。

（二）董事会

1. 董事会的设置及地位

董事会是公司股东会的执行机构，负责公司的经营决策，其成员由3～13人组成。两个以上的国有企业或者两个以上的其他国有投资主体投资设立的有限责任公司，其董事会成员中应当有公司职工代表；其他有限责任公司董事会成员中可以有公司职工代表。董事会中的职工代表由公司职工通过职工代表大会、职工大会或者其他形式民主选举产生。董事会设董事长1人，可以设副董事长。董事长、副董事长的产生办法由公司章程规定。股东人数较少或者规模较小的有限责任公司可以不设董事会，设1名执行董事，执行董事可以兼任公司经理。

2. 董事会的职权

董事会对股东会负责，行使下列职权：

（1）召集股东会会议，并向股东会报告工作；

（2）执行股东会的决议；

（3）决定公司的经营计划和投资方案；

（4）制订公司的年度财务预算方案、决算方案；

（5）制订公司的利润分配方案和弥补亏损方案；

（6）制订公司增加或者减少注册资本以及发行公司债券的方案；

（7）制订公司合并、分立、解散或者变更公司形式的方案；

（8）决定公司内部管理机构的设置；

（9）决定聘任或者解聘公司经理及其报酬事项，并根据经理的提名决定聘任或者解聘公司副经理、财务负责人及其报酬事项；

（10）制定公司的基本管理制度；

（11）公司章程规定的其他职权。

执行董事的职权由公司章程规定。

3. 董事的任期

董事任期由公司章程规定，但每届任期不得超过3年。董事任期届满，连选可以连任。董事任期届满未及时改选，或者董事在任期内辞职导致董事会成员低于法定人数的，在改选出的董事就任前，原董事仍应当依照法律、行政法规和公司章程的规定，履行董事职务。

4. 董事会会议

董事会会议由董事长召集和主持；董事长不能履行职务或者不履行职务的，由副董事长召集和主持；副董事长不能履行职务或者不履行职务的，由半数以上董事共同推举1名董事召集和主持。董事会的议事方式和表决程序，除《公司法》有规定的外，由公司章程规定。董事会应当将所议事项的决定作成会议记录，出席会议的董事应当在会议记录上签名。董事会决议的表决，实行一人一票。

5. 经理

有限责任公司可以设经理，经理负责公司日常经营管理工作，由董事会决定聘任或者解聘。经理对董事会负责，行使下列职权：

（1）主持公司的生产经营管理工作，组织实施董事会决议；

（2）组织实施公司年度经营计划和投资方案；

（3）拟订公司内部管理机构设置方案；

（4）拟订公司的基本管理制度；

（5）制定公司的具体规章；

（6）提请聘任或者解聘公司副经理、财务负责人；

（7）决定聘任或者解聘除应由董事会决定聘任或者解聘以外的负责管理人员；

（8）董事会授予的其他职权。

公司章程对经理职权另有规定的，从其规定。经理列席董事会会议。

（三）监事会

1. 监事会的设置及地位

监事会是公司内部的监督机构，其成员不得少于3人。监事会应当包括股东代表和适当比例的公司职工代表，其中职工代表的比例不得低于1/3，具体比例由公司章程规定。监事会中的职工代表由公司职工通过职工代表大会、职工大会或者其他形式民主选举产生。监事会设主席1人，由全体监事过半数选举产生。

监事会主席召集和主持监事会会议。监事会主席不能履行职务或者不履行职务的，由半数以上监事共同推举1名监事召集和主持监事会会议。董事、高级管理人员不得兼任监事。股东人数较少或者规模较小的有限责任公司，可以不设监事会，设1至2名监事。

2. 监事会的职权

监事会、不设监事会的公司的监事行使下列职权：

（1）检查公司财务；

（2）对董事、高级管理人员执行公司职务的行为进行监督，对违反法律、行政法规、公司章程或者股东会决议的董事、高级管理人员提出罢免的建议；

（3）当董事、高级管理人员的行为损害公司的利益时，要求董事、高级管理人员予以纠正；

（4）提议召开临时股东会会议，在董事会不履行本法规定的召集和主持股东会会议职责时召集和主持股东会会议；

（5）向股东会会议提出提案；

（6）董事、高级管理人员执行公司职务时违反法律、行政法规或者公司章程规定，给公司造成损失应当承担赔偿责任的，监事会或不设监事会的监事有权对董事、高级管理人员提起诉讼；

（7）公司章程规定的其他职权。

监事可以列席董事会会议，并对董事会决议事项提出质询或者建议。监事会、不设监事会的公司的监事发现公司经营情况异常，可以进行调查；必要时，可以聘请会计师事务所等机构协助其工作，费用由公司承担。

3. 监事的任期

监事的任期每届为 3 年。监事任期届满，可以连选连任。监事任期届满未及时改选，或者监事在任期内辞职导致监事会成员低于法定人数的，在改选出的监事就任前，原监事仍应当依照法律、行政法规和公司章程的规定，履行监事职务。

4. 监事会会议

监事会每年度至少召开一次会议，监事可以提议召开临时监事会会议。监事会的议事方式和表决程序，除公司法有规定的外，由公司章程规定。监事会决议应当经半数以上监事通过。监事会应当将所议事项的决定作成会议记录，出席会议的监事应当在会议记录上签名。监事会、不设监事会的公司的监事行使职权所必需的费用，由公司承担。

【案例评析】 有限责任公司的组织机构是指依法行使公司决策、执行和监督权能的机构的总称。公司作为一个拟制的法人，其所作的任何意思表示、任何行为都必须经过公司的组织机构而产生，脱离了这些机构，公司将无法运作。不同的组织机构有其不同的职权、运行机制及产生办法，这些在《公司法》中均做了规定。《公司法》明确规定，股东会是公司的权力机构，选举和更换董事的职权由股东会行使。在本案中，某某公司章程中有关股东会闭会期间董事选举的规定违反了《公司法》的规定，该规定无效。公司董事会依据该无效的规定所进行的董事人选增补也自然无效。

五、一人有限责任公司的特别规定

一人有限责任公司，是指只有一个自然人股东或者一个法人股东的有限责任公司。一人有限责任公司与个人独资企业最大的区别就在于一人有限责任公司股东以其对公司的出资额为限承担有限责任，大大降低了投资人的投资风险；并且由于唯一的出资人对公司经营享有高度的自主权，从而减少了公司治理过程中由于公司内部机构过于复杂所造成的高成本、低效率。但是也正由于股东高度的自主权，使公司的经营缺乏必要的监督机制，在降低投资人投资风险的同时，扩大了一人有限公司的交易风险。因此，《公司法》对一人有限责任公司作了特别的限制性规定，建立了严密的风险防范制度，具体有以下几个方面：

1. 注册资本的限制

一人有限责任公司的注册资本最低限额为人民币 10 万元。股东应当一次足额缴纳公司章程规定的出资额。

2. 出资人投资一人有限公司数量的限制

一个自然人只能投资设立一个一人有限责任公司。该一人有限责任公司不能投资设立新的一人有限责任公司。一人有限责任公司应当在公司登记中注明自然人独资或者法人独资，并在公司营业执照中载明。如果允许一人设立数个一人有限公司，则出资人可以利用自己对这若干个一人公司的绝对控制力进行关联交易，转移资产，交易风险将成倍增加。

3. 一人有限责任公司的外部监督

一人有限责任公司应当在每一会计年度终了时编制财务会计报告，并经会计师事务所审计。

4. 一人有限责任公司的法人人格否认

一人有限责任公司的股东不能证明公司财产独立于股东自己的财产的，应当对公司债务承担连带责任。相对于其他公司的法人人格否认在举证责任方面，一人有限公司适用举证责任倒置。

六、国有独资公司的特别规定

国有独资公司，是指国家单独出资、由国务院或者地方人民政府授权本级人民政府国有资产监督管理机构履行出资人职责的有限责任公司。国有独资公司在本质上属于一人有限责任公司的范畴。但由于国有独资公司股东的特殊性，为保障国有资产的保值增值，法律对国有独资公司的组织机构做了一些特别规定。

1. 权力机构

国有独资公司只有一个股东，无需设立股东会，由国有资产监督管理机构行使股东会职权。国有资产监督管理机构可以授权公司董事会行使股东会的部分职权，如决定公司的重大事项，但公司的合并、分立、解散、增加或者减少注册资本和发行公司债券等事项，必须由国有资产监督管理机构决定。其中，重要的国有独资公司合并、分立、解散、申请破产的，应当由国有资产监督管理机构审核后，报本级人民政府批准。

2. 董事会

国有独资公司设董事会，董事会除行使《公司法》规定的有限责任公司董事会的所有职权外，还可以制定国有独资公司章程报国有资产监督管理机构批准。因此，国有独资公司董事会的实际职权范围比一般的有限责任公司董事会的职权范围大得多。

董事会成员由国有资产监督管理机构委派。但是，董事会成员中的职工代表由公司职工代表大会选举产生。董事会设董事长 1 人，可以设副董事长。董事长、副董事长由国有资产监督管理机构从董事会成员中指定。董事每届任期不得超过 3 年。董事会成员中应当有公司职工代表。

国有独资公司设经理，由董事会聘任或者解聘。经国有资产监督管理机构同意，董事会成员可以兼任经理。

国有独资公司的董事长、副董事长、董事、高级管理人员，未经国有资产监督管理机构同意，不得在其他有限责任公司、股份有限公司或者其他经济组织兼职。

3. 监事会

国有独资公司监事会成员不得少于 5 人，其中职工代表的比例不得低于 1/3，具体比例由公司章程规定。

监事会成员由国有资产监督管理机构委派。但是，监事会成员中的职工代表由公司职工代表大会选举产生。监事会主席由国有资产监督管理机构从监事会成员中指定。

第三节　股份有限公司

一、股份有限公司的概念与特征

股份有限公司，也称股份公司，是指依照《公司法》的有关规定设立的，其全部资本分为等额股份，股东以其认购的股份为限对公司承担责任，公司以其全部财产对公司的债务承担责任的企业法人。与有限责任公司相比，股份有限公司具有如下特征：

（1）公司性质的资合性。股份有限公司是典型的资合公司。

（2）股东人数的开放性。股份有限公司的股东人数有法定最低限额，但无最高限额。

（3）公司股份的等额性。股份有限公司的资本总额被划分为金额相等的股份。

（4）股份转让的任意性。如无法律特别规定，股东持有的股票可以自由转让，而不受其他股东的限制。

（5）组织机构相对复杂。股份有限公司的组织机构完备，不能进行简化设置，而且对于上市的公司又要求特别设置。

二、股份有限公司的设立

在我国，对股份有限公司的设立采取准则主义，《公司法》规定了较有限责任公司更为严格的设立条件和复杂的设立程序。

（一）设立方式

股份有限公司设立有两种方式：发起设立和募集设立。发起设立是指公司发行的股份由发起人全部认足，而不再向社会公众募集，从而一次确定股东而设立公司。募集设立是指由发起人认购公司应发行股份的一部分，其余股份向社会公开募集或者向特定对象募集而设立公司。采用这种设立方式，需对外募足股份，还需要召集创立大会，设立程序较发起设立复杂。

（二）设立条件

设立股份有限公司，应当具备下列条件：

（1）发起人应符合法定人数。设立股份有限公司，应当有 2 人以上 200 人以下为发起人，其中须有半数以上的发起人在中国境内有住所。

（2）发起人认购和募集的股本达到法定资本最低限额。股份有限公司注册资本的最低限额为人民币 500 万元，法律、行政法规对股份有限公司注册资本的最低限额有较高规定的，从其规定。股份有限公司采取发起设立方式设立的，注册资本为在公司登记机关登记的全体发起人认购的股本总额。公司全体发起人的首次出资额不得低于注册资本的 20%，其余部分由发起人自公司成立之日起 2 年内缴足。其中，投资公司可以在 5 年内缴足。发起设立的股份有限公司在缴足注册资本前，不得向他人募集股份。股份有限公司采取募集方式设立的，注册资本为在公司登记机关登记的实收股本总额。

（3）股份发行、筹办事项符合法律规定。

（4）发起人制定公司章程，采用募集方式设立的股份有限公司，其公司章程须经创立大会通过。

（5）有公司名称，建立符合股份有限公司要求的组织机构。

（6）有公司住所。

（三）设立程序

由于发起设立和募集设立具有各自独特的要求，《公司法》也针对它们设计了不同的程序要求。

1. 发起设立的程序

发起设立比较简单，不需要向社会公众募集股份，主要程序和有限责任公司的设立程序相同，其程序包括订立发起人协议，制定设立公司的可行性研究报告，制定公司章程，发起人认股和缴纳股款，选举公司董事、监事，申请设立登记，登记机关核准登记等。

2. 募集设立的程序

募集设立的程序稍显复杂，需要向社会公众募集股份，因此其设立程序有：

（1）发起人签订发起人协议，起草公司章程。

（2）发起人认购公司股份。如无法律、行政法规特别规定，全体发起人认购的股份不得少于公司股份总数的35%。

（3）发起人募集股份。

第一，募股申请。根据《中华人民共和国证券法》规定，设立股份有限公司公开发行股票，应当符合《公司法》规定的条件和经国务院批准的国务院证券监督管理机构规定的条件，并报送募股申请和下列文件：公司章程；发起人协议；发起人姓名或者名称，发起人认购的股份数、出资种类及验资证明；招股说明书；代收股款银行的名称及地址；承销机构名称及有关的协议。依照法律规定聘请保荐人的，还应当报送保荐人出具的发行保荐书。法律、行政法规规定设立公司必须报经批准的，还应当提交相应的批准文件。

第二，公告招股说明书。招股说明书应当附有发起人制订的公司章程，并载明下列事项：发起人认购的股份数；每股的票面金额和发行价格；无记名股票的发行总数；募集资金的用途；认股人的权利、义务；本次募股的起止期限及逾期未募足时认股人可以撤回所认股份的说明。

第三，制作认股书。认股书是确认认购权的一种书面凭证。认股书中应当载明招股说明书应当记载的事项，由认股人填写认购股数、金额、住所并签名、盖章。认股人按照所认购股数缴纳股款。

第四，委托证券公司承销。我国公司法要求股票采取间接发行的方式，为的是加强对股票公开发行的监控。发起人向社会公开募集股份，应当由依法设立的证券公司承销，签订承销协议。

第五，认股人认购、缴纳股款。认股人一旦填写了认股书，就应当按照所认股数承担缴纳股款的义务，否则也将构成违约。另外，《公司法》规定，在发行的股份超过招股说明书规定的截止期限尚未募足的，或者发行股份的股款缴足后发起人在30日内未召开创立大会的，认股人可以按照所缴股款并加算银行同期存款利息要求发起人返还。发起人、认股人缴纳股款或者交付抵作股款的出资后，除未按期募足股份、发起人未按期召开创立大会或者创立大会决议不设立公司的情形外，不得抽回其股本。

第六，召开创立大会。发行股份的股款缴足后，必须经依法设立的验资机构验资并出具证明。发起人应当自股款缴足之日起30日内主持召开公司创立大会。创立大会由发起人、认股人组成。发起人应当在创立大会召开15日前将会议日期通知各认股人或者予以公告。创立大会必须有代表股份总数过半数的发起人、认股人出席方可举行。创立大会行使下列职权：审议发起人关于公司筹办情况的报告；通过公司章程；选举董事会成员；选举监事会成员；对公司的设立费用进行审核；对发起人用于抵作股款的财产的作价进行审核；发生不可抗力或者经营条件发生重大变化直接影响公司设立的，可以作出不设立公司的决议。创立大会对前款所列事项作出决议，必须经出席会议的认股人所持表决权过半数通过。

第七，申请设立登记。董事会应于创立大会结束后30日内，申请设立登记，向公司登记机关报送下列文件：公司登记申请书；创立大会的会议记录；公司章程；验资证明；法定代表人、董事、监事的任职文件及其身份证明；发起人的法人资格证明或者自然人身份证明；公司住所证明。以募集方式设立股份有限公司公开发行股票的，还应当向公司登记机关报送国务院证券监督管理机构的核准文件。

三、股份有限公司的组织机构

（一）股东大会

股份有限公司股东大会由全体股东组成。股东大会是公司的权力机构，对公司重要事项享有最终决定权。股份有限公司股东大会职权适用有限责任公司股东会职权的规定。

【案例讨论】2007年8月，某股份有限公司依法登记成立。因为股东发生变动，该公司曾于2008年2月20日召开股东大会，由包括韩某、张某在内的公司90名股东全体出席会议，选出了张某等5名股东为公司董事（韩某未在其中），组成了公司董事会，并由张某出任董事长。此外，此次会议还选出了公司监事。2008年9月20日，公司召开了董事会和监事会。决议于2008年11月10日上午8时召开临时股东大会，讨论修改公司章程等事宜。2008年9月21日，公司以张某的名义，向公司股东寄发开会通知，通知上载明了会议事由为修改公司章程等事宜。韩某于同年9月28日收到该通知。此后，临时股东大会如期召开，全体90名股东包括韩某在内均出席，除韩某外均投票赞成修改公司章程的方案（其中韩某持有10%的公司股份），决议通过。2009年1月4日，韩某向L市人民法院起诉，请求撤销公司上述临时股东大会决议。韩某诉称：该次会议未按《公司法》及公司章程的规定由公司董事会具名召集，而仅由公司负责人张某具名，同时也未加盖法定代表人印章，会议召集程序不合法，因此该次会议所做决议应当无效，故请求人民法院撤销该次会议的决议。

公司辩称：公司董事会曾经于2008年9月20日决议召开临时股东大会，董事会会议后由公司董事长张某代表公司及董事会，寄发于2008年11月10日上午8时召开临时股东大会的开会通知，在通知书上虽由董事长而非董事会具名，但有公司公章，实际上仍是由董事会召集临时股东大会。韩某也于同年9月28日收到关于此次会议的通知，所以公司该次临时股东大会召集程序并不违反《公司法》及公司章程的规定。问：

1. 本案中，公司临时股东大会的召集程序是否合法有效？
2. 临时股东大会的决议程序是否合法有效？

1. 股东大会会议的召开和主持

股东大会分为定期会议和临时会议。定期股东大会应当每年召开一次。有下列情形之一的，应当在两个月内召开临时股东大会：

（1）董事人数不足《公司法》规定人数或者公司章程所定人数的2/3时；

（2）公司未弥补的亏损达实收股本总额1/3时；

（3）单独或者合计持有公司10%以上股份的股东请求时；

（4）董事会认为必要时；

（5）监事会提议召开时；

（6）公司章程规定的其他情形。

召开股东大会会议，应当将会议召开的时间、地点和审议的事项于会议召开20日前通知各股东；临时股东大会应当于会议召开15日前通知各股东；发行无记名股票的，应当于会议召开30日前公告会议召开的时间、地点和审议事项。

单独或者合计持有公司3%以上股份的股东，可以在股东大会召开10日前提出临时提案并书面提交董事会；董事会应当在收到提案后2日内通知其他股东，并将该临时提案提交股东大会审议。临时提案的内容应当属于股东大会职权范围，并有明确议题和具体决议事项。股东大会不得对通知中未列明的事项作出决议。

股东大会会议由董事会召集，董事长主持；董事长不能履行职务或者不履行职务的，由副董事长主持；副董事长不能履行职务或者不履行职务的，由半数以上董事共同推举1名董事主持。董事会不能履行或者不履行召集股东大会会议职责的，监事会应当及时召集和主持；监事会不召集和主持的，连续90日以上，单独或者合计持有公司10%以上股份的股东可以自行召集和主持。

2. 股东出席会议

股东出席会议的人数要达到一定比例，才能形成有法律效力的决议，但由于很多情况下，股东不能亲自参加会议，所以公司法规定股东可以委托代理人出席股东大会会议，代理人应当向公司提交股东授权委托书，并在授权范围内行使表决权。无记名股票持有人出席股东大会会议的，应当于会议召开5日前至股东大会闭会时将股票交存于公司。

3. 股东大会的议事规则与决议

股东出席股东大会会议，所持每一股份有一表决权。但是，公司持有的本公司股份没有表决权。股东大会作出决议，必须经出席会议的股东所持表决权过半数通过。但是，股东大会作出修改公司章程、增加或者减少注册资本的决议，以及公司合并、分立、解散或者变更公司形式的决议，必须经出席会议的股东所持表决权的2/3以上通过。《公司法》和公司章程规定公司转让、受让重大资产或者对外提供担保等事项必须经股东大会作出决议的，董事会应当及时召集股东大会会议，由股东大会就上述事项进行表决。

股东大会选举董事、监事，可以依照公司章程的规定或者股东大会的决议，实行累积投票制。累积投票制，是指股东大会选举董事或者监事时，每一股份拥有与应选董事或者监事人数相同的表决权，股东拥有的表决权可以集中使用。股东大会应当对所议事项的决定作成会议记录，主持人、出席会议的董事应当在会议记录上签名。会议记录应当与出席股东的签名册及代理出席的委托书一并保存。

【案例评析】 本案中，张某作为公司的董事长，其法律地位对外为公司的代表人，对内为公司董事会的召集人、股东大会的主持人等。该次会议通知中虽然未明确记载以公司董事会的名义召集，而仅以张某的名义，但张某作为董事长正是执行公司董事会关于召开临时股东大会的决议，并非无召集权人擅自召集，并未侵犯公司董事会召集临时股东大会的职权，更不会危及公司及股东个人利益，在法律效果上无异于由公司董事会负责召集。而且，会议通知虽然仅有张某签名而无其印章但盖有公司公章，也可以确认是以公司名义发出的。因此公司临时股东大会的召集程序应为合法有效。

公司临时股东大会的议程为修改公司章程，应以特别决议通过。由于除韩某外的其他股东均投票赞成修改公司章程的方案，已经远远超过了2/3的法定比例，因此该项决议程序合法有效。

（二）董事会、经理

1. 董事会的组成

股份有限公司设董事会，其成员为5～19人。董事会成员中可以有公司职工代表。董事会中的职工代表由公司职工通过职工代表大会、职工大会或者其他形式民主选举产生。董事的任期与董事会的职权适用有限责任公司的规定。董事会设董事长1人，可以设副董事长。董事长和副董事长由董事会以全体董事的过半数选举产生。

董事长召集和主持董事会会议，检查董事会决议的实施情况。副董事长协助董事长工作，董事长不能履行职务或者不履行职务的，由副董事长履行职务；副董事长不能履行职务或者不履行职务的，由半数以上董事共同推举1名董事履行职务。

2. 董事会会议

董事会每年度至少召开两次会议，每次会议应当于会议召开10日前通知全体董事和监事。代表1/10以上表决权的股东、1/3以上董事或者监事会，可以提议召开董事会临时会议。董事长应当自接到提议后10日内，召集和主持董事会会议。董事会召开临时会议，可以另定召集董事会的通知方式和通知时限。董事会会议应有过半数的董事出席方可举行。

3. 董事会会议决议

董事会作出决议，必须经全体董事的过半数通过。董事会决议的表决，实行一人一票。董事会会议，应由董事本人出席；董事因故不能出席，可以书面委托其他董事代为出席，委托书中应载明其授权范围。董事会应当对会议所议事项的决定作成会议记录，出席会议的董事应当在会议记录上签名。董事应当对董事会的决议承担责任。董事会的决议违反法律、行政法规或者公司章程、股东大会决议，致使公司遭受严重损失的，参与决议的董事对公司负赔偿责任，但经证明在表决时曾表明异议并记载于会议记录的，该董事可以免除责任。

4. 经理

经理是对股份有限公司日常经营管理负有全责的高级管理人员，由董事会决定聘任或者解聘，对董事会负责。经理职权适用有限责任公司的规定。公司董事会可以决定由董事会成员兼任经理。

（三）监事会

1. 监事会的组成

股份有限公司设监事会，其成员不得少于3人。监事会应当包括股东代表和适当比例的公司职工代表，其中职工代表的比例不得低于1/3，具体比例由公司章程规定。监事会中的职工代表由公司职工通过职工代表大会、职工大会或者其他形式民主选举产生。董事、高级管理人员不得兼任监事。监事的任期每届为3年，监事任期届满，连选可以连任。

监事会设主席1人，可以设副主席。监事会主席和副主席由全体监事过半数选举产生。监事会主席召集和主持监事会会议；监事会主席不能履行职务或者不履行职务的，由监事会副主席召集和主持监事会会议；监事会副主席不能履行职务或者不履行职务的，由半数以上监事共同推举1名监事召集和主持监事会会议。

2. 监事会会议及议事规则

监事会至少每6个月召开一次会议。监事可以提议召开临时监事会会议。监事会的议事方式和表决程序，除《公司法》有规定的外，由公司章程规定。监事会决议应当经半数以上监事通过。监事会应当对所议事项的决定作成会议记录，出席会议的监事应当在会议记录上签名。

监事会行使职权所必需的费用，由公司承担。关于有限责任公司监事会职权的规定，适用于股份有限公司监事会。

（四）上市公司组织机构的特别规定

上市公司是指其股票在证券交易所上市交易的股份有限公司。上市公司具有最广泛的公众性。因此，《公司法》对其组织机构规定了一般股份公司所不具备的要求。

1. 重大事项表决

上市公司一般规模较大，一些需要决议的事项关系重大，被设置为特别决议事项，必须等到绝大多数股东同意才能通过。根据《公司法》的规定，上市公司在一年内购买、出售重大资产或者担保金额超过公司资产总额30%的，应当由股东大会作出决议，并经出席会议的股东所持表决权的2/3以上通过。

2. 独立董事

独立董事是与受聘的上市公司及其主要股东不存在可能妨碍其进行独立客观判断的一切关系的特定董事。设立独立董事，对于改善公司治理、提高监控职能、维护公众投资者的利益具有积极的作用，有利于实现公司价值与股东利益的最大化。上市公司设立独立董事，具体办法由国务院规定。

3. 董事会秘书

董事会职权广泛，上市公司董事会工作更为繁重，有必要设置秘书来协助工作。上市公司董事会秘书负责公司股东大会和董事会会议的筹备、文件保管以及公司股东资料的管理，办理信息披露事务等事宜。

4. 董事对关联关系表决的回避

上市公司董事与董事会会议决议事项所涉及的企业有关联关系的，不得对该项决议行使表决权，也不得代理其他董事行使表决权。该董事会会议由过半数的无关联关系董事出席即可举行，董事会会议所作决议须经无关联关系董事过半数通过。出席董事会的无关联关系董事人数不足3人的，应将该事项提交上市公司股东大会审议。这里所称的关联关系，是指公司控股股东、实际控制人、董事、监事、高级管理人员与其直接或者间接控制的企业之间的关系，以及可能导致公司利益转移的其他关系。但是，国家控股的企业之间不因同受国家控股而具有关联关系。

四、股份发行和转让

（一）股份与股票

股份是指均分公司全部资本的最小单位。股份有限公司的资本划分为股份，每一股的金额相等。股份具有金额性、平等性、不可分性、可转让性的特点。公司的股份采取股票的形式。股票是公司签发的证明股东所持股份的凭证。

（二）股份的发行

股份发行是指股份有限公司为筹集资金或其他目的而向投资者出售或分配自己股份的行为。股份有限公司在公司成立前可以为募集资本发行股份，成立后可以为扩充资本发行新股。

股份的发行实行公平、公正的原则以及同股同权、同股同利的原则。同种类的每一股份应当具有同等权利。同次发行的同种类股票，每股的发行条件和价格应当相同；任何单位或者个人所认购的股份，每股应当支付相同价额。

股票发行价格可以按票面金额，也可以超过票面金额，但不得低于票面金额。股票采用纸面形式或者国务院证券监督管理机构规定的其他形式。

公司发行的股票，可以为记名股票，也可以为无记名股票。公司向发起人、法人发行的股票，应当为记名股票，并应当记载该发起人、法人的名称或者姓名，不得另立户名或者以代表人姓名记名。公司发行记名股票的，应当置备股东名册，并作记载。公司发行无记名股票的，公司应当记载其股票数量、编号及发行日期。国务院可以对公司发行《公司法》规定以外的其他种类的股份另行作出规定。

（三）股份转让

股份转让是指股份有限公司的股东将持有股份以合法的方式转让给他人，使他人取得股份而成为股东的行为。通过股份转让，股东可以收回投资。股份转让是通过股票转让实现的。股东转让其股份，应当在依法设立的证券交易场所进行或者按照国务院规定的其他方式进行。

记名股票由股东以背书方式或者法律、行政法规规定的其他方式转让；转让后由公司将受让人的姓名或者名称及住所记载于股东名册。股东大会召开前 20 日内或者公司决定分配股利的基准日前 5 日内，不得进行股东名册的变更登记。但是，法律对上市公司股东名册变更登记另有规定的，从其规定。记名股票被盗、遗失或者灭失，股东可以依照公示催告程序，请求人民法院宣告该股票失效。人民法院宣告该股票失效后，股东可以向公司申请补发股票。

无记名股票由股东将该股票交付给受让人后即发生转让的效力。持有无记名股票的人就是股东，依法享有并行使股东权，不必办理任何过户手续。无记名股票一旦丢失，股东就失去了股东权利，因而不利于股东权利的保护。

股份转让的限制与股份上市制度见第七章第三节证券法部分。

第四节　公司基本制度

一、董事、监事、高级管理人员的任职资格及责任和义务

【案例讨论】某有限责任公司于2005年成立，公司设股东会、董事会和监事会。在2005年组建监事会时，公司聘请了该市某企业管理部门的李局长担任公司的监事。此外，由公司董事长和副董事长兼任公司另3名监事。该监事会设立后，从未按照《公司法》第54条的规定行使监事会职权。该公司股东吴某认为应当重组公司监事会，并多次向董事会提出要求，但是董事会没有采用其建议。于是吴某向法院起诉，要求解散公司原监事会，并重新建立监事会。问：

监事的任职资格有哪些限制？

（一）任职资格

有下列情形之一的，不得担任公司的董事、监事、高级管理人员：

（1）无民事行为能力或者限制民事行为能力。

（2）因贪污、贿赂、侵占财产、挪用财产或者破坏社会主义市场经济秩序，被判处刑罚，执行期满未逾5年，或者因犯罪被剥夺政治权利，执行期满未逾5年。

（3）担任破产清算的公司、企业的董事或者厂长、经理，对该公司、企业的破产负有个人责任的，自该公司、企业破产清算完结之日起未逾3年。

（4）担任因违法被吊销营业执照、被责令关闭的公司、企业的法定代表人，并负有个人责任的，自该公司、企业被吊销营业执照之日起未逾3年。

（5）个人所负债务数额较大且到期未清偿。

（6）国家公务员。

（二）义务与责任

（1）董事、监事、高级管理人员应当遵守法律、行政法规和公司章程，对公司负有忠实义务和勤勉义务。

（2）董事、监事、高级管理人员不得利用职权收受贿赂或者其他非法收入，不得侵占公司的财产。

（3）董事、高级管理人员不得有下列行为：①挪用公司资金；②将公司资金以其个人名义或者以其他个人名义开立账户存储；③违反公司章程的规定，未经股东会、股东大会或者董事会同意，将公司资金借贷给他人或者以公司财产为他人提供担保；④违反公司章程的规定或者未经股东会、股东大会同意，与本公司订立合同或者进行交易；⑤未经股东会或者股东大会同意，利用职务便利为自己或者他人谋取属于公司的商业机会，自营或者为他人经营与所任职公司同类的业务；⑥接受他人与公司交易的佣金归为己有；⑦擅自披露公司秘密；⑧违反对公司忠实义务的其他行为。

董事、高级管理人员违反上述规定所得的收入应当归公司所有。

（4）董事、监事、高级管理人员执行公司职务时违反法律、行政法规或者公司章程的规定，给公司造成损失的，应当承担赔偿责任。

（5）股东会或者股东大会要求董事、监事、高级管理人员列席会议的，董事、监事、高级管理人员应当列席并接受股东的质询。

（6）董事、高级管理人员应当如实向监事会或者不设监事会的有限责任公司的监事提供有关情况和资料，不得妨碍监事会或者监事行使职权。

【案例评析】 监事会是公司依据《公司法》和公司章程的规定而设立，对公司经营活动进行监督的机构。作为监督机关，监事会对内不能参与公司的业务决策和经营管理，对外也一般不能代表公司，而是专门履行监督职能。为了保证监事会能正常行使职权，《公司法》对监事的任职资格作了严格限制。本案中，该公司监事会中的3名监事是由公司董事长和副董事长兼任的，明显违反了董事不得兼任监事的规定。此外，该公司聘请了该市某企业管理部门的李局长担任公司的监事，违反了国家公务员不得兼任公司监事的规定。因此，法院应当应吴某的诉讼请求，解散该公司监事会。

二、公司债券

【案例讨论】 原告刘某系周某的邻居。周某年老多病，有一子周某某在外地工作，很少回家，平时刘某对周某的饮食起居多有照顾。2007年8月，周某因病去世。周某在生病期间一直由刘某照顾，周某多次提出将其所持有的某股份有限公司的记名公司债券5万元赠与刘某，以报答刘某的照顾之情。2009年3月，该债券到期，刘某持该债券请求发行公司还本付息。但该公司认为，周某没有背书转让债券，也没有去公司作变更登记，公司没有义务对刘某付款。由于周某已去世，故款项应归公司所有，双方争执不下，诉至法院。周某的儿子周某某在外地听说诉讼的消息后，请求法院判决其继承该笔债券。问：

该记名公司债券的所有权应归谁所有？

公司债券，是指公司依照法定条件和程序发行，约定在一定期限还本付息的有价证券。公司债券与股票不同，两者的区别主要体现在以下几个方面：

（1）性质不同。公司债券表示的是债权，是债权凭证；股票表示的是股权，是股权凭证。

（2）收益稳定性不同。债券在购买之前，利率已定，到期就可以获得固定利息，而不管发行债券的公司经营获利与否；股票的股息收入随股份公司盈利情况的变动而变动。

（3）风险性不同。公司债券持有人相对于股票而言，承担的风险要小。

（4）经济利益关系不同。债券持有者无权过问公司的经营管理；而股票持有者则有权直接或间接地参与公司的经营管理。

（一）公司债券的发行

公开发行公司债券，应当符合下列条件：

（1）股份有限公司的净资产不低于人民币3000万元，有限责任公司的净资产不低于人民币6000万元；

（2）累计债券余额不超过公司净资产的40%；

（3）最近3年平均可分配利润足以支付公司债券1年的利息；

（4）筹集的资金投向符合国家产业政策；

（5）债券的利率不超过国务院限定的利率水平；

（6）国务院规定的其他条件。

公开发行公司债券筹集的资金，必须用于核准的用途，不得用于弥补亏损和非生产性支出。

（二）发行公司债券的程序

（1）由公司的权力机构做出决议。

（2）报经国务院授权的部门核准。申请公开发行公司债券，应当向国务院授权的部门或者国务院证券监督管理机构报送下列文件：公司营业执照；公司章程；公司债券募集办法；资产评估报告和验资报告；国务院授权的部门或者国务院证券监督管理机构规定的其他文件。依法律规定聘请保荐人的，还应当报送保荐人出具的发行保荐书。

有下列情形之一的，不得再次公开发行公司债券：前一次公开发行的公司债券尚未募足；对已公开发行的公司债券或者其他债务有违约或者延迟支付本息的事实，且仍处于继续状态；违反法律规定，改变公开发行公司债券所募资金的用途。

（3）公告公司债券的募集办法。发行公司债券的申请经核准后，应当公告公司债券募集办法。公司债券募集办法中应当载明下列主要事项：公司名称；债券募集资金的用途；债券总额和债券的票面金额；债券利率的确定方式；还本付息的期限和方式；债券担保情况；债券的发行价格、发行的起止日期；公司净资产额；已发行的尚未到期的公司债券总额；公司债券的承销机构。公司以实物券方式发行公司债券的，必须在债券上载明公司名称、债券票面金额、利率、偿还期限等事项，并由法定代表人签名，公司盖章。

（4）公司债券的承销。发行人向不特定对象发行公司债券，发行人应当同证券公司签订承销协议。

（5）置备公司债券存根簿。公司发行公司债券应当置备公司债券存根簿。发行记名公司债券的，应当在公司债券存根簿上载明下列事项：债券持有人的姓名或者名称及住所；债券持有人取得债券的日期及债券的编号；债券总额，债券的票面金额、利率、还本付息的期限和方式；债券的发行日期。发行无记名公司债券的，应当在公司债券存根簿上载明债券总额、利率、偿还期限和方式、发行日期及债券的编号。记名公司债券的登记结算机构应当建立债券登记、存管、付息、兑付等相关制度。

（三）公司债券的转让

公司债券可以转让，转让价格由转让人与受让人约定。公司债券在证券交易所上市交易的，按照证券交易所的交易规则转让。记名公司债券，由债券持有人以背书方式或者法律、行政法规规定的其他方式转让；转让后由公司将受让人的姓名或者名称及住所记载于公司债券存根簿。无记名公司债券的转让，由债券持有人将该债券交付给受让人后即发生转让的效力。

（四）可转换债券

可转换债券是指上市公司发行的、可依一定条件转换为股票的债券。可转换债券一经转换成股票，债权人资格即丧失，而取得公司股东的资格，公司债券所代表的公司负债也相应地转换为公司股本。

上市公司经股东大会决议可以发行可转换为股票的公司债券，并在公司债券募集办法中规定具体的转换办法。上市公司发行可转换为股票的公司债券，应当符合公开发行股票的条件，并报国务院证券监督管理机构核准。

发行可转换为股票的公司债券，应当在债券上标明可转换公司债券字样，并在公司债券存根簿上载明可转换公司债券的数额。公司应当按照其转换办法向债券持有人换发股票，但债券持有人对转换股票或者不转换股票有选择权。

【案例评析】本案中周某所持有的公司债券为记名债券，一般应采用背书转让方式转让，由于周某没有背书转让债券给刘某，刘某虽持有债券，但不能取得该债券的所有权，公司只按债券上的约定履行义务，刘某不能要求公司还本付息。周某对该债券有所有权，因周某去世，所以应由其子周某某继承该笔债券，周某某有权请求发行公司还本付息，公司不能以周某死亡为由拒绝，否则公司将构成不当得利。至于刘某对周某的多年照顾，可依我国《民法通则》中无因管理的规定，请求周某某给予适当补偿。

三、公司财务、会计制度

财务会计工作是公司经营活动的一项基础工作，加强公司财务工作的规范化管理，有利于保护投资者和债权人的利益，维护稳定、安全的交易秩序，也便于国家的宏观调控管理。

（一）公司财务会计的一般要求

（1）公司应当依照法律、行政法规和国务院财政部门的规定建立本公司的财务、会计制度。

（2）公司应当在每一会计年度终了时编制财务会计报告，并依法经会计师事务所审计。财务会计报告应当依照法律、行政法规和国务院财政部门的规定制作。

（3）有限责任公司应当依照公司章程规定的期限将财务会计报告送交各股东。股份有限公司的财务会计报告应当在召开股东大会年会的20日前置备于本公司，供股东查阅；公开发行股票的股份有限公司必须公告其财务会计报告。

（4）聘用、解聘承办公司审计业务的会计师事务所，依照公司章程的规定，由股东会、股东大会或者董事会决定。公司股东会、股东大会或者董事会就解聘会计师事务所进行表决时，应当允许会计师事务所陈述意见。公司应当向聘用的会计师事务所提供真实、完整的会计凭证、会计账簿、财务会计报告及其他会计资料，不得拒绝、隐匿、谎报。

（5）公司除法定的会计账簿外，不得另立会计账簿。对公司资产，不得以任何个人名义开立账户存储。

（二）公司的利润分配

1. 利润分配顺序

公司利润是指公司在一定时期（1年）内从事经营活动的财务成果，包括营业利润、投资净收益及营业外收支净额。公司应按下列顺序进行利润分配：

（1）弥补亏损，即在公司已有的法定公积金不足以弥补上一年度公司亏损时，先用当年利润弥补亏损。

（2）提取法定公积金。

（3）提取任意公积金。

（4）支付股利，即公司弥补亏损和提取公积金后所余税后利润按照出资比例或者公司章程的规定分配给股东。

2. 公积金

公积金是公司根据法律或者公司章程规定提留备用，不作为股利分配的部分所得或收益。

（1）公积金的分类。

其一，根据公积金的来源不同，可以将其分为盈余公积金和资本公积金。盈余公积金是从公司利润中提取的公积金，资本公积金是直接由资本、资产或其受益所形成的公积金。

其二，根据公积金的提留是否为法律上的强制性规定，可以将其分为法定公积金和任意公积金。法定公积金是根据法律的强制性规定而提取的公积金，公司章程和股东会对其提留条件和方式不得予以变更。资本公积金均为依法提留，故属于法定公积金的范畴，又称法定资本公积金。盈余公积金则有法定盈余公积金和任意盈余公积金之分。法定盈余公积金是公司在向股东分配利润前，依法必须按一定比例从税后利润中提取的公积金。任意盈余公积金是根据公司章程或股东会决议，从公司盈余中提取的公积金。

（2）公积金的提取与用途。

公司应当提取税后利润的10%列入公司法定公积金。公司法定公积金累计额为公司注册资本的50%以上的，可以不再提取。公司从税后利润中提取法定公积金后，经股东会或者股东大会决议，还可以从税后利润中提取任意公积金。股份有限公司以超过股票票面金额的发行价格发行股份所得的溢价款以及国务院财政部门规定列入资本公积金的其他收入，应当列为公司资本公积金。

公司的公积金用于弥补公司的亏损、扩大公司生产经营或者转为增加公司资本。但是，资本公积金不得用于弥补公司的亏损。法定公积金转为资本时，所留存的该项公积金不得少于转增前公司注册资本的25%。

四、公司的合并与分立

（一）公司的合并

公司的合并是指两个以上的公司依照法定程序变更为一个公司的法律行为。公司合并可以采取两种形式：一是吸收合并，是指一个公司吸收其他公司后存续，被吸收的公司解散；二是新设合并，是指两个以上公司合并设立一个新的公司，合并各方解散。

1. 合并的程序

公司合并的程序主要为：

（1）权力机构作出决议。

（2）合并各方签订合并协议。

（3）编制资产负债表及财产清单。

（4）通知债权人。公司应当自作出合并决议之日起10日内通知债权人，并于30日内在报纸上公告。债权人自接到通知书之日起30日内，未接到通知书的自公告之日起45日内，可以要求公司清偿债务或者提供相应的担保。

（5）办理合并登记手续。

2. 公司合并各方的债权、债务

公司合并时，合并各方的债权、债务应当由合并后存续的公司或者新设的公司承继。

（二）公司的分立

【案例讨论】某市甲公司与乙公司一直存在汽车购销、代销合同关系。到2004年3月，甲公司欠乙公司改装款项40万元。同年7月，甲公司股东会决议公司分立为A、B、C三个公司，没有通知债权人，也未依法公告。分立后，三个新公司协议约定原公司40万元的债务由B公司承担。乙公司前往索债时被告知公司已解散，债务由B公司承继，遂寻至B公司。但B公司以财务困难，无力清偿为由拒绝了乙公司的偿债要求。无奈之下，乙公司将A、B、C三个公司告上法庭。但A、C两公司认为，公司分立时已就债务分割作出决议，原甲公司的债务应由B公司承担，与己无关，于是拒绝出庭。问：

本案公司分立的过程是否符合法定程序？甲公司的债务应由谁来承担？

公司的分立是指一个公司通过法定程序变更为两个以上公司的法律行为。公司分立有两种形式：一是派生分立，它是指公司以其部分资产分设一个或数个新的公司，原公司存续。二是新设分立，它是指公司全部资产分别划归两个或两个以上的新公司，原公司解散。

1. 公司分立的程序

公司分立的程序与公司合并的程序基本相同。由于承担责任的不同，无须赋予债权人要求提供担保的权利，因此，公司分立只需在作出公司分立决议之日起10日内通知债权人，并于30日内在报纸上公告。

2. 公司分立前的债务

公司分立前的债务由分立后的公司承担连带责任。但是，公司在分立前与债权人就债务清偿达成的书面协议另有约定的除外。

【案例评析】本案中，甲公司分立时没有依法编制表册及通知债权人，违反了法定程序。根据《公司法》的规定，应由公司登记机关责令改正，对公司处以1万元以上10万元以下的罚款。由于分立前，甲公司未就债务问题与乙公司达成协议，因此应由分立后的A、B、C三公司承担连带责任。

五、公司的解散和清算

（一）公司的解散

公司解散是指已成立的公司因发生法律或公司章程规定的事由而停止业务活动，开始清理公司财产，了结公司债权债务关系的过程。公司因下列原因解散：

（1）公司章程规定的营业期限届满或者公司章程规定的其他解散事由出现。如果有限责任公司持有2/3以上表决权的股东通过，股份有限公司出席股东大会会议的股东所持表决权的2/3以上通过，不予解散的，可以通过修改公司章程而存续。

（2）股东会或者股东大会决议解散。

（3）因公司合并或者分立需要解散。

（4）依法被吊销营业执照、责令关闭或者被撤销。

（5）公司经营管理发生严重困难，继续存续会使股东利益受到重大损失，通过其他途径不能解决的，持有公司全部股东表决权10%以上的股东，可以请求人民法院解散公司。

（二）公司的清算

公司清算，是指公司解散后，了结其债权债务，并分配剩余财产，使公司法人资格最终归于消灭的法律行为。为保护股东和债权人的利益，公司除因合并、分立而解散外，其他原因引起的公司解散均必须经过清算程序将公司财产向债权人和股东分配。

1. 清算组的组成

公司应当在特定的解散事由出现之日起15日内成立清算组，开始清算。有限责任公司的清算组由股东组成，股份有限公司的清算组由董事或者股东大会确定的人员组成。逾期不成立清算组进行清算的，债权人可以申请人民法院指定有关人员组成清算组进行清算。人民法院应当受理该申请，并及时组织清算组进行清算。清算组在清算期间行使下列职权：

（1）清理公司财产，分别编制资产负债表和财产清单。

（2）通知、公告债权人。

（3）处理与清算有关的公司未了结的业务。

（4）清缴所欠税款以及清算过程中产生的税款。

（5）清理债权、债务。

（6）处理公司清偿债务后的剩余财产。

（7）代表公司参与民事诉讼活动。

清算组成员应当忠于职守，依法履行清算义务。清算组成员不得利用职权收受贿赂或者获取其他非法收入，不得侵占公司财产。清算组成员因故意或者重大过失给公司或者债权人造成损失的，应当承担赔偿责任。

2. 清算程序

（1）通知、公告债权人申报债权。清算组应当自成立之日起10日内通知债权人，并于60日内在报纸上公告。债权人应当自接到通知书之日起30日内，未接到通知书的自公告之日起45日内，向清算组申报其债权。债权人申报债权，应当说明债权的有关事项，并提供证明材料。清算组应当对债权进行登记。在申报债权期间，清算组不得对债权人进行清偿。

（2）清理财产、清偿债务。清算期间，公司存续，但不得开展与清算无关的经营活动。清算组在清理公司财产、编制资产负债表和财产清单后，应当制定清算方案，并报股东会、股东大会或者人民法院确认。

清算组在清理公司财产、编制资产负债表和财产清单后，发现公司财产不足以清偿债务的，应当依法向人民法院申请宣告破产。公司经人民法院裁定宣告破产后，清算组应当将清算事务移交给人民法院。公司财产能够清偿债务的，清算组应先拨付清算费用，然后按照下列顺序清偿：①职工的工资、社会保险费用和法定补偿金；②所欠税款；③公司债务。

（3）分配剩余财产。清偿公司债务后的剩余财产，清算组应将剩余财产分配给股东。有限责任公司按照股东的出资比例分配，股份有限公司按照股东持有的股份比例分配。

（4）清算终结。公司清算结束后，清算组应当制作清算报告，报股东会、股东大会或者人民法院确认，并报送公司登记机关，申请注销公司登记，公告公司终止。

第四章 合同法律制度

第一节 合同法概述

一、合同的概念与分类

（一）合同的概念

合同，又称契约、协议，是指平等主体的自然人、法人、其他组织之间设立、变更、终止民事权利义务关系的协议。合同有多种类型，如民事合同、劳动合同、行政合同等。合同在我们的社会生活中非常普遍，从生产经营到日常消费，包括工程建设、买卖、租赁、借贷、代理、出行、赠与、保管等活动，我们总要与他人发生一定的合同关系。合同可能是书面的，也可能是口头达成的。

（二）合同的分类

【案例讨论】新年将至，赵某到甲百货大楼为小孩购买旱冰鞋两双，一双留给自己8岁大的儿子，另一双送给了其侄子。考虑到小孩子调皮，为防止万一，赵某又到乙保险公司为儿子购买了意外伤害保险一份。问：

赵某共形成了几个合同？这些合同各属于什么类型？

合同按照不同的标准，可以分为不同的种类。常见的合同种类有：

1. 双务合同和单务合同

这是根据合同当事人权利、义务的承担方式来划分的。双务合同是双方当事人互负对待给付义务的合同。单务合同是只有一方当事人承担义务的合同。

2. 有偿合同与无偿合同

这是根据当事人享有权利时是否支付对价来划分的。当事人要取得权益必须支付相应对价的合同是有偿合同；当事人取得权益无须支付相应对价的合同是无偿合同。

3. 诺成合同与实践合同

这是根据合同的成立是否须交付标的物来划分的。诺成合同是一旦当事人意思表示一致即成立的合同；实践合同则是除了当事人意思表示一致外，还需要实际交付标的物才能成立的合同。

4. 有名合同与无名合同

这是根据法律是否对合同的名称作出规定来划分的。《中华人民共和国合同法》分则作出了具体规定并赋予名称的合同（共15种）是有名合同；在《中华人民共和国合同法》中没有确立具体名称和规则的合同是无名合同。

5. 主合同与从合同

这是根据合同是否具有从属性来划分的。在两个关联合同存在的场合，不依赖其他合同而能单独存在的合同是主合同；必须以其他合同的存在为前提的合同是从合同。

6. 要式合同与不要式合同

这是根据合同的成立是否必须采用特定的形式来划分的。要式合同是指法律要求具备特定形式的合同。不要式合同是指法律不要求具备特定形式的合同。

【案例评析】案例中，赵某向商场购买冰鞋的买卖合同是双务合同，赵某的合同义务是支付冰鞋的价格，而商场的合同义务是提供约定的合乎质量的冰鞋。赵某将冰鞋赠送给侄子的赠与合同是单务合同，赵某的合同义务是将冰鞋无偿送交给侄子，而其侄子无须支付任何代价。赵某和甲百货大楼的买卖合同以及赵某购买的保险合同同时也都是有偿合同，赵某将旱冰鞋赠送给侄子的赠与合同为无偿合同。以上买卖合同、赠与合同、保险合同等都是有名合同。

二、合同法概述

合同法是指调整平等当事人之间合同关系的法律规范的总称。它调整的主要内容包括合同的订立、效力、履行、担保、变更、解除、终止、违约责任等。这里的合同，是指《中华人民共和国合同法》（以下简称《合同法》）所规定的除婚姻、收养、监护等有关身份关系的协议以外的民事合同。1986年制定的《中华人民共和国民法通则》（以下简称《民法通则》）规定了合同的一些内容，成为我国规范合同行为的重要法律。后来，我国于1999年颁布了《中华人民共和国合同法》，比较全面的对有关合同的法律关系进行了规范。

为了指导《合同法》的贯彻执行，适应复杂的社会生活，《合同法》确立了以下基本原则：

1. 平等原则

《合同法》第3条规定，合同当事人的法律地位平等，一方当事人不得将自己的意志强加给另一方。平等原则贯穿于合同的全部过程中，它要求合同当事人以平等、协商的方式来设立、变更或消灭合同关系，避免一方当事人将自己的意志强加于对方的情况发生。

2. 自愿原则

自愿原则是指合同当事人享有出于内心真实想法而自愿订立合同的自由。合同自愿原则赋予合同当事人从事民事活动一定的意志自由，要求当事人在民事活动中应表达自己的真实意志。但自愿并不是绝对的，应是在法律范围内的自愿。

3. 公平原则

《合同法》第5条规定，当事人应当遵循公平原则确定各方的权利和义务。合同的公平原则要求合同双方当事人之间的权利、义务要基本平衡，即双方当事人之间给付与对待给付之间要有等值性。在订立合同时，应当根据公平原则确定双方的权利和义务，不得欺诈，不得滥用权利，不得假借订立合同恶意进行磋商；应当根据公平原则确定风险的合理分配；应当根据公平原则对合同作出解释，确定违约责任。

4. 诚实信用原则

《合同法》第6条规定，当事人行使权利、履行义务应当遵循诚实信用原则。诚实信用原则是民法的最基本原则，它要求民事主体在从事活动时，应讲究信用，恪守诺言，诚实不欺，应公平衡量并兼顾双方利益，以善意的心理履行义务，不得滥用权利，规避法律，不得损害社会公共利益和第三人的利益。

5. 遵守法律和社会公共秩序原则

《合同法》第7条规定，当事人订立、履行合同，应当遵循法律、行政法规规定，尊重社会公德，不得扰乱社会经济秩序，损害社会公共利益。

第二节　合同的订立

一、合同订立的程序

合同的订立是指当事人就合同条款的权利义务协商一致，从而达成协议的法律行为。合同订立的过程主要包括要约和承诺两个阶段。订立合同时，当事人之间通常要经历“要约—新要约—承诺”这样一个动态的过程，一般由一方当事人先提出订立合同的意思表示，然后当事人之间可能要经过若干次讨价还价的协商，最后双方达成一个明确的协议。经过合同订立这个复杂的过程后形成了明确的静态的协议，才标志着合同的成立。

【案例讨论】甲商场是一家主要经营电器的商场。2004年1月20日，某电视机厂向甲商场发函称：愿以每台电视机2400元的价格卖给甲商场300台某型号的电视机。甲商场回函：商场要以每台2100元的价格购买200台。电视机厂收到商场函后又发一函称：愿以每台2200元的价格卖给甲商场200台电视机，且函到发货。甲商场因对电视机厂提出的条件不满意，故未予理睬。1月30日，该电视机厂将200台电视机运至甲商场，甲商场拒绝接收。后该电视机厂到法院起诉甲商场。问：

甲商场与某电视机厂是否存在买卖电视机的合同？为什么？

（一）要约

1. 要约的概念及条件

要约，即订约提议，是一方当事人向他人提出的希望以一定条件订立合同的意思表示。发出要约的一方为要约人，接受要约的一方为受要约人或相对人。

要约应具备以下条件：

（1）要约是以订立合同为直接目的的意思表示。如不是以订立合同为目的向对方当事人发出的意思表示，不能视为要约。

（2）要约是向特定的相对人提出的意思表示。要约人可能是未来合同的一方当事人，所以发出要约的人应是确定的，以便于受要约的人作出答复。同时受要约的人应是要约人的相对人，只要经该相对人同意，合同即可成立。

（3）要约的内容必须具体、确定。要约一旦为受要约人承诺，合同就已经成立。因此，要约应该包含订立合同的主要条件，如合同的标的、质量、价金、履行期限等，以便受要约人了解要约的真实含义，从而决定是否作出承诺。

（4）要约应当表明，经受要约人承诺，要约人即受该要约约束。受要约人的承诺表明合同已经成立，要约所包含的条件转化成为合同的内容，此时要约人必须遵守合同义务，否则要承担违约责任。

如果一方当事人只是表示了订约愿望而没有提出合同的主要条件，则不构成要约，只能视为要约邀请（又称要约引诱）。要约邀请的直接目的是希望他人向自己发出订立合同的要约，生活中常见的要约邀请如商业广告、寄送的价目表、拍卖公告、招标公告、招股说明书等。但商业广告如果符合要约条件的，视为要约，例如广告注明本身就是要约的，又如广告写明相对人只要作出规定行为就可以使合同成立的。

2. 要约的生效时间

《合同法》第 16 条规定，要约到达受要约人时生效。针对数据电文的特殊性，采用数据电文发出的要约，如果收件人指定特定系统接收的，该数据电文（即要约）进入该特定系统的时间视为到达时间；如果收件人未指定特定系统的，该数据电文进入收件人的任何系统的首次时间视为到达时间。

3. 要约的法律效力

（1）要约对要约人的法律效力。要约自送达受要约人时起生效。要约可规定受要约人作出承诺的期限，这个期限就是要约的有效期；若要约中未规定期限的，则以合理的期限为要约的有效期。在要约有效期内，如果受要约人接受要约，要约人必须与其订立合同。要约人在要约生效后，变更或撤销要约而给受要约人造成损失的，应承担民事责任。

（2）要约对受要约人的法律效力。受要约人自要约生效时起取得作出承诺的资格。受要约人是否要作出承诺从而订立合同，是受要约人的权利，因而除了法律另有规定或者双方事先另有约定外，受要约人没有答复的义务。即使要约人单方面在要约中规定受要约人不答复即视为承诺，该规定对受要约人也没有法律约束力。

4. 要约的失效

要约在一定条件下会失去其法律拘束力，这就是要约的失效。根据《合同法》第 20 条的规定，下列情形会导致要约失效：

（1）拒绝要约的通知到达要约人。要约生效后，受要约人可以承诺，也可以拒绝。如果受要约人拒绝接受要约的，则在拒绝要约的通知到达要约人时，要约失效。

（2）要约人依法撤销要约。要约也可以撤销，撤销要约的通知应当在受要约人发出承诺通知之前到达受要约人。为保护当事人的利益，《合同法》第 19 条规定，有下列情形之一的，要约不得撤销：要约中确定了承诺期限以及以其他形式明示要约不可撤销；受要约人有理由认为要约是不可撤销的，并且已经为履行合同做了准备工作。

（3）要约有效期限届满，受要约人未作出承诺。有的要约人在要约中明确了承诺的期限，这样，承诺必须在规定期限内作出，超过规定期限，则该要约自行失效。如果要约中没有有效期限，承诺应当在合理期限内作出，超过合理期限则要约失效。

（二）承诺

1. 承诺的条件和方式

承诺是指受要约人向要约人作出的同意要约以成立合同的意思表示。《合同法》规定，承诺生效时合同成立，承诺人一旦作出承诺，则双方都要受合同的约束。承诺通常要符合以下条件才能生效：

（1）承诺应是由受要约人向要约人作出的意思表示。要约和承诺是典型的相对人之间的行为，因此非受要约人所作的意思表示，不是承诺；受要约人同意要约的意思表示应向要约人作出，否则也不是承诺。

（2）承诺的内容应当与要约的内容一致。承诺作为受要约人愿意按照要约的内容与要约人订立合同的意思表示，承诺的内容应是与要约的内容一致的。如果受要约人对要约的内容只是部分接受，或作出实质性变更的（实质性变更包括对有关合同标的、数量、质量、价款或报酬、履行期限、履行地点和方式、违约责任以及纠纷解决办法等内容的变更），则不构成承诺，而是成为一个新的要约。为了方便生活，便于交易，《合同法》同时也规定了承诺在对要约进行非实质性变更后也生效的情况，即如果承诺对要约的内容作出非实质性变更的，除该要约人及时表示反对或者要约本身规定承诺不得对要约的内容作出任何变更的以外，该承诺有效，合同的内容以承诺的内容为准。

（3）承诺应在要约的有效期内作出。要约规定了期限的，意味着要约在其存续期间才有效力，承诺必须在此期间内作出。要约没有规定期限的，承诺应在以下期限内作出：要约以对话方式作出的，应当立即承诺；要约以非对话的方式作出的，应当在合理的期限内承诺。凡是在要约有效期满后的答复，是迟到的承诺，除要约人及时通知受要约人该承诺有效的以外，不发生承诺的法律效力，只能构成一个新的要约。

（4）承诺的方式，是指承诺人采用何种办法将承诺的通知送达要约人。按照我国《合同法》的规定，承诺一般应当以通知的方式作出，同时根据交易习惯或者要约表明可以通过行为作出承诺的也可以以行为的方式进行承诺。其中通知的方式可以是口头的，也可以是书面的；行为一般是合同履行行为，如预付价款、装运货物等。生活中如在超市购物，看到货架上的商品实物及其价格，你愿意购买，于是取下该商品然后直接到收银台付款，买卖成功。超市货架上摆放的商品及其标明的价格就是超市向顾客发出的要约，顾客则以付款的行为来作出承诺，这样顾客和超市之间的买卖合同就成立并履行了。

2. 承诺的法律效力

承诺的法律效力是指承诺引起的法律后果。我国《合同法》规定，承诺的效力在于承诺生效时合同成立，当事人于此时开始负有履行合同的义务。承诺的生效，一般应于承诺通知到达要约人时生效。承诺不需要通知的，应于有符合交易的性质、习惯所确定的方式或者要约表明的其他方式的情形时生效。

承诺被撤回时不发生法律效力。承诺撤回，是受要约人在其作出的承诺生效之前将其撤回的行为。撤回承诺的通知必须先于承诺或者与其同时到达要约人，否则，已作出的承诺仍然有效，合同已经成立，双方当事人要受合同内容的约束。承诺被撤回，视为承诺未发出。

【案例评析】某电视机厂向甲商场第一次发出的函即是希望同甲商场订立电视机买卖合同的要约。甲商场的回函把价格由2400元变为2100元，数量由300台减为200台，已经对电视机厂要约的内容作了实质性变更，所以甲商场的回函并非承诺，而是向电视机厂发出的一个新的要约。

此时，针对甲商场的新要约，作为受要约人的电视机厂没有承诺，其第二次所发的函也是一个新要约。其中规定的“函到即发货”，表明不需甲商场承诺该买卖合同就生效。依据要约的效力，此规定对受要约人甲商场没有效力。

某电视机厂第二次函所发出的新要约，甲商场未予以理会，既未发出新要约进一步讨价还价，也未作出承诺，因而甲商场和某电视机厂没有达成关于买卖电视机的协议，合同没有成立。

综上所述，甲商场不负有接受电视机厂所发的货物并付款的义务，电视机厂应当为自己的行为承担损失。

二、合同的内容及形式

（一）合同的内容

合同的内容是指合同中当事人达成的明确双方权利义务的条款。由于合同的种类和性质不同，合同的内容也不完全相同。针对这样的情况，我国《合同法》规定，合同的具体内容由当事人约定，一般应当具备如下条款：

（1）当事人的名称或者姓名和住所。

（2）标的。标的是合同当事人双方权利义务共同指向的对象。没有标的，合同的权利义务就不能确定。合同的种类不同，其标的也有所不同，但归纳起来有三种：财产、劳务和一定的工作成果。

（3）质量和数量。数量和质量是合同标的的具体化，是衡量合同是否履行的重要尺度。签订合同，必须对数量和质量明确地、具体清楚地加以规定。

（4）价款或酬金。价款是标的的价金，是合同当事人一方取得标的应向对方支付的货币或代价，它体现了订立合同的等价有偿原则。价款是有偿合同必须具备的条款。

（5）履行的期限。履行期限是指合同当事人依照合同规定，全面履行自己义务的时间，是确定合同是否如期履行或迟缓履行的依据。

（6）履行地点和方式。履行地点是指当事人履行合同义务的地址。履行地点必须明确具体，因为履行地点不仅关系到合同义务的实际履行，还关系到履行费用的负担和诉讼等事宜。

（7）履行方式。履行方式是指履行合同义务的方式。不同种类的合同，有不同的履行方式，如按履行合同义务标的交付方式，可分为送货、自提、代办托运三种方式。

（8）违约责任。违约责任是指合同当事人违反合同义务而应承担的民事法律后果。违约责任的规定，对维护合同的严肃性，督促当事人自觉履行合同义务有着积极的作用。

（9）解决争议的办法。解决争议的方法是指当事人对合同在履行中发生争议时所确定的解决争议的方式。一般可以采取协商、调解、仲裁、诉讼等方式解决，具体采用何种方法应视情况由双方当事人自行确定。

在现实生活中，各种合同由于性质不同，其内容也会有所差异，合同条款并非一模一样。而且由于合同本质上是当事人之间的私人行为，因此合同不因欠缺上列的某些条款而无效，同时当事人也可以自行协商增补新的条款来完善合同。

（二）合同的形式

合同的形式是指当事人记载合同内容的方式。《合同法》规定当事人的合同形式有书面形式、口头形式和其他形式。

1. 书面形式

书面形式是以文字记载当事人所订合同的形式。书面形式可以表现为合同书、信件以及数据电文（包括电报、电传、传真、电子数据交换和电子邮件等）。书面形式的优点是当事人权利义务明确，有据可查，发生纠纷时便于分清责任。因此，重要的、内容复杂的合同最好采取书面形式。

2. 口头形式

口头形式是当事人只用语言进行意思表示订立的合同。口头形式简便易行，在日常生活中经常被采用，不足之处是发生纠纷时难以举证。一般现货交易、商店零售等数额较小、能及时结清的合同多采用口头形式。例如，到饭店吃饭消费、到日杂商店购买日用品等都是以口头形式订立的合同。

3. 其他形式

其他形式是指以书面和口头以外的形式订立的合同，包括推定形式和默示形式。推定形式指一方当事人只用行为向对方发出要约，对方以一定或指定行为做出承诺，合同即告成立。如自动售货机，顾客将规定的货币投入机器内，买卖合同就成立。默示形式是指当事人以不作为进行意思表示的形式。此形式仅在有法律规定、商业惯例或者当事人预约承认的情况下采用。

合同应该尽可能尊重当事人的意愿，因此具体采用何种合同形式，一般由当事人协商决定。但是法律、行政法规规定采取书面形式的合同，应当采取书面形式；当事人约定采取书面形式的，也应当采取书面形式。需要指出的是，法律、行政法规规定或者当事人约定了采取书面形式订立合同，当事人未采取书面形式但一方已经履行合同主要义务，对方接受的，该合同仍然成立。

（三）格式合同

格式合同是当事人为了重复使用而预先拟定，并在订立合同时未与对方协商的合同，例如保险合同、银行借款合同等。采用格式条款订立合同的，提供格式条款的一方应当遵循公平原则来确定当事人之间的权利和义务，并采取合理的方式提请对方注意免除或者限制其责任的条款，按照对方的要求，对该条款予以说明。格式条款具有《合同法》第52条和第53条规定情形的（后文关于合同的无效和可撤销会涉及到），或者提供格式条款一方免除其责任、加重对方责任、排除对方主要权利的，该条款无效。

对格式条款的理解发生争议的，应当按照通常理解予以解释。对格式条款有两种以上解释的，应当作出不利于提供格式条款一方的解释。格式条款和非格式条款不一致的，应当采用非格式条款。

经营者不得以格式合同、通知、声明、店堂告示等方式作出对消费者不公平、不合理的规定，或者减轻、免除其损害消费者合法权益应当承担的民事责任。

三、缔约过失责任

合同不成立、无效、被撤销或不被追认，当事人一方因此受到损失，有过错的一方应承担缔约过失责任。

【案例链接】被告崔某为一个体户，长期在外经商。2008年5月初被告返回家乡时发现原告（某街道幼儿园）房屋年久失修，拥挤不堪，便主动提出愿捐款100万元为原告盖一栋小楼，但原告同时也必须为此投入一笔配套资金。原告当即表示同意。同年5月25日，原告又与被告协商确定资金到位时间和开工时间，被告提出其捐款将在9月底到位，在此之前请原告做好开工准备，包括准备必要的配套资金。同年7月初原告开始将其原有的5间平房拆除，并于7月找到一家信用社贷款50万元，期限为1年。同年9月初，原告找到被告催要捐款，被告提出因其生意亏本暂时无力捐款。原告提出可减少捐款，但被告表示仅能捐出数万元，双方未能达成协议。原告遂向法院提起诉讼，要求被告履行诺言，否则赔偿原告所遭受的全部损失。被告辩称，双方并没有签订书面合同，他没有义务必须捐款，至于原告遭受了损失是由于其自己的原因造成的，他不应承担任何责任。

此案中，崔某和某街道幼儿园之间没有完成合同的订立，但是在订立此赠与合同的协商过程中，由于崔某的过错导致幼儿园为此付出了一定的代价，造成该幼儿园的经济损失。按照我国《合同法》的规定，崔某应当为此而承担的法律责任就是缔约过失责任。

（一）缔约过失责任的概念

缔约过失责任，是指在订立合同的过程中，一方违背其依据诚实信用原则所应尽的义务，对于期待该合同成立的相对人造成的利益损害，依法应承担的民事责任。

我国《合同法》第42条规定了缔约过失责任的三种情形：①假借订立合同，恶意进行磋商。恶意磋商的目的不是订立合同，而是出于戏耍对方，或者拖延对方的商机等。②故意隐瞒与订立合同有关的重要事实或提供虚假情况。③有其他违背诚实信用原则的行为。此外，根据《合同法》规定，泄露或不当使用对方商业秘密、因一方过失导致合同无效、因一方过失导致合同被撤销也要承担缔约过失责任。

（二）缔约过失责任的构成要件

1. 缔约过失责任发生在合同订立的阶段

这是缔约过失责任与违约责任的根本区别。如果在合同生效后一方违反合同义务而产生法律责任，则构成违约责任。

2. 一方当事人违反了基于诚实信用原则应负担的义务

此种在诚实信用原则基础上产生的义务，我们称之为先合同义务，即在合同生效前的缔约过程中，一方应当对相对方尽到协助、照顾、通知、保护、忠实等义务。如果一方在合同订立过程中存在《合同法》第42条的行为，即表明其违背了先合同义务，有可能就产生了缔约过失责任。

3. 另一方当事人的信赖利益因此受到损害

信赖利益是指缔约人相信合同有效成立，但因对方违背先合同义务，致使合同不成立、无效、被撤销或不被追认而造成的损失。

上述三个要件缺一不可。只有某一合同订立过程同时具备这三个条件时，才会形成缔约过失责任。

（三）缔约过失责任的赔偿范围

按照我国《合同法》的规定，承担缔约过失责任的方式是损害赔偿，赔偿的范围以信赖利益确定，以相对人（即受害人）的实际损失为限。具体包括以下几项：

（1）受害方所支付的缔约费用。

（2）受害方在缔约过程中所遭受到的人身、财产的直接经济损失。

（3）受害方的法定孳息和自然孳息的损失。

第三节　合同的效力

一、合同的生效

合同的生效，是指已经成立的合同在当事人之间产生的法律拘束力。

合同经过要约、承诺的过程订立，但是此时的合同还只是体现当事人意思自由的结果，只能说在当事人之间成立了，成立的合同是否生效还要经过法律的评价，看其是否符合法律的要求。即成立的合同符合法律要求则生效，与法律的要求相抵触的，则要么无效，要么被撤销，要么效力待定。

【案例链接】甲某为满足自己的毒瘾，同乙某达成购买20克海洛因的协议。此买卖合同经过甲乙双方的要约承诺在形式上已经成立，但法律能够承认此买卖合同的效力并进而保护合同双方当事人的的权利义务吗？显然，贩卖毒品是被我国法律所禁止的行为，甲乙双方签订的合同虽然符合合同成立的条件，却不会产生法律上的效力，而是要被禁止的。由此可见，成立了的合同，不一定有效而被法律承认和保护。

按照《民法通则》第55条和《合同法》第44条的规定，合同的生效一般要具备以下要件：

（一）订约当事人主体合法

如果当事人是自然人，其订立合同，应具有相应的民事权利能力和民事行为能力。限制行为能力人只有在从事与其年龄、智力状况相适应的民事活动时订立的合同才生效。无民事行为能力人从事民事活动须由其监护人代理。但无民事行为能力人订立的自己纯获利益的或者义务完全免除的合同（如接受赠与而获得压岁钱、玩具等），和与其智力状况、年龄相适应的满足其日常学习、生活需要的合同则有效。例如，一个七八岁的小学生，他购买一般文具、小零食等合同是有效的；但是他若欲购买一部手机，支配这么一笔钱已经超出了其民事行为能力，则订立购买手机的合同就应该由他的监护人来进行。

如果订约当事人是法人，则情况有所不同。依据《民法通则》和《合同法》的相关规定，原则上要求法人在开展经营活动中订立合同须受其章程及经营范围的限制。但是随着市场经济的发展，一般法人超越经营范围订立的合同，只要没有违背法律的强制性规定，仍然被认为是有效的。但违反国家限制经营、特许经营以及法律、行政法规禁止经营的规定而订立的合同则是无效的。

【知识链接】民事行为能力

民事行为能力是指自然人通过自己的行为行使民事权利和承担民事义务的资格。在民法上根据自然人的年龄、智力和精神状态的条件，自然人分为完全民事行为能力人、限制民事行为能力人和无民事行为能力人。年满18周岁的成年人和16周岁以上不满18周岁，但以自己的劳动收入为主要生活来源的人，是完全民事行为能力人。10周岁以上的未成年人和不能完全辨认自己行为的精神病人是限制民事行为能力人。不满10周岁的未成年人和不能辨认自己行为的精神病人是无民事行为能力人。

（二）意思表示真实

意思表示真实，是指当事人在缔约过程中所作的要约和承诺都是自己内在真实意志的表示，即当事人行为的外部表示与内心意思是完全一致的。

（三）合同内容不违反法律规范及社会公共利益

合同的内容不得违反法律法规的强制性规定，也不得违背社会公共利益。社会公共利益是指社会上多数人的利益，我国的政治基础、社会秩序、道德准则和风俗习惯等都包括在内。

二、合同的无效

无效合同，是指成立的合同因不符合法定生效条件而不具有法律效力的合同。

依法成立的合同，自订立时起就具有法律效力，产生了对当事人的法律约束力，双方都应当遵守合同内容，任何一方当事人不得擅自变更或解除合同。任何一方违反合同，都应当承担违约责任。无效合同从其订立时起就不发生法律效力，对合同双方当事人均无约束力，不受国家法律的承认和保护。

无效合同分为全部无效合同和部分无效合同。全部无效合同，又称合同绝对无效，是指合同的全部条款不发生任何法律效力的合同；部分无效合同，是指合同中某些条款因违反法律法规而无效，但其他部分仍具有法律效力的合同。

（一）合同绝对无效的具体情形

根据我国《合同法》的规定，合同绝对无效的情形有：

（1）一方以欺诈、胁迫手段订立损害国家利益的合同；

（2）恶意串通，损害国家、集体或者第三人利益的合同；

（3）以合法形式掩盖非法目的的合同；

（4）损害社会公共利益的合同；

（5）违反法律、行政法规强制性规定的合同。

在这里，欺诈是指一方当事人故意捏造虚假事实，或歪曲、掩盖真实情况，使得对方当事人陷于错误认识而作出不合其真实意思的表示。胁迫则是一方当事人以施加肉体或者精神压力的方式，使对方当事人陷入恐惧而作出不合其真实意思的表示。

（二）合同部分条款无效的情形

按照《合同法》第53条的规定，如果合同中约定了下列免责条款，该免责条款无效：

（1）造成对方人身伤害的；

（2）因故意或者重大过失造成对方财产损失的。

三、可撤销或可变更合同

【案例链接】2003年7月，甲在某电器商场购买了一部商品标签上表明产地为欧洲、价格为8000元的数码摄像机一部。甲在使用过程中，发现此摄像机性能不佳，怀疑是假货。甲便将该摄像机送至省进出口商品检验局鉴定，鉴定结论是该摄像机并非欧洲所产。甲认为某电器商场在买卖中对其故意隐瞒了产品的真实情况，自己是在被误导的情况下购买的摄像机，于是向法院起诉，要求某电器商场退货并加倍赔偿。后法院审理认为，在甲与商场买卖摄像机的合同中，商场隐瞒产品真实情况，做了虚假的宣传，损害了甲的权益，其行为构成合同欺诈。结合《中华人民共和国消费者权益保护法》的规定，法院判决双方互相返还财产，即原告甲将所购摄像机退还给被告，被告将购机款8000元返还给甲，同时，被告赔偿原告8000元。

（一）可撤销合同的概念和特征

可撤销的合同，是指合同因当事人意思表示不真实而欠缺生效条件，享有撤销权的当事人可通过法定机关和程序，使合同不再具有法律效力。

我国《民法通则》第59条将因重大误解订立的合同和显失公平的合同归为可撤销合同的范畴。可撤销合同又称为相对无效的合同，相对绝对无效合同而言，可撤销合同在有撤销权一方行使撤销权前，对当事人均有法律效力，而当有撤销权一方行使撤销权，经法院或仲裁机构撤销该合同时，该合同无效，且自合同成立时起无效。

（二）可撤销合同的法定情形

按照《合同法》第54条的规定，下列合同，当事人一方有权请求人民法院或者仲裁机构变更或者撤销：

1. 因重大误解订立的合同

重大误解，是指一方当事人对合同的内容或者条款在理解上存在重大的错误，并使自己遭受较大损失。现实生活中重大误解的情形主要包括：

（1）对合同的性质发生误解；

（2）对标的物种类的误解；

（3）对标的物质量的误解；

（4）对标的物价值的误解；

（5）对当事人的特定身份认识错误。

2. 显失公平的合同

显失公平的合同是指一方当事人在情况紧迫或缺乏经验的情况下，订立对自己明显有重大不利的合同。此种合同违反了公平和等价有偿的合同法原则，使合同当事人双方的权利义务明显不对等，经济利益分配上明显不均。导致显失公平的原因可能是欺诈、胁迫、乘人之危、重大误解、当事人缺乏行为能力，也可能是其他的因素。

3. 欺诈、胁迫的合同

以欺诈、胁迫手段订立的合同，作为可撤销合同，在构成条件上与《合同法》第52条规定的无效情形是有区别的。二者的区别主要在于损害的利益不同。无效合同的欺诈、胁迫，在其构成要件上须损害国家利益，因而构成合同的当然无效，而此处的欺诈、胁迫则不以此为构成要件。

4. 乘人之危的合同

乘人之危的合同，是指行为人面临危难处境或紧迫需要的情形，在没有价格竞争的条件下，迫于对方压力订立的不符合其真实意思表示的合同。

显失公平、乘人之危、欺诈、胁迫的合同，在不损害国家利益时才构成可撤销的合同，否则为无效合同。

（三）撤销权的行使

合同符合可撤销的情形时，合同的受害人获得撤销权，即受害人可通过单方面的意思表示使合同失去法律效力。撤销权的实现须是在受害人知道或者应该知道撤销事由之日起1年内，向仲裁机构或者法院提出撤销合同的请求，由仲裁机构和法院认定。可撤销的合同在被撤销前是有法律效力的，在被权利人撤销后，合同自始无效。在受害人获得撤销权的同时，为保持生活和经营的正常秩序，充分考虑到各方当事人的合法权益，《合同法》规定，如果受害人在1年内不行使撤销权，或者明确放弃撤销权的，其撤销权归于消灭。无效的合同或者被撤销的合同自始没有法律约束力。合同部分无效，不影响其他部分效力的，其他部分仍然有效。

在合同出现可撤销的原因时，合同中的受害人也同时具备了合同的变更权。受害人可以就合同中有瑕疵的部分（即重大误解和显失公平之处）要求改变合同的相应内容。行使变更权的方式、期限与撤销权相同。

四、效力待定合同

效力待定合同，是指合同虽然成立，但不具备合同的生效要件，其效力能否发生尚未确定，须经权利人追认或者拒绝才能确定效力的合同。效力待定合同与无效合同、可撤销的合同是有区别的。效力待定合同在成立时并没有生效，其法律效力是悬而未决的，之后经权利人追认才有效，如权利人拒绝则无效。相比较而言，可撤销的合同本身有效，但是，如果受害方当事人主张了撤销权，则合同无效。无效合同自始至终无效，之后的任何行为都不改变合同的无效地位。

效力待定的合同究其原因主要是合同当事人主体资格的瑕疵所造成的，一般包括：

1. 限制民事行为能力人订立的合同

根据合同的有效要件，限制民事行为能力人不能独立订立合同，因而其独立订立的合同属于效力未定的合同。限制民事行为能力人订立的合同，经其法定代理人追认后，该合同有效，合同相对人可以催告法定代理人在1个月内予以追认。法定代理人未作表示的，视为拒绝追认。合同被追认之前，相对人有撤销合同的权利。

限制民事行为能力人订立的不需要其法定代理人追认而当然有效的合同有：纯获利益的合同；与其年龄、智力、精神状况相适应而订立的合同或者义务被免除的合同。

2. 无权代理人以被代理人名义订立的合同

行为人没有代理权、超越代理权或者代理权终止后以被代理人名义订立的合同，未经被代理人追认的，对被代理人不发生效力，由行为人承担责任。相对人可以催告被代理人在1个月内予以追认。合同被追认之前，善意相对人有撤销的权利。撤销应当以通知的方式作出。

在构成表见代理（即行为人没有代理权、超越代理权或者代理权终止后以被代理人名义订立的合同，相对人有理由相信行为人有代理权的）的情况下，出于保护相对人的合法利益的目的，该表见代理有效，被代理人须承担合同义务。由此产生的后果，被代理人可以要求无权代理人进行承担。

3. 以无权处分形式订立的合同

无处分权的人处分他人财产，经财产权利人追认或者无处分权的人订立合同后取得处分权的，该合同有效。无权处分人不能取得处分权或权利人不予追认的合同无效。

五、合同不成立、无效、被撤销或不被追认的法律后果

合同不成立、无效、被撤销或不被追认的，只是不发生订约当事人所预期的法律效力，并非不产生任何法律上的后果。这些法律后果包括返还财产、缔约过失责任和行政处罚等。

合同无效或者被撤销后，因该合同取得的财产，应当予以返还；不能返还或者没

有必要返还的，应当折价补偿。合同不成立、无效、被撤销或不被追认，当事人一方因此受到损失的，有过错的一方应当按照缔约过失责任承担责任。合同无效还可能产生追缴财产、罚款等行政处罚。

第四节　合同的履行

一、合同履行的原则

合同的履行，是指合同当事人全面地、适当地完成其合同义务。合同履行的结果，是债务人完成了合同约定的义务，同时债权人实现了其合同权益的统一。当事人订立合同的目的在于将合同所约定的权利转化为一定的经济利益，在合同成立生效后，当事人所期望的经济利益能否实现，就取决于合同债务人的履行情况。

我国《合同法》规定了合同履行时的一些原则，这些原则除了诚实信用、公平、平等等基本原则外，还有以下专属于合同履行的原则：

1. 适当履行原则

适当履行原则又叫全面履行原则，它要求当事人按照合同约定的标的及其质量、数量，由适当的主体在适当的履行期限、履行地点，以适当的履行方式全面地完成合同的义务。

2. 协作履行原则

协作履行原则，是指当事人在全面履行自己合同债务的同时，应当基于诚实信用的要求，在必要的限度内，配合协助对方当事人履行债务。这个原则表明，合同的履行不仅仅是债务人单方面的事，双方需要积极配合、相互协作，才能使合同的内容得以实现。

3. 经济合理原则

合同履行本身也需要一定的成本的支出，比如标的的运输方式、履行期的选择等，经济合理原则要求债务人在完成合同义务时，讲求经济效益，付出最小的成本，取得最好的合同利益。

二、合同履行的主要规定

（一）合同内容约定不明确时的履行规则

合同生效后，当事人应严格按照合同约定进行履行。如果合同中当事人就质量、价款或报酬、履行地点等内容没有约定或者约定不明确的，可以协议补充；达不成补充协议的，按照合同有关条款或者交易习惯确定。如果仍不能确定的，则按照以下规定履行：

（1）质量要求不明确的，按照国家标准、行业标准履行；没有上述标准的，按照通常标准或者符合合同目的的特定标准履行。

（2）价款或报酬不明确的，按照订立合同时履行地的市场价格履行；依法应当执行政府定价或指导价的，按照规定履行。

（3）履行地点不明确的，给付货币的，在接受货币一方所在地履行；交付不动产的，在不动产所在地履行；其他标的，在履行义务一方所在地履行。

(4) 履行期限不明确的，债务人可以随时履行，债权人也可随时要求履行，但应当给对方必要的准备时间。

(5) 履行方式不明确的，按照有利于实现合同目的的方式履行。

(6) 履行费用的负担不明确的，由履行义务一方负担。

(二) 执行政府定价或者政府指导价合同的履行规则

执行政府定价或者政府指导价的，在合同约定的交付期内政府价格调整时，按照交付时的价格计价。逾期交付标的物的，遇价格上涨时，按原价格执行；遇价格下降时，按照新价格执行。逾期提取标的物或者逾期付款的，遇价格上涨时，按照新价格执行；遇价格下降时，按照原价格执行。

(三) 合同履行涉及第三人时的规则

1. 向第三人履行的合同（利他合同）

当事人约定由债务人向第三人履行债务的，债务人未履行债务或履行债务不符合约定的，应由债务人向债权人承担违约责任。

2. 由第三人履行的合同

当事人约定由第三人向债权人履行债务的，第三人未履行债务或履行债务不符合约定的，应由债务人向债权人承担违约责任。

三、合同履行中的抗辩权

合同中的抗辩权，是指当事人一方在符合法定条件时，对抗对方当事人要求履行合同的请求，暂时拒绝履行其债务的权利。它包括同时履行抗辩权、先履行抗辩权和不安抗辩权。

【案例讨论】2001年1月，甲、乙公司签订了一份房屋买卖合同，合同约定甲公司于当年9月1日向乙公司交付房屋100套，并办理登记手续，乙公司则向甲公司分三次付款：第一期支付2000万元，第二期支付3000万元，第三期则在当年9月1日甲公司向乙公司交付房屋时支付5000万元。在签订合同后，乙公司按期支付了第一期、第二期款项共5000万元。9月1日，甲公司将房屋的钥匙移交给乙公司，但并未立即办理房产所有权移转登记手续。因此，乙公司表示剩余款项在登记手续办理完毕后再付。在合同约定的付款日期（9月1日）7日后，乙公司仍然没有付款，甲公司遂以乙公司违约为由将乙公司诉至法院，请求乙公司承担违约责任。乙公司则以甲公司未按期办理房产所有权移转登记手续为由抗辩。问：

乙公司是否构成违约，法院能否支持甲公司的主张？

(一) 同时履行抗辩权

1. 同时履行抗辩权的概念

同时履行抗辩权是指当事人互负债务且没有先后履行顺序的，一方当事人在对方未履行合同义务之前，有拒绝履行自己的义务的权利。

2. 同时履行抗辩权的成立条件

同时履行抗辩权要符合下列条件：

(1) 当事人须因同一双务合同而互负债务；

(2) 当事人双方互负的债务没有先后履行顺序，并且已到履行期限；

(3) 对方当事人未履行债务或未按约定履行债务；

（4）对方当事人的债务是可能履行的。

3. 同时履行抗辩权的效力

同时履行抗辩权的行使能暂时阻止对方当事人要求自己履行债务，但是如果对方在适当履行了合同义务后，同时履行抗辩权即失去其存在的理由，主张同时履行抗辩权的当事人应当履行自己的合同义务。当事人主张同时履行抗辩权的，还有权要求对方当事人承担违约责任。

【案例评析】本案涉及另外一个知识，即根据我国法律的规定，房屋买卖合同中，房屋出卖人除负有交付房屋的义务外，还应当完成房屋产权移转登记。

本案中，甲、乙两公司签订的房屋买卖合同是双务合同，双方分别向对方履行的债务没有时间上的先后顺序。9月1日，是甲、乙公司最后完成债务履行的期限。甲公司虽然交房给乙公司，但是没有办理房屋产权的转移登记，这意味着乙公司仍然没有获得房屋的所有权，也就表明甲公司没有全面履行合同义务。根据同时履行抗辩权，乙公司有权拒绝支付剩余款项，并且如果因为甲公司的行为导致损失的，乙公司还可以要求甲公司承担违约责任。综上所述，乙公司是在合法行使同时履行抗辩权，甲公司的诉讼主张得不到法院的支持。

（二）后履行抗辩权

1. 先履行抗辩权的概念

先履行抗辩权是指在有先后履行顺序的双务合同中，应当先履行合同义务的一方当事人没有履行合同义务的，后履行一方当事人有拒绝履行自己的合同义务的权利。先履行抗辩权是为保护有先后履行顺序的合同中，后履行义务当事人的合法权利。

2. 先履行抗辩权的成立条件

先履行抗辩权的成立要符合下列条件：

（1）当事人因同一双务合同而互负合同债务；

（2）当事人之间的合同债务有先后履行的顺序；

（3）先履行一方到期未履行债务或未按约定履行债务。

3. 后履行抗辩权的效力

后履行一方当事人行使先履行抗辩权后，可以暂时中止履行债务，并以此来对抗先履行一方要求其履行债务的请求。先履行一方若采取了补救措施或者改变违约为适当履行的情况，先履行抗辩权则消失，后履行一方须按照合同约定履行其债务。在行使先履行抗辩权的同时，后履行一方当事人还可以要求对方承担违约责任。

（三）不安抗辩权

1. 不安抗辩权的概念

不安抗辩权是指在双务合同中，应当先履行义务的当事人有确切证据证明对方有丧失或可能丧失履行能力的情形时，有中止履行自己义务的权利。不安抗辩权的目的是保护先履行义务的当事人的合法利益。

2. 不安抗辩权的成立条件

不安抗辩权的成立要符合下列条件：

（1）当事人之间的合同是双务合同，当事人相互向对方负有合同债务。

（2）行使不安抗辩权的当事人一方负有先履行的债务，并且已到债务履行期。

（3）后履行债务一方有丧失或可能丧失履行义务能力的下列情形：经营状况严重

恶化的；转移财产、抽逃资金，以逃避债务的；严重丧失商业信誉的；其他丧失或者可能丧失履行债务能力的情形。

（4）后履行债务一方当事人未提供适当担保。

3. 不安抗辩权的效力

不安抗辩权的效力主要在于中止合同，先履行一方有权中止履行，但应及时通知对方。对方提供担保的，应当恢复履行。中止履行后，对方在合理期限内未恢复履行能力并且未提供担保的，先履行合同义务的一方可以解除合同。

四、合同的保全

合同保全，是指为预防债务人的财产不当减少而给债权人的债权带来危害，法律赋予债权人行使代位权或撤销权，以维护其债权的法律制度。

合同保全的目的是为了促使合同义务的履行，通过对债务人总体财产的控制，以督促合同债务人履行债务。

我国《合同法》规定，合同有两种保全方式：债权人的代位权和债权人的撤销权。

【案例讨论】2002年5月，乙公司向甲公司购买了一批空调，采取的是先提货后付款的方式，总价款为90万元，合同约定的付款终止日期为2002年9月30日。乙公司在合同约定的付款日期到来之际向甲公司支付了货款50万元，其后一直未支付余下的40万元货款。甲公司向乙公司追讨货款期间，发现乙公司已严重亏损，濒临破产。后来，甲公司发现乙公司对丙公司有一笔到期的25万元债权，甲公司要求乙公司催讨债权并向自己清偿，其后乙公司对此采取无所谓的态度，既不向丙公司收债，也不还甲公司的货款。甲公司找乙公司收款不成，便要求丙公司直接将其所欠乙公司的25万元交给自己，遭丙公司拒绝。甲公司无奈，于2003年3月将丙公司起诉到法院，请求法院判令丙公司归还乙公司的货款，并执行给甲公司。丙公司则辩称原告甲公司无权过问其与乙公司的债务。问：

甲公司的诉讼请求是否有理由，为什么？

（一）代位权

代位权，是指当合同债务人怠于行使其对第三人享有的权利而危及债权人的债权时，合同债权人可以向法院请求以自己的名义代替行使合同债务人对第三人的权利。

债权人行使代位权要符合以下条件：

（1）合同债务人享有对第三人的权利。此处的权利限于非专属于债务人本身的权利。专属于债务人本身的权利主要是基于扶养关系、继承关系等产生的给付请求权和劳动报酬、养老金、人身伤害赔偿请求权等权利。

（2）债务人怠于行使其权利。

（3）债务人已陷于延迟履行合同义务。

（4）延迟履行已对债权人造成损害。代位权的行使人是合同债权人，如果债权人有多个，则债务人的各个债权人在符合法律规定的条件下都可以行使代位权。代位权的行使方式，是债权人以自己的名义向法院起诉，由法院通过诉讼程序决定。债权人行使代位权所产生的必要费用，由债务人承担。代位权范围以债权人的债权为限，并须对债务人的权利尽到善良管理人的注意义务，如给债务人造成损失的，债权人应负赔偿责任。

【案例评析】上述案例中，甲公司作为乙公司的合同债权人，甲公司有权向丙公司主张代位权，丙公司以甲公司无权过问其与乙公司的债务为由拒绝偿还乙公司的货款是没有理由的。依据代位权的规定，法院应当判决丙公司将其对乙公司的25万元债务直接支付给甲公司，在支付后，丙公司欠乙公司的25万元债务以及乙公司欠甲公司的25万元债务均告消灭。乙公司还欠甲公司余下的15万元债务应当另行解决。

（二）撤销权

债权人的撤销权，是指债权人对于债务人危害债权的行为，可以请求法院予以撤销的权利。

撤销权成立的条件有客观要件和主观要件两个方面。

1. 客观要件

客观要件是债务人做出了减少自己责任财产的行为，并危及了债权人的债权，包括以下情况：

（1）债务人放弃了其到期债务；

（2）债务人无偿转让财产；

（3）债务人以明显不合理的低价转让财产等。

2. 主观要件

主观方面的条件主要是看第三人有无恶意，如果债务人所做的危害债权的行为是无偿的，则无论第三人是否处于恶意，均可撤销；如果债务人行为是有偿的，那么第三人为恶意可撤销，第三人为善意则不能撤销。

行使撤销权的主体、方式和范围与代位权相同。撤销权的行使还有时间限定，即撤销权应在债权人知道或者应当知道撤销事由之日起1年内行使；自债务人的行为发生之日起5年内没有行使撤销权的，该撤销权消灭。

第五节　合同的担保

一、合同担保的概念

合同的担保是指依照法律规定或由当事人双方经过协商一致约定而设立的为保障合同债权实现的法律措施。

合同订立后，因一方当事人不履行合同或不适当履行合同，会给对方造成损失，使对方所期望的经济利益无法实现。为了使合同得以切实履行，使债权得以实现，在法律上设立了担保制度。

合同担保分为一般担保和特别担保。一般担保是指债务人以其自身的全部财产作为履行债务、承担责任的担保。特别担保是指在一般担保的基础上设定特别的担保形式，是针对单个债务特别设立的担保。当责任人财产不足以清偿全部债务时，债权人的债权就可能难以实现或难以全部实现。我们通常所说的担保，指的是特别担保。

二、合同担保的分类

按担保所用的标的性质，将合同担保分为人的担保、物的担保。

（一）人的担保

人的担保是指第三人以自己的财产或信用为他人债务提供的担保。在我国的担保制度中，保证是比较典型的人的担保。由于人的担保是以确保债权为目的的，当债务人不履行债务时，债权的实现只有通过担保人来完成。人的担保最终还是以担保人的财产来承担责任。

（二）物的担保

物的担保是以债务人或其他人的特定财产作为清偿债权的标的，在债务人不履行债务时，债权人可以将该财产折价，并从中优先获得清偿。物的担保与人的担保不同，它排除了人的信誉的担保能力，而单纯以一定的财产为担保标的，一旦设定，就具有物权效力。物的担保方式主要有抵押、质押和留置等。

三、合同担保的主要方式

【案例讨论】 发展公司向银行贷款经营，银行要求发展公司提供担保，发展公司的法定代表人找到其担任医院院长的表兄，要求医院提供担保，表兄答应为其担保。问：

医院可以为发展公司提供担保吗？

（一）保证

保证是指保证人和债权人约定，当债务人不履行债务时，保证人按照约定履行债务或者承受担保责任的行为。

1. 保证人

保证人必须符合法律规定的资格。按照《中华人民共和国担保法》（以下简称《担保法》）第7条的规定，具有代为清偿债务能力的法人、其他组织或者公民，可以作保证人。因此，一般情况下，保证人的主体资格法律上没有限制。但《担保法》也作了特别的规定，下列几种人不能作为保证人：

（1）国家机关不得作为保证人，但经国务院批准为使用外国政府或国际经济组织贷款进行转贷时，国家机关可作为保证人。

（2）学校、幼儿园、医院等以公益为目的的事业单位、社会团体不得作为保证人。

（3）企业法人的分支机构、职能部门不得作为保证人。企业法人的分支机构有法人书面授权的，可以在授权范围内提供保证。

【案例评析】 医院不能为发展公司担保。根据《担保法》的规定，学校、幼儿园、医院等以公益为目的的事业单位、社会团体不得作为保证人。在本案中，医院院长承诺为他人提供担保的行为是无效的。

2. 保证合同

保证合同是指保证人与债权人签订的在主债务人不履行其债务时，由保证人承担债务的协议。保证合同必须采用书面形式，保证合同应当包括以下内容：

（1）被保证的主债权的种类、数额。

（2）债务人履行债务的期限。

（3）保证的方式。

（4）保证担保的范围。

（5）保证的期间。

（6）双方认为需要约定的其他事项。

3. 保证范围

保证担保的范围是指保证关系中保证人所承担的保证责任范围。《担保法》第21条规定，保证担保的范围包括主债权及利息、违约金、损害赔偿金和实现债权的费用。保证合同另有约定的，按照约定。当事人对保证担保的范围没有约定或者约定不明确的，保证人应当对全部债务承担责任。

4. 保证期间

保证期间是指保证人承担保证责任的时间范围。也就是说保证人在保证期间的时间范围内才承担保证责任，超出这个时间段，保证人就不承担保证责任。保证期间可由当事人自由约定，一般保证的保证人与债权人未约定保证期间的，保证期间为主债务履行期届满之日起6个月。

连带责任保证的保证人与债务人未约定保证期间的，债权人有权自主债务履行期届满之日起6个月内要求保证人承担保证责任。

《担保法》第27条规定，保证人依照本法第14条规定，就连续发生的债权作保证，未约定保证期间的，保证人可以随时书面通知债权人终止保证合同，保证人对于通知到债权人前所发生的债权，承担保证责任。

5. 保证方式

保证方式有一般保证和连带责任保证两种。

（1）一般保证。一般保证是指当事人在保证合同中约定，在债务人不能履行债务时，由保证人承担保证责任。一般保证的最大的特点是体现了保证的补充性，即债务人不能履行债务时，保证人才补充性地承担责任，这里的不能履行是指客观不能，即经过法律程序对债务人的财产依法强制执行仍不能履行债务，而不是有能力履行但主观上不愿意履行。

（2）连带责任保证。连带责任保证是指当事人在保证合同中约定保证人与债务人承担连带责任的保证。债务人在主合同规定的债务履行期届满时没有履行债务的，债权人可以要求债务人履行债务，也可以要求保证人在其保证范围内承担保证责任。

当事人对保证方式没有约定或者约定不明确的，按照连带责任保证承担保证责任。

6. 保证责任

保证责任是指在担保事项出现时，保证人应当承担的法律责任。保证合同设立的目的就是确保合同的全面履行，以使债权得以实现。

7. 保证责任的免除

保证责任是基于保证合同而产生的，保证合同出现某些违反保证目的的变化情况时，就可免除保证责任。保证责任的免除是指在法律规定的事由出现时，免除保证人保证责任的承担。

（二）抵押

【案例讨论】2007年6月某乡村民钟某为提高家庭经营能力，打算向乡农村信用社贷款4万元购买两辆农用车，信用社要求其提供相应的担保。钟某提出以自家承包经营的荒山作抵押，并说明所承包的荒山已经种上了果树，很快就有收成。但信用社以承包土地不能用于抵押为由，不同意以此作为贷款担保。问：

钟某能以自己所承包的荒山作贷款抵押吗？

抵押是指为担保债务的履行，债务人或第三人不转移财产的占有，将该财产抵押给债权人，债务人不履行到期债务或者发生当事人约定的实现抵押权的情形，债权人有权就该财产优先受偿。债务人或者第三人为抵押人，债权人为抵押权人，提供担保的财产为抵押财产。

1. 抵押财产

抵押人只能以法律规定可以抵押的财产提供担保；法律规定不可抵押的财产，抵押人不得用于抵押担保。

根据《中华人民共和国物权法》（以下简称《物权法》）的规定，债务人或者第三人有权处分的下列财产可以抵押：

（1）建筑物和其他地上附着物。

（2）建设用地使用权。

（3）以招标、拍卖、公开协商等方式取得的荒地等土地承包经营权。

（4）生产设备、原材料、半成品、产品。

（5）正在建造的建筑物、船舶、航空器。

（6）交通运输工具。

（7）法律、行政法规未禁止抵押的其他财产。

抵押人可以将前款所列财产一并抵押。

根据《物权法》的规定，下列财产不得抵押：

（1）土地所有权。

（2）耕地、宅基地、自留地、自留山等集体所有的土地使用权，但法律规定可以抵押的除外。

（3）学校、幼儿园、医院等以公益为目的的事业单位、社会团体的教育设施、医疗卫生设备和其他社会公益设施。

（4）所有权不明或者有争议的财产。

（5）依法被查封、扣押、监管的财产。

（6）法律、行政法规规定不得抵押的其他财产。

2. 抵押合同

（1）抵押合同的内容。抵押合同的内容包括：①被担保债权的种类和数额。②债务人履行债务的期限。③抵押财产的名称、数量、质量、状况、所在地、所有权归属或使用权归属。④担保的范围。

（2）抵押权的设立和抵押合同的生效。物权的发生应遵循权利公示、公信的原则，特别是抵押权。由于抵押物在抵押权生效后，并不转移抵押物的占有，已经无法以交付的方式实现物权的公示，为了保护抵押权人和第三人的合法权益，采取登记的方式实现抵押权的公示。

【案例评析】钟某承包的荒山可以用作贷款的抵押。根据《担保法》的规定，抵押人依法承包并经发包方同意抵押的荒山、荒沟、荒丘、荒滩等荒地的土地使用权可以用作抵押。由此可见，信用社的说法是不正确的。

（三）质押

【案例讨论】某市居民张某欲购买1辆价值45万元的轿车，因手上现金不足，想向银行贷款10万元，以便一次性付清车款。当张某向某银行提出贷款时，银行要求其必须提供价值相应的财产作担保。张某手上除市值13万元的股票外，无其他价值较大的财产，张某想以股票作担保。问：

张某是否可以用股票作担保？

质押是指债务人或第三人将其特定的财产移交债权人占有，作为债权的担保。债务人不履行债务时，债权人有权依法将其特定财产折价或以拍卖、保留、变卖的价款优先受偿。债务人或第三人被称为出质人，债权人被称为质权人，用作担保的财产称为质押财产。

1. 质押的形式

质押分为动产质押和权利质押。

（1）动产质押。动产质押是指债务人或第三人将其动产移交给债权人占有，将该动产作为债权的担保。原则上，除不动产及法律禁止流通的动产外，其他一切动产都可设定质押。债务人不履行债务时，债权人有权依照《担保法》的规定以该动产折价或者以拍卖、变卖该动产的价款优先受偿。

（2）权利质押。权利质押的标的为具有财产内容并可以转让的权利，包括：①汇票、支票、本票、债券、存款单、仓单、提单；②依法可以转让的基金份额、股权；③依法可以转让的商标专用权、专利权、著作权等知识产权中的财产权；④应收账款；⑤法律、行政法规规定可以出质的其他财产权利。

2. 质押合同

出质人和质权人应当以书面形式订立质押合同。

（1）质押合同的内容。质押合同的内容包括：①被担保的债权的种类和数额；②债务人履行债务的期限；③质押财产的名称、数量、质量、状况；④质押财产移交的时间；⑤质押担保的范围。

质押合同中对质押的财产约定不明，或者约定的出质财产与实际移交的财产不一致的，以实际交付占有的财产为准。

（2）质押合同的生效。质押合同的生效包括：①质押合同自质押物移交质权人占有之日起生效；②以汇票、支票、本票、债券、存款单、仓单、提单出质的，质押合同自权利凭证交付之日起生效；③以依法可以转让的股票、股份、知识产权出质的，应该向有关管理部门办理出质登记，质押合同自登记之日起生效。

【案例评析】张某可以用股票作担保。根据《担保法》规定，张某可以通过质押自己的股票给银行来获取贷款。以依法可以转让的股票、股份、知识产权出质的，应该向有关管理部门办理出质登记，质押合同自登记之日起生效。

（四）留置

留置是指债务人不履行到期债务，债权人可以留置已经合法占有的债务人的动产，并有权就该动产优先受偿。债权人为留置权人，占有的动产为留置财产。

我国《物权法》规定，法律规定或当事人约定不得留置的动产，不得留置。

1. 留置的效力

留置担保的范围包括主债权及利息、违约金、损害赔偿金、留置物保管费用和实现留置权的费用。为保证留置权人权益，《物权法》对留置的财产的价值做了规定，留置的财产为可分物的，留置财产的价值应当相当于债务的金额。

留置权人负有妥善保管留置物的义务。因保管不善致使留置物灭失或者毁损的，留置权人应当承担赔偿责任。

2. 留置权的实现

留置权人与债务人应当约定留置财产后的债务履行期间；没有约定或者约定不明确的，留置权人应当给债务人两个月以上履行债务的期间，但鲜活易腐等不易保管的动产除外。债务人逾期未履行的，留置权人可以与债务人协议以留置财产折价，也可以就拍卖、变卖留置财产所得的价款优先受偿。留置财产折价或变卖的，应当参照市场价格。

债务人可以请求留置权人在债务履行期届满后行使留置权；留置权人不行使的，债务人可以请求人民法院拍卖、变卖留置财产。

留置财产折价或者拍卖、变卖后，其价款超过债权数额的部分归债务人所有，其价款不足履行债务的由债务人清偿。

同一动产上已设立抵押权或者质权，该动产又被留置的，留置权人优先受偿。

（五）定金

定金是指当事人一方为了担保合同的履行而预先向对方支付的一定数额的金钱。定金数额由当事人约定，但不得超过主合同的20%。当事人应当约定交付定金的期限。定金合同从实际交付定金之日起生效。

定金的效力如下：债务人履行债务后，定金应当抵作价款或者收回；给付定金的一方不履行约定债务的，无权要求返还定金；收受定金的一方不履行约定的债务的，应当双倍返还定金。

第六节　合同的变更、转让和终止

一、合同的变更

（一）合同变更的概念

合同的变更，是指合同依法成立后尚未履行或者尚未完全履行前，经双方当事人同意，依照法律规定的条件和程序，对原合同条款进行的修改或补充。

合同的变更通常分为广义变更和狭义变更。从广义上讲，它是指合同的内容和主体发生变化；从狭义上讲，仅指合同内容的变更。我国合同法上所称的变更仅指狭义的合同变更，即合同内容的变更。而合同主体的变更则称为合同的转让。

合同的变更可分为协议变更和法定变更两种情况。协议变更是经合同双方当事人协商同意变更合同内容。法定变更是在合同成立以后，当发生法定的可以变更合同的事由时，经一方当事人的要求而对合同的内容进行的变更。前文提及的因重大误解而订立合同的情况，受害方诉请法院变更合同就属于法定变更的情形。

（二）合同变更的条件

合同依法成立即具有法律效力，当事人各方应当严格履行，任何一方不得随意变更合同。但是如果合同成立后，客观的情况发生了变化，原合同已不能履行或不应履行，当事人可以依照法律规定变更合同。合同的变更要符合以下条件：

（1）原已存在着合同关系。变更就是改变原合同关系，其前提是有原合同关系的存在。由此，无效的合同、被撤销的合同、被拒绝追认的效力待定的合同无变更的余地。

（2）合同内容发生变化。合同内容的变更可能是合同标的、履行条件、合同价金、合同性质（如租赁合同变买卖合同）、合同所附条件或期限、合同担保以及其他内容的变更。当事人对合同内容变更的约定必须明确，约定不明确之处，视为未变更。

（3）须依当事人协议或依法律的规定变更。若是当事人协商不能达成一致的，便不发生合同变更的法律效力。

（4）须遵守法律要求的方式。基于重大误解、显失公平等意思表示不真实的合同，须经法院或者仲裁机构的裁决才能变更。法律、行政法规规定，变更合同应当办理批准、登记等手续的，合同变更应当办理相应的手续。

（三）合同变更的效力

合同变更后，当事人应按照变更后的合同内容做出履行，任何一方违反变更后的合同内容将构成违约。合同的变更仅对已经变更的部分发生效力，对于合同中未变更部分的权利义务仍然有效。

合同变更一般无溯及力，即合同变更对于当事人已经完成的履行部分不产生效力，任何一方不能因此而要求对方返还已为的给付，但是当事人另有约定的除外。

合同的变更，不影响当事人要求赔偿损失的权利。例如，因重大误解的合同变更，有过错一方应当赔偿对方因此而受到的损失。

二、合同的转让

合同的转让，是指在合同内容不变的情况下，一方当事人依法将其合同权利、义务全部或部分转让给第三人，由第三人来行使合同的债权或者承担合同的债务。相对于合同变更而言，合同的转让是内容不变而合同主体（即双方当事人）改变，合同的变更则是主体不变，而合同内容变更。合同的转让，可分为合同权利的转让、合同义务的转移、合同权利义务的一并转让，即债权让与、债务承担和权利义务的概括转让。

（一）债权转让

债权转让，又称债权让与，指债权人通过协议将其债权全部或者部分转让给第三人享有的行为。其中债权人称为让与人，第三人称为受让人。例如，甲购买电影票，后将票送给乙，原本是甲与电影院订立的合同，而甲将其权利（即凭票观看电影）转让给乙，由乙享有合同权利。

债权转让应当符合以下条件：

（1）须存在着有效的债权，即让与人具有处分该债权的权限。

（2）被让与的债权具有可转让性，一般的要求是债权让与不违背法律的强制性规定、不违背社会秩序和公共道德。同时，《合同法》还规定了三类债权不得转让，它们包括依据合同性质不得转让的债权、按照当事人约定不得转让的债权、依照法律规定不得转让的债权。

（3）让与人和受让人须就合同债权的转让达成协议。

债权人转让债权无须征得债务人的同意，但应当通知债务人，债务人收到债权让与通知后，即应当将受让人作为债权人而履行债务。未经通知的，该转让对债务人不发生效力。当然债权让与通知原则也存在一些例外，例如：当事人之间约定债权不得转让的，若债权人欲转让，则必须经过债务人同意；无记名的债券如车船票、电影票等的权利转让不需通知债务人，债务人应当按照票据载明的权利履行义务。

债权转让后将产生下列法律效果：

(1) 受让人获得合同债权人的地位。若债权全部让与，受让人取代让与人的法律地位而成为新的债权人，让与人则脱离原有的债；若债权只是部分转让，则让与人与受让人共同享有债权。

(2) 债务人的抗辩权随之转移。债务人接到债权转让通知时，债务人对让与人的抗辩可以向受让人主张。

(3) 债务人仍可主张抵消。债务人对让与人享有债权的，债务人仍然可以依法向受让人主张抵消。

(二) 债务承担

债务承担，即债务的转让，是指不改变合同内容，债权人或者债务人依法将合同义务全部或部分转移给第三人承担的行为。该第三人叫作承担人。债务承担包括免责的债务承担和并存的债务承担。在免责的债务承担中，第三人取代原债务人的地位承担全部债务，而原债务人脱离债的关系；并存的债务承担则是指债务人并不脱离合同债的关系，而由第三人加入到债的关系中来，与债务人连带承担合同债务。

债务承担应当符合以下条件：

(1) 存在有效的债务。

(2) 所转移的债务具有可转让性，这就是要排除不具有可转让性的债务，包括性质上不可转移的债务（如演出合同等义务与债务人特定身份有密切联系的合同）、当事人特别约定不得转移的债务、法律规定不得转让的债务。

(3) 债权人或者债务人与第三人就债务转让达成协议。第三人既可以同债务人达成承担债务的协议，也可以同债权人订立协议进行债务的转移。

(4) 债务承担须经债权人同意。第三人与债权人达成协议承担债务本身已经表明债权人同意，不需另外的表示；而在第三人与债务人达成债务承担协议时，必须有债权人同意的表示才能生效。

债务承担后将发生下列法律效果：

(1) 在免责的债务承担中，承担人取代原债务人成为新的合同债务人，原债务人不再承担责任；在并存的债务承担中，第三人加入到债的关系中，和原债务人一起承担连带债务，第三人和原债务人也可约定按比例承担债务。

(2) 债务承担后，抗辩权随之转移，新债务人可以主张原债务人对债权人的抗辩。

(3) 债务承担后，合同的从债务一并转移，新债务人应当承担与主债务有关的从债务。

(三) 合同权利义务的概括转移

合同权利义务的概括转移，是指原合同当事人一方将其合同权利义务一并转移给第三人，由第三人继受这些权利义务的行为。合同权利义务的概括转移的一种情况是出让人将其全部权利义务转移给承受人，即全部转移。全部转移将使承受人完全取代出让人的法律地位，成为合同的新的当事人。概括转移的另一种情况是出让人只转移一部分权利义务，即部分转移。部分转移时出让人和承受人应确定各自享有的权利和承担的义务的份额，若没有约定或约定不明的，视为出让人和承受人负连带责任。

合同权利义务的概括转移，由于既转让权利，又转移义务，因而只存在于双务合同中，并经过对方当事人同意后才能生效。发生合同权利义务的概括转让的原因可以是当事人之间的合意，也可以是法律的直接规定。合意的概括转让（又叫合同承受）是指当事人一方和第三人达成协议，并在经对方当事人同意后将自己在合同中的权利和义务一并转让给第三人的情形。法定的概括转移主要有三种情形：①因继承而发生的被继承人的权利义务的转移；②基于“买卖不破除租赁”原则而产生的权利义务的转移；③因企业的合并和分立而产生的权利义务的转移。企业作为当事人订立合同后与其他企业合并的，由合并后的新企业行使合同权利，履行合同义务。企业作为当事人订立合同后分立的，除债权人和债务人另有约定的以外，由分立的法人或者其他组织对合同的权利和义务享有连带债权，承担连带债务。

权利义务概括转移的法律效果，适用债权让与义务承担的规定。

【知识链接】买卖不破除租赁

出租房屋的转让不应影响租赁关系的效力，这就是买卖不破除租赁的原则。根据这一原则，在租赁关系存续期间，即使出租人将所出租的房屋转让给他人，对租赁关系也不产生任何影响。也就是房屋的新所有权人概括地承受了原房屋所有人与承租人之间的房屋租赁合同。

三、合同的终止

（一）合同终止的概念

合同的终止，即合同权利义务的终止，是指当事人之间的合同权利和合同义务消灭，当事人不再受合同关系的约束。

合同终止的原因主要有：

（1）基于合同目的达到而终止，例如，合同得以清偿、混同等；

（2）基于当事人的意思而终止，例如，当事人合意解除合同、债务人义务被免除等；

（3）基于法律的直接规定而终止。

合同的终止使合同关系归于消灭，同时也使合同的担保以及其他权利义务不复存在。合同终止后，当事人应当遵循诚实信用的原则，根据交易习惯，履行通知、协助、保密等义务。

（二）导致合同终止的情形

合同终止的情形是多种多样的，根据我国《合同法》第91条的规定，合同终止的情形主要有以下7种：

1. 清偿

清偿，就是合同的履行。合同债务人全面履行了合同义务，债权人完全实现了自己的权利，当事人双方订立合同的目的得以实现。清偿后，合同自然终止。

2. 合同解除

【案例链接】2005年初，甲服装批发公司（以下简称甲公司）与乙服装厂（以下简称乙厂）签订了购买3000套童装（每套40元）与3000套儿童连衣裙（每套45元）的合同，合同规定5月初交货。合同还对童装与连衣裙的式样、面料、花式、规格、质量等做了规定。合同订立后，甲公司向乙厂支付了20万元预付款。同年4月30日，甲公司向乙厂询问货物是否备齐，乙厂答复“五一”劳动节后送货上门。2005年5月4日，甲公司因未收到货物，遂派人前往乙厂处，发现乙厂仅生产出1500套童装和

1000套连衣裙，而大量的工人在生产另外的服装，甲公司提出因乙厂已违约，决定将已做好的童装与连衣裙提回，其余的服装请乙厂不要生产了。乙厂提出制作童装与连衣裙的面料已备齐，不能终止合同，最后，甲公司同意乙厂最迟于5月20日交货，否则，因赶不上“六一”儿童节前的展销会，不必再发货。5月20日，乙厂未能将货送到，直到5月28日，乙厂才告知甲公司，货已备齐，希望甲公司接受。甲公司认为合同已解除，拒绝收货，并请乙厂退回9.5万元货款。乙厂拒绝退款，甲公司遂向法院起诉，要求解除合同，退回货款，赔偿损失。

合同解除，是指在合同有效成立后尚未完全履行前，基于当事人的约定、协商或者法律规定而使合同关系消灭的行为。合同解除包括约定解除、法定解除和当事人协商解除三种情形。

约定解除是当事人在合同中设立了解约条款，约定一方或者双方保留合同的解除权。当出现解约条款规定的条件时，享有解除权的当事人可以单方面通知对方当事人解除合同。

法定解除是指当事人一方依照法律规定合同解除条件，行使解除合同的权利。法律规定的合同解除条件有：

（1）因不可抗力不能实现合同目的；

（2）在履行期限届满前，当事人一方明确表示或者以自己的行为表明不履行主要债务；

（3）当事人一方迟延履行主要债务，经催告后在合理期限内仍未履行；

（4）当事人一方迟延履行债务或者有其他违约行为致使不能实现合同目的；

（5）法律规定的其他情形。

协商解除是当事人在没有事先约定解除权，也没有法律直接规定的情况下，就合同的解除协商一致，从而使合同关系消灭。

合同解除后，尚未履行的部分，终止履行；已经履行的，根据履行情况和性质，当事人可以要求恢复原状或采取补救措施，并有权要求赔偿损失。

【案例评析】本案中，被告乙厂本应于5月初交货，但在交货期到来之时没有按时履行义务，在原告甲公司的多次催促下，仍迟至5月底才交货，已构成严重违约。依据法定解除合同的第三种情况（当事人一方迟延履行主要债务，经催告后在合理期限内仍未履行），甲公司有权解除合同，并且可要求乙厂赔偿因违约而导致的损失。

3. 抵消

抵消是指当事人双方相互负有债务，将各自债务相互充抵，使其债务与对方债务在对等额内相互消灭。

抵消可分为法定抵消和合意抵消。

法定抵消的条件是：

（1）双方互负有债务，互享有债权；

（2）双方债务的给付为同一种类；

（3）双方的债务均届清偿期；

（4）双方的债务均为可抵消的债务。当事人因此而主张抵消的，应当通知对方，通知自到达对方时生效。

合意抵消是当事人基于协议而实行的抵消。按照合同法规定，当事人互负到期债务的，标的物种类、品质不相同的，经双方协商一致，也可以抵消。

4. 提存

提存是指债务人的债务已届履行期时，由于债权人的原因使其无法向债权人清偿债务，债务人可将标的物提交给提存机关，以消灭合同债务的行为。

有下列情况之一，难以履行债务的，债务人可以依法办理提存：

(1) 债权人无正当理由拒绝受领标的物；

(2) 债权人下落不明；

(3) 债权人死亡未确定继承人或者丧失行为能力未确定法定代理人；

(4) 法律规定的其他情形。

如果标的物不适合提存或者提存费用过高的，债务人可以依法拍卖或者变卖标的物，提存所得的价款。

提存后意味着债务人已经履行债务，债权人可以随时领取提存物。提存还涉及提存机关。提存机关有保管提存物的义务，提存费用由债权人负担。

5. 债务免除

债务免除是指债权人免除债务人的债务而使合同权利义务部分或全部终止的意思表示。债务免除的效力是使合同消灭。债务全部免除的，合同债务全部消灭；债务部分免除的，合同于免除的范围内部分消灭。主债务因免除而消灭的，从债务也随之免除。

6. 混同

混同是指债权与债务同归于一人，而使合同关系消灭的事实。发生混同的原因有两种：一是概括承受，即合同关系的一方当事人概括承受对方当事人的权利与义务，如企业合并；二是因债权让与或债务承担而承受权利与义务。

7. 其他

法律规定或者当事人约定终止的其他情形。

第七节　违约责任

合同依法成立后即具有法律约束力，双方当事人必须按照合同规定全面、适当地履行义务，非经双方协商或者法定事由不得擅自变更或解除合同，否则构成违约，应该对自己的违约行为承担相应的法律责任。违约责任是合同法律制度的核心。

一、违约行为

违约是指合同一方当事人不履行合同义务或履行合同义务不符合约定的行为，即违反合同义务的行为。违约行为包括：

1. 不能履行

不能履行，又称给付不能，是指债务人由于某种情形，在客观上已经没有履行能力，从而导致事实上已经不可能再履行债务。

2. 延迟履行

延迟履行，又称债务人逾期履行，是指债务人能够履行，但在履行期限届满时却未履行债务的现象。

3. 拒绝履行

拒绝履行是指当事人一方明确表示或者以自己的行为表明不履行合同义务，它是违约合同的一种形态。拒绝履行与不能履行存在着明显的不同，拒绝履行当事人有履行能力而不履行，不能履行则主要强调客观上不能履行。当事人一方明确表示或者以自己的行为表明不履行合同义务的，对方可以在履行期限届满之前要求其承担违约责任。

4. 不完全履行

不完全履行是指债务人虽然履行了债务，但其履行没有完全按照合同约定的内容履行完毕。

二、违约责任

违约责任是指当事人不履行合同义务或履行合同义务不符合约定时所承担的法律责任。其特征为：

1. 违约责任基本上是一种财产责任

违约责任是随着合同制度的产生而产生的。在古代合同制度的违约责任中，违约责任既是一种财产责任，又是一种人身制裁。而现代合同制度的违约责任，仅仅是一种财产责任，法律一般只强制违约者用其财产来补偿违约给对方所造成的财产损失。虽然这种补偿有时含有惩罚性，但它只限于财产责任，是违约者对造成他人损害而必须承担的一种义务，而不是对违约者的人身惩罚。

2. 违约责任仅存在于合同当事人之间

违约责任，是合同一方当事人因违反合同而产生的民事责任。如合同关系不成立，违约责任问题就不可能存在。因此，违约责任只能存在于合同当事人之间。其责任只能由违约者自己承担。

3. 违约责任基于法律的规定或当事人的约定而产生

在通常情况下，合同当事人违约之所以承担违约责任，并非出于当事人自己的约定，而是由合同的法律效力决定的。当事人违约时即使合同中没有明确违约责任条款，也不影响违约责任的存在。当事人违约时，仍然要承担民事责任。

三、承担违约责任的方式

《合同法》规定，当事人一方明确表示或者以自己的行为表明不履行合同义务的，对方当事人可以在履行期限届满之前要求其承担违约责任。当事人一方不履行合同义务或者履行合同义务不符合约定的，应当承担继续履行，采取补救措施，赔偿损失，承担违约金、定金等违约责任。合同法赋予当事人根据合同履行的不同情况选择不同的违约救济措施的权利。

（一）继续履行

继续履行又称实际履行，是指当事人一方不履行合同义务或者履行合同义务不符合约定时，另一方当事人可以要求其在合同履行期届满后，继续按照原合同约定履行义务。

1. 金钱债务的继续履行

金钱债务是指以给付一定数额的金钱为目标的债务。金钱债务具有特殊性，它只存在迟延履行，不存在履行不能，因而未违约方要求违约方继续履行金钱债务，违约方就应当继续履行。

2. 非金钱债务的继续履行

《合同法》在确认当事人可以要求非金钱债务的继续履行的同时，也规定了不能实际履行的情形：

（1）法律上或者事实上不能履行。

（2）债务的标的不适于强制履行或者履行费用过高。

（3）债权人在合理期限内未要求履行。此种情况意味着债权人主动放弃了履行请求权。

在可以履行的条件下，违反合同的当事人无论是否已经承担了赔偿金或者违约金责任，对方当事人都有权要求违约方继续按照合同约定履行其尚未履行的义务。

（二）采取补救措施

履行质量不符合约定的，应当按照当事人的约定承担违约责任，受损害方可以根据标的性质以及损失的大小，合理选择请求对方采取修理、更换、重做、退货、减少价款或者报酬等补救措施。

（三）赔偿损失

赔偿损失是指当事人一方不履行合同义务或者履行合同义务不符合约定，给对方造成财产损失的，违约方给予对方的经济补偿。当事人违约，在继续履行义务或者采取补救措施后，对方还有其他损失的，应当赔偿损失。

1. 完全赔偿原则

赔偿损失的目的主要是补偿未违约方的财产损失，因此，以实际发生的损害为赔偿标准。损失赔偿额应当相当于因违约所造成的损失，包括实际损失和合同履行后可以获得的利益损失。

2. 合理预见规则

损失赔偿不得超过违反合同一方订立合同时能够预见到或者应当预见到的因违反合同可能造成的损失。

3. 减轻损失规则

当事人一方违约后，对方应当采取适当措施防止损失的扩大；没有采取适当措施致使损失扩大的，不得就扩大的损失要求赔偿。当事人因防止损失扩大而支出的合理的费用，由违约方承担。

（四）支付违约金

违约金是指当事人在合同中预先约定的在一方违约时应当向对方支付的一定数额的金钱。当事人既可以约定违约金的数额，也可以约定违约损失赔偿额的计算方法。

（五）定金

定金具有双重功能。一方面，定金由债务人向债权人预先支付，债务人履行债务后，定金抵作价款或收回，这就表明定金是一种担保方式，起着保证债务履行的作用。另一方面，按照定金罚则，给付定金的一方不履行约定的债务的，无权要求返还定金；收受定金的一方不履行约定的债务的，应当双倍返还定金。这又表明定金是一种违约责任形式。

四、违约责任的免除

违约责任的免除是指在合同履行过程中，出现法律规定或者合同约定的免责事由，从而导致合同不能履行的，可以免除当事人的违约责任。

在发生违反合同的事实后，当事人主张免除自己违约责任的事实和理由，被称为免责事由。免责事由包括法定的免责事由和约定的免责事由。法定的免责事由，是指法律规定的免除责任的事由，主要是指不可抗力；约定的免责事由，是指当事人通过合同约定的免除责任的事由，主要是当事人约定的免责条款。

（一）不可抗力

不可抗力是指当事人订立合同时不能预见的，对其发生和后果不能避免并不能克服的事件。《合同法》所称的不可抗力，是指不能预见、不能避免并不能克服的客观情况。

一般而言，不可抗力包括自然灾害和战争等。

因不可抗力不能履行合同的，根据不可抗力的影响，部分或者全部免除当事人的责任，但法律另有规定的除外。当事人迟延履行后发生不可抗力的，不能免除责任。

当事人一方因不可抗力不能履行合同的，应当及时通知对方，以减轻可能给对方造成的损失，并应当在合理期限内提供证明。

（二）免责条款

免责条款是合同双方当事人在合同中约定一定的事由或条件，当违约符合所约定的条件时，可以免除违约方的违约责任。由此可见，免责条款并不是产生于法律的直接规定，而是双方当事人通过事先协商在合同中设定的。这符合当事人意思自治的原则。只要双方的约定不违反法律，不损害社会公共利益和公序良俗，则为有效，双方当事人可依据此免责条款，免除违约方应承担的违约责任。

第五章 市场运行法律制度

从狭义上说，市场是商品交换的场所，如交易所、商场等。从广义上说，市场则是商品交换关系的总和，是商品所有者通过市场上的商品交换活动来体现他们之间的经济关系。所谓市场运行，就是指国家以保护正当、公平竞争为宗旨的，为社会经济组织平等竞争提供良好秩序和环境，而对社会商品生产与流通过程中发生的各种经济关系所进行的全面调整与约束行为。

在市场经济条件下，国家对市场的管理除了对市场交易活动的监督管理外，主要应当体现在对市场竞争管理和对市场产品的质量管理两个方面。市场运行法也就是调整国家有关市场管理机关对产品的生产者、销售者在市场竞争与产品质量的监督管理过程中所发生的社会关系的法律规范的总称。它主要包括反垄断法、反不正当竞争法、产品质量法、消费者权益保护法四个部分。

第一节 反垄断法

一、反垄断法概述

【案例讨论】2005 年 1 月，四川一家生产电池的企业德先科技公司起诉日本索尼株式会社设置技术壁垒，涉嫌垄断。理由是索尼及其控股公司生产的数码摄像机和照相机的电池附有智能密钥识别系统。这一系统直接导致包括四川德先科技在内的同行业其他品牌的电池在未解码的情况下，无法应用到索尼产品上。

（一）垄断的基本含义、分类

法学中的垄断，是指违反国家法律、法规、政策和社会公共利益，通过合谋性协议、安排和协同行动，或者通过滥用经济优势地位，排斥或者控制其他经营者正当的经济活动，在某一领域内实质上限制竞争的行为。

垄断行为有两个特征。一是危害性，即这种行为和状态将会导致某一生产和流通领域的竞争受到实质性的限制和损害。二是违法性，即这种行为和状态是违反法律条文的明确规定的。

垄断可分为合法垄断与非法垄断两类。

（1）合法垄断。合法垄断是指国家为了保护整个国民经济的健康发展，在反垄断法中明确规定的不适用垄断禁止法律的垄断行为。合法垄断的种类有：①特定的经济部门的垄断；②知识产权领域；③对外贸易领域；④协同组合行为。

（2）非法垄断，即反垄断法所禁止的垄断，它是指违反法律、法规和社会公共利益，通过合谋性协议、安排和协同行动，或者通过滥用经济优势地位，排斥或控制其他经营者正当的活动，在某一生产领域或流通领域实质上限制竞争的行为。非法垄断的主要形式有：①独占；②兼并；③股份保有；④董事的交叉任职；⑤联合行为。

【案例评析】索尼公司设置的这项技术壁垒无疑激怒了国内许多企业。因为与索尼公司比，目前国内电池企业的成本优势大，如果没有这项壁垒，那么在索尼电子设备上使用的多半会是中国的电池产品。据估计，仅这一项市场价值一年就在2亿多元人民币。

这次索尼公司是以涉嫌垄断被起诉的。它的这种捆绑式销售行为，如果依据美国《谢尔顿法》、《克莱顿法》以及欧盟的《反垄断法》，都会被指控为不良竞争行为而受到禁止和取缔的。

（二）反垄断法的含义及法律适用

反垄断法是指通过规范垄断和限制竞争行为来调整企业和企业联合组织相互间竞争关系的法律规范的总和。因为社会主义市场经济的大力发展，不可避免地导致垄断和竞争矛盾的加剧。为了处理好这对矛盾，从保护社会主义市场竞争和国家利益出发，从维护广大竞争者和消费者利益出发，促进竞争机制功能的充分发挥，打破地区封锁和条块垄断、行政性垄断，必须把国家管理市场经济活动，制止垄断现象的经济政策规范化、规律化。反垄断法则是保障这种经济管理手段和政策措施的法律工具。

目前，《中华人民共和国反垄断法》（以下简称《反垄断法》）已由中华人民共和国第十届全国人民代表大会常务委员会第二十九次会议于2007年8月30日通过，自2008年8月1日起施行。其法律适用包括：

（1）适用主体。考虑到我国常使用"企业"（包括公司）一词来表述从事生产和流通的经营者，它们又是竞争关系的主要参加者，我国的《反垄断法》以企业及企业联合组织为其主体适用对象。

（2）适用客体。中华人民共和国境内经济活动中的垄断行为及境外垄断行为对境内市场竞争产生排除、限制影响的，均适用本法。此外，经营者滥用知识产权，排除、限制竞争的行为，也适用本法。

农业生产者及农村经济组织在农产品生产、加工、销售、运输、储存等经营活动中实施的联合或者协同行为，不适用本法。

二、垄断行为的类型

《反垄断法》规定的垄断行为包括三种：经营者达成垄断协议；经营者滥用市场支配地位；具有或者可能具有排除、限制竞争效果的经营者集中。

（一）经营者达成垄断协议

【案例讨论】1956年10月，美国渥达公司、璃森公司等几家生产和销售微波炉的企业秘密达成一项协议，凡该协议参与方在美国境内销售各自产品时不得低于某一确定的价格。不久，美国司法部获悉该限制价格竞争协议，认为其严重违背了美国反垄断法规定，并对这些企业提起诉讼。但被告辩称：美国司法部的指责是不正确的，因为该协议确定的最低销售价格与该产品的平均生产成本相齐平，对市场价格竞争机制并不产生任何实质上的影响。审理此案的法官在判决中则认为，被告之间相互秘密签订最低销售价格协议的行为的本身就属于违法。因此，该协议无效，所有参与方均应承担相应的经济惩罚责任。

垄断协议，是指排除、限制竞争的协议、决定或者其他协同行为。

《反垄断法》规定，禁止具有竞争关系的经营者达成下列垄断协议：固定或者变更商品价格；限制商品的生产数量或者销售数量；分割销售市场或者原材料采购市场；限制购买新技术、新设备或者限制开发新技术、新产品；联合抵制交易；国务院反垄断执法机构认定的其他垄断协议。

禁止经营者与交易相对人达成下列垄断协议：固定向第三人转售商品的价格；限定向第三人转售商品的最低价格；国务院反垄断执法机构认定的其他垄断协议。

经营者能够证明所达成的协议属于下列情形之一的，不属于垄断协议。

（1）为改进技术、研究开发新产品的；

（2）为提高产品质量，降低成本，增进效率，统一产品规格、标准或者实行专业化分工的；

（3）为提高中小经营者经营效率，增强中小经营者竞争力的；

（4）为实现节约能源、保护环境、救灾救助等社会公共利益的；

（5）因经济不景气，为缓解销售量严重下降或者生产明显过剩的；

（6）为保障对外贸易和对外经济合作中的正当利益的；

（7）法律和国务院规定的其他情形。

【案例评析】被告的行为属于经营者达成垄断协议中的“固定或者变更商品价格”这一类型，是典型的《反垄断法》所禁止的行为，因此应依法承担法律责任。

（二）经营者滥用市场支配地位

【案例讨论】欧共体有个著名的“商业溶剂案”。该案中，美国一家公司在化学药品 Nitropan 和 Aminobutamol 市场上具有优势地位，而这两种化学药品是制造一种治疗结核病药品 Etambutol 必不可少的原料。Zoja 是意大利一家生产 Etambutol 的公司，其生产原料由美国这家公司在意大利的子公司 ICI 提供。由于 Zoja 拒绝了 ICI 的兼并要求，所以 ICI 拒绝向 Zoja 继续供应原料并自己开始生产 Etambutol。Zoja 便向欧盟委员会提起控诉。委员会最终裁决认定 ICI 行为违反了欧共体条约第 82 条，属于滥用市场优势地位行为。

市场支配地位，是指经营者在相关市场内具有能够控制商品价格、数量或者其他交易条件，或者能够阻碍、影响其他经营者进入相关市场能力的市场地位。

认定经营者具有市场支配地位，应当依据下列因素：

（1）该经营者在相关市场的市场份额以及相关市场的竞争状况；

（2）该经营者控制销售市场或者原材料采购市场的能力；

（3）该经营者的财力和技术条件；

（4）其他经营者对该经营者在交易上的依赖程度；

（5）其他经营者进入相关市场的难易程度；

（6）与认定该经营者市场支配地位有关的其他因素。

《反垄断法》禁止具有市场支配地位的经营者从事下列滥用市场支配地位的行为：

（1）以不公平的高价销售商品或者以不公平的低价购买商品；

（2）没有正当理由，以低于成本的价格销售商品；

（3）没有正当理由，拒绝与交易相对人进行交易；

（4）没有正当理由，限定交易相对人只能与其进行交易或者只能与其指定的经营者进行交易；

（5）没有正当理由搭售商品，或者在交易时附加其他不合理的交易条件；

（6）没有正当理由，对条件相同的交易相对人在交易价格等交易条件上实行差别待遇；

（7）国务院反垄断执法机构认定的其他滥用市场支配地位的行为。

【案例评析】此案属于经营者滥用市场支配地位中的“没有正当理由，拒绝与交易相对人进行交易”的类型，是典型的《反垄断法》所禁止的行为。

（三）具有或者可能具有排除、限制竞争效果的经营者集中

经营者集中是指下列情形：经营者合并；经营者通过取得股权或者资产的方式取得对其他经营者的控制权；经营者通过合同等方式取得对其他经营者的控制权或者能够对其他经营者施加决定性影响。

经营者集中达到国务院规定的申报标准的，经营者应当事先向国务院反垄断执法机构申报，未申报的不得实施集中。

经营者集中有下列情形之一的，可以不向国务院反垄断执法机构申报：

（1）参与集中的一个经营者拥有其他每个经营者50%以上有表决权的股份或者资产的；

（2）参与集中的每个经营者50%以上有表决权的股份或者资产被同一个未参与集中的经营者拥有的。

经营者向国务院反垄断执法机构申报集中，应当提交下列文件、资料：申报书；集中对相关市场竞争状况影响的说明；集中协议；参与集中的经营者经会计师事务所审计的上一会计年度财务会计报告；国务院反垄断执法机构规定的其他文件、资料。

申报书应当载明参与集中的经营者的名称、住所、经营范围、预定实施集中的日期和国务院反垄断执法机构规定的其他事项。经营者提交的文件、资料不完备的，应当在国务院反垄断执法机构规定的期限内补交文件、资料。经营者逾期未补交文件、资料的，视为未申报。国务院反垄断执法机构应当自收到经营者提交的文件、资料之日起30日内，对申报的经营者集中进行初步审查，作出是否实施进一步审查的决定，并书面通知经营者。国务院反垄断执法机构作出决定前，经营者不得实施集中。

审查经营者集中，应当考虑下列因素：

（1）参与集中的经营者在相关市场的市场份额及其对市场的控制力；

（2）相关市场的市场集中度；

（3）经营者集中对市场进入、技术进步的影响；

（4）经营者集中对消费者和其他有关经营者的影响；

（5）经营者集中对国民经济发展的影响；

（6）国务院反垄断执法机构认为应当考虑的影响市场竞争的其他因素。

经营者集中具有或者可能具有排除、限制竞争效果的，国务院反垄断执法机构应当作出禁止经营者集中的决定。但是，经营者能够证明该集中对竞争产生的有利影响

明显大于不利影响，或者符合社会公共利益的，国务院反垄断执法机构可以作出对经营者集中不予禁止的决定。

三、禁止行政性垄断

【案例讨论】海南省某市XX医疗器械有限公司原隶属于市卫生局，现为独立法人。2000年3月，原告江西湖达药业有限公司向被告市卫生局申请从事医疗器械生产许可，但未获得通过。原告不服，依法提起行政诉讼。原告声称：江西湖达药业有限公司具备法律规定从事医疗器械生产的条件，被告依法应批准，但被告为了保护XX医疗器械有限公司免受竞争，滥用行政权力实施了部门垄断行为。原告还指出，由于市卫生局的大部分亲属在XX医疗器械有限公司上班，所以两者仍然存在千丝万缕的联系，实质上并未实现政企分开。

《反垄断法》规定，行政机关和法律、法规授权的具有管理公共事务职能的组织不得滥用行政权力，实施下列行为：

（1）限定或者变相限定单位或者个人经营、购买、使用其指定的经营者提供的商品。

（2）妨碍商品在地区之间的自由流通，包括：①对外地商品设定歧视性收费项目、实行歧视性收费标准或者规定歧视性价格；②对外地商品规定与本地同类商品不同的技术要求、检验标准，或者对外地商品采取重复检验、重复认证等歧视性技术措施，限制外地商品进入本地市场；③采取专门针对外地商品的行政许可，限制外地商品进入本地市场；④设置关卡或者采取其他手段，阻碍外地商品进入或者本地商品运出；⑤妨碍商品在地区之间自由流通的其他行为。

（3）以设定歧视性资质要求、评审标准或者不依法发布信息等方式，排斥或者限制外地经营者参加本地的招标投标活动。

（4）采取与本地经营者不平等待遇等方式，排斥或者限制外地经营者在本地投资或者设立分支机构。

（5）强制经营者从事本法规定的垄断行为。

（6）制定含有排除、限制竞争内容的规定。

【案例评析】法院在调查后认为：被告市卫生局为了保持原先隶属于其的XX医疗器械有限公司独占该市的医疗器械市场，通过滥用审批权力、不正当地拒绝原告申请，构成了部门垄断行为，依法应由其上级部门责令改正。

四、法律责任

国务院设立反垄断委员会，负责组织、协调、指导反垄断工作。国务院规定的承担反垄断执法职责的机构根据工作需要，可以授权省、自治区、直辖市人民政府相应的机构，负责反垄断执法工作。

根据《反垄断法》规定，垄断行为应承担的法律责任包括：

（1）经营者违反本法规定，达成并实施垄断协议的，由反垄断执法机构责令停止违法行为，没收违法所得，并处上一年度销售额1%以上10%以下的罚款；尚未实施所达成的垄断协议的，可以处50万元以下的罚款。

经营者主动向反垄断执法机构报告达成垄断协议的有关情况并提供重要证据的，

反垄断执法机构可以酌情减轻或者免除对该经营者的处罚。

行业协会违反本法规定，组织本行业的经营者达成垄断协议的，反垄断执法机构可以处50万元以下的罚款；情节严重的，社会团体登记管理机关可以依法撤销其登记。

（2）经营者滥用市场支配地位的，由反垄断执法机构责令停止违法行为，没收违法所得，并处上一年度销售额1%以上10%以下的罚款。

（3）经营者违反规定实施集中的，由国务院反垄断执法机构责令停止实施集中、限期处分股份或者资产、限期转让营业以及采取其他必要措施恢复到集中前的状态，可以处50万元以下的罚款。

（4）行政机关和法律、法规授权的具有管理公共事务职能的组织滥用行政权力，实施排除、限制竞争行为的，由上级机关责令改正；对直接负责的主管人员和其他直接责任人员依法给予处分。反垄断执法机构可以向有关上级机关提出依法处理的建议。

（5）对反垄断执法机构依法实施的审查和调查，拒绝提供有关材料、信息，或者提供虚假材料、信息，或者隐匿、销毁、转移证据，或者有其他拒绝、阻碍调查行为的，由反垄断执法机构责令改正，对个人可以处2万元以下的罚款，对单位可以处20万元以下的罚款；情节严重的，对个人处2万元以上10万元以下的罚款，对单位处20万元以上100万元以下的罚款；构成犯罪的，依法追究刑事责任。

（6）反垄断执法机构工作人员滥用职权、玩忽职守、徇私舞弊或者泄露执法过程中知悉的商业秘密，构成犯罪的，依法追究刑事责任；尚不构成犯罪的，依法给予处分。

第二节 反不正当竞争法

一、反不正当竞争法概述

（一）不正当竞争的概念

竞争是市场经济最基本的运行机制，其主要作用就是给经营者以动力和压力，即市场主体之间为获取交易机会、占有市场优势、实现最大利益而进行的较量。有竞争就会有不正当竞争，所谓不正当竞争是指经营者违反法律、法规的规定，损害其他经营者和消费者的合法权益，扰乱社会经济秩序的行为。这里所说的经营者，是指从事商品经营或者营利性服务的法人、其他经济组织和个人。

（二）反不正当竞争法的概念

反不正当竞争法是指由国家制定的用以调整在不正当竞争过程中产生的经济关系的法律规范的总称。它是规范市场经济活动的基本法。

从世界范围看，反不正当竞争法产生于19世纪末，最早出台的法律规范是1883年的《保护工业产权巴黎公约》，最早出台的国家立法是德国于1896年颁布的《反不正当竞争法》，此外，美国的《谢尔曼反托拉斯法》和《联邦贸易委员会法》也颁布了一系列有关规定。

我国自1980年以来，先后颁布了一系列法规和文件，制止不正当竞争，保护公平竞争。1993年9月2日第八届全国人大常委会第三次会议通过了《中华人民共和国反不正当竞争法》（以下简称《反不正当竞争法》）。此外，在合同法、专利法、商标法、著作权法、食品卫生管理法、药品管理法、广告法等法律、法规中都规定了反不正当竞争行为的内容。

二、不正当竞争行为

为了保护公平竞争，维护正常的社会经济秩序，必须坚决制止不正当竞争行为。《反不正当竞争法》明确规定了不正当竞争行为的内容，经营者不得采用以下手段从事市场经济活动：

（一）欺骗性交易行为

欺骗性交易行为又称混同销售行为，指经营者采用伪冒或仿冒的标志将自己销售的商品同他人的商品相混同，诱使消费者误认误购，牟取非法利益的行为。具体有以下四种表现形式：

（1）假冒他人的注册商标。即经营者仿造他人已经注册的商标，在同一种商品或者类似商品上使用与已注册商标相同或者近似的商标，造成消费者误认、误购的行为，这既是一种违反《商标法》的行为，也是一种不正当竞争行为。

（2）仿冒知名商品特有的名称、包装和装潢的行为。即擅自使用知名商品特有的名称、包装、装潢，或者使用与知名商品近似的名称、包装、装潢，造成和他人知名商品相混淆，使购买者误认为是该知名商品。所谓“知名商品”，是指在市场上具有一定知名度，为相关公众所知悉的商品。所谓“特有”，是指商品名称、包装、装潢不是相关商品所通用，具有显著的区别性特征。

（3）仿冒他人的企业名称或者姓名。即经营者擅自使用他人的企业名称或姓名，使消费者误认为是他人的商品或服务。企业名称、地址或者经营者的字号、姓名通常与经营者的声誉相连，因此，这种行为既侵犯了企业的名称权、他人的姓名权，也影响了被盗用企业的正常销售或服务，均属于不正当竞争行为。

（4）在商品上使用质量虚假标志，以使品质混同。具体是指经营者伪造或冒用认证标志、名优标志，伪造产地，对商品质量作引人误解的虚假表示。

（二）商业贿赂行为

【案例讨论】某市贸易公司在2000年夏购进了3万套男式衬衫，由于质量差、款式旧、销量少，影响了公司资金周转。贸易公司经理在业务会上宣布：不论是公司的内部职员，还是外部人员，只要能帮助公司推销100套以上的，都可以给予20%的回扣，回扣可一律不记账。消息传出，一些小商贩竞相来批发购买，很快该公司积压的近3万套衬衫销售一空。该市的工商行政局注意到了这个情况，前来查账，告诉该公司管理人员，账外回扣是违法的。但该贸易公司经理辩称，搞市场经济，有经营自主权，入账与不入账是企业的自由。问：

企业有入账与不入账的自主权吗？

商业贿赂是指经营者在市场交易活动中，为争取交易机会，特别是为争得相对于竞争对手的市场优势，通过秘密给付财物或其他报偿等不正当手段收买客户的负责人、雇员、合伙人、代理人和政府有关部门工作人员等能够影响市场交易的有关人员的行为。在我国当前的经济生活中，商业贿赂行为的表现形式主要体现为“回扣”。所谓回扣是指在市场交易过程中，经营者一方从交易所得的价款中提取一定比例的现金或额外以定额的酬金支付给对方单位或个人的金钱或有价证券。回扣是违反财经纪律的现象。

我国《反不正当竞争法》第8条明确规定，在账外暗中给予对方单位或者个人回扣的，以行贿论处；对方单位或者个人在账外暗中收受回扣的，以受贿论处。但是，回扣与折扣、佣金是不一样的。折扣也称价格折扣、价格减让或商业让利，是指在商品购销活动中，卖方在新成交的价格或者数量上给买方一定比例的减让，而返还给对方的一种交易上的互惠。折扣有如下特征：①折扣发生在交易市场双方当事人之间。折扣让利不能给予经办人、代理人，也不是给予中间商、居间人、经纪人的佣金；②折扣是以明示的方式公开给付的，并记载在合同和会计账册上。③折扣的方式体现在对商品的直接打折或减价，或是在收款时按合同约定的比例退还给买方。佣金，是指在市场交易中经营者付给具有独立地位的中间商。经营者销售或者购买商品，可以以明示方式给对方折扣或给中间人佣金且必须如实入账。接受折扣、佣金的经营者也必须如实入账。

【案例评析】搞市场经济也必须遵纪守法，企业销售商品必须如实入账，回扣如果没有如实入账则属于商业贿赂，是不正当竞争行为。

商业贿赂的表现形式具有复杂性、多样性，除了金钱、回扣之外，还有提供免费度假、旅游、高档宴席、色情服务、赠送昂贵物品、房屋装修以及解决子女、亲属入学、就业等多种形式，因此具有很大的隐蔽性。

（三）虚假宣传

虚假宣传行为是指经营者为使消费者产生误购，利用广告或者其他方法，对商品的质量、制作成分、性能、用途、生产者、有效期限、产地等内容作引人误解的虚假宣传。如将国产商品宣传为进口商品等。这里的“广告”，是指商品经营者或者服务提供者承担费用，通过一定媒介和形式直接或者间接地介绍自己的商品或者提供服务的商业广告，比如利用广播、电视、报纸、期刊、互联网等发布的商品广告。“其他方法”是指其他能够使社会公众知悉的宣传形式，比如展销会、订货会、产品发布会等。此外，广告的经营者也不得在明知或者应知的情况下，代理、设计、制作、发布虚假广告。

虚假宣传行为，一般应从以下三个方面认定：一是广告所宣传的产品和服务本身是否客观、真实；二是广告所宣传的产品和服务的主要内容是否真实；三是能否影响一般消费者的判断力而误认、误购。

虚假宣传行为的主体既包括产品、服务的经营者，也包括广告的经营者。

（四）侵犯商业秘密

【案例讨论】某化学研究所成功地开发出以废旧塑料提炼汽油的技术，并经省科委鉴定，确定为省级保密技术，该厂遂与职工签订了一系列合同，约定职工对该项技术负有30年的保密义务，并向职工支付了保密费用。1年后，该研究所的职工赵某和李某被沿海一私营企业聘请，利用与原单位基本相同的技术提炼汽油，获取了大量的利润。不久，化学研究所向法院状告了该私营企业及赵某和李某。问：

本案是否构成侵犯商业秘密权，应如何处理？

侵犯商业秘密行为，是指经营者通过不正当手段获取、泄露或者使用他人的商业秘密，损害他人利益的行为。所谓商业秘密，是指不为公众所知悉、能为权利人带来经济利益、具有实用性并以权利人采取保密措施的技术信息和经营信息。

我国《反不正当竞争法》第10条规定，经营者不得采用下列手段侵犯商业秘密：①以盗窃、利诱、胁迫或者其他不正当手段获取权利人的商业秘密；②披露、使用或者允许他人使用以前项手段获取的权利人的商业秘密；③违反约定或者违反权利人有关保守商业秘密的要求，披露、使用或者允许他人使用其所掌握的商业秘密。

此外，第三人明知或者应知前款所列违法行为，获取、使用或者披露他人的商业秘密，视为侵犯商业秘密。

【案例评析】这是一起侵犯商业秘密的不正当竞争案件。本案中提炼汽油的技术系化学研究所采取了保密措施并有经济实用性的商业秘密，而赵某和李某未经研究所同意便披露和使用了该技术为自己牟利，损害了研究所的利益，构成了不正当竞争行为，应根据法律规定承担相应责任。

（五）不正当的销售行为

1. 低价倾销

低价倾销行为是指经营者在一定市场和一定时期内，以低于成本的价格大量销售商品，以达到排挤竞争对手、占领市场的目的。表面上看来，低价倾销行为可以使消费者买到物美价廉的商品，但是，在不正当竞争者占领大部分市场份额后，没有了其他竞争者，真正受害的还是消费者。

我国《反不正当竞争法》第11条明确规定，经营者以低于成本的价格销售商品，有下列情形之一的，不属于倾销行为：销售鲜活商品；处理有效期即将到期的商品或者其他积压的商品；季节性降价以及因清偿债务、转产、歇业降价销售商品。

2. 搭售商品或附加其他不合理交易条件

【案例讨论】甲公司是某市专门经销各类电器的商店。2008年2月，商店经理购进一批小家电，包括各种收录机、变压器、耳机等，质量较差且价格昂贵，进货两个月销售量极为有限，恰好该公司最近又购进一批进口名牌彩电，非常畅销。该市某大学教职工准备购买彩电20台，甲公司同意出售，但规定买一台彩电必须同时买一台小型收录机或一个变压器加一副耳机，教职工勉强同意，购回后发现小家电质量根本不合格。甲公司附近卖小家电的一些商店的生意受到了影响。

搭售商品或附加其他不合理交易条件是指经营者利用其经济优势，违背购买者的意愿，在销售一种商品或提供一种服务时，要求消费者以购买另一种商品或接受另一种服务为条件，或者就商品或服务的价格、销售对象、销售地区等附加不合理的条件。

该行为只有在违背购买者的意愿的情况下进行才构成不正当竞争行为，如果购买者自愿接受经营者的搭售或附加条件，或者所附加的条件是合理的，则不能被认定为不正当竞争行为。

【案例评析】该公司的行为是典型的搭售行为，这和正当的促销手段有明显区别。前者违背消费者的意愿强迫其购买并借以推销质量不合格商品。本案中，甲公司在出售市场上独有的进口名牌彩电时，为推销小家电，要求教职工购买彩电的同时必须购买质量不合格的收录机或变压器加耳机。可以认定，这是一种附条件的搭售行为，是不正当竞争行为。

3. 不正当有奖销售

有奖销售是经营者常用的促销手段，即经营者在销售商品或者提供服务时，以提供金钱、物品或者其他条件为奖励，刺激消费者购买商品或接受服务的行为。

不正当有奖销售行为是指经营者违反《反不正当竞争法》的规定进行的有奖销售行为，包括以下三种情形：

（1）欺骗性有奖销售行为。包括：①谎称有奖销售或者对所设奖的种类、中奖概率、最高奖金额、总金额、奖品种类、数量、质量、提供方法等作虚假不实的表示；②采取不正当的手段故意让内定人员中奖；③故意将设有中奖标志的商品、奖券不投放市场或者不与商品、奖券同时投放市场；故意将带有不同奖金金额或者奖品标志的商品、奖券按不同时间投放市场；④其他欺骗性有奖销售行为。

（2）推销质次价高商品的有奖销售行为。

（3）最高奖的金额超过5000元的抽奖式有奖销售行为。

（六）诋毁商誉

诋毁商誉也称商业诽谤，是指经营者通过捏造、散布虚假事实等不正当手段，损害竞争对手的商业信誉和商品声誉，削弱对手竞争能力的行为。众所周知，商业信誉、商品声誉是从商业角度对经营者的能力和品德、对其商品品质的积极的社会评价，是经营者通过参与市场竞争的连续性活动逐渐形成的。经营者要树立良好的商业信誉和商品声誉，大都需要经过大量的市场研究、技术开发、广告宣传、公关活动和优秀服务等一系列活动才能形成，是经营者在市场竞争中赢得优势地位的资本和支柱。损害竞争对手的商业信誉和商品声誉，是侵害公民或法人名誉权和荣誉权行为的一种商业化表现形式，是我国《反不正当竞争法》明确禁止的行为。

（七）串通招标投标

串通招标投标是指在发包工程、购销成套设备、承包租赁等经营活动中，招标、投标的当事人事先对招标投标事项串通，以排挤竞争对手或者损害招标者利益的行为。根据《反不正当竞争法》第15条的规定，串通招标投标行为包括以下两种情形：

1. 串通投标，抬高或压低标价的行为

这类行为的行为主体主要是所有参加投标的投标者共同实施的，其目的是为了避免相互间竞争，共同损害招标人的利益。这类行为包括：投标者之间相互约定，一致抬高或压低投标报价；投标者之间相互约定，在招标项目中轮流以高价位或者低价位中标；投标者之间先进行内部竞价，内定中标人，然后再参加投标及其他串通投标行为。

2. 投标者和招标者之间相互勾结，以排挤竞争对手的行为

这类行为的行为主体是招标者和特定的投标者，其目的是为了排挤竞争对手，获取非法利益，其具体行为包括：

（1）招标者在开标前，私下开启投标者的投标文件，并泄密给内定投标者；

（2）招标者在审查评选标书时，对不同的投标者实施差别对待；

（3）投标者和招标者相互勾结，投标者在公开投标时压低标价，中标后再给招标者以额外补偿；

（4）招标者向特定的投标者泄露其标底等。

（八）滥用行政权力限制竞争

【案例讨论】2001年4月，安徽省舒城县委县政府召开县内复合肥经营专题会议，并形成了《县内复合肥经营专题会议纪要》。《会议纪要》规定县外化肥企业在舒城县

只能销售尿素和磷复肥，不准销售碳胺等各类产品，并强制收回了合肥一家化肥企业在舒城四个直销点的营业执照正副本。安徽省工商局根据总局的指示，派调查组到舒城县督办此案件，最终使问题得到了解决。

政府及其所属部门不得滥用行政权力，限定他人购买其指定的经营者的商品，限制其他经营者正当的经营活动。政府及其所属部门不得滥用行政权力，限制外地商品进入本地市场，或者本地商品流向外地市场。

【案例评析】本案中，安徽省舒城县委运用其拥有的行政权力，以保护县内企业的利益为目的，限制县外化肥企业正当的经营活动，损害其他经营者和外地经营者的正当竞争活动，使之失去公平竞争的权力，是属于不正当的竞争行为。

三、不正当竞争行为的监督检查

我国竞争法规定，各级人民政府都应当采取措施，制止不正当竞争行为，为公平竞争创造良好的条件和环境。具体规定如下：

（一）国家监督检查

工商行政管理部门是监督检查不正当竞争行为的机构，县级以上各级人民政府工商行政管理部门对不正当竞争行为进行监督检查；法律、法规规定由其他部门监督检查的，依照规定办理。

监督检查部门在监督检查不正当行为时，有权行使下列职权：

（1）按照规定程序询问被检查的经营者、利害关系人、证明人，并要求提供证明材料或者与不正当竞争行为有关的其他资料；

（2）查询、复制与不正当竞争行为有关的协议、账册、单据、文件、记录、业务函电和其他资料；

（3）检查与各种不正当竞争行为有关的财物，必要时可以责令被检查的经营者说明该商品的来源和数量，暂停销售，听候检查，不得转移、隐匿、销毁该财物。

监督检查部门在监督检查不正当竞争行为时，被检查的经营者、利害关系人和证明人应当如实提供有关资料或者情况。

监督检查部门工作人员监督检查不正当竞争行为时，应当出示检查证件。

（二）社会监督

国家鼓励、支持和保护一切组织和个人对不正当竞争行为进行社会监督。任何国家工作人员都不得支持、包庇不正当竞争行为。

四、法律责任

根据我国《反不正当竞争法》的规定，不正当竞争行为应承担的法律责任包括民事责任、行政责任和刑事责任。

（一）民事责任

我国《反不正当竞争法》第20条规定，经营者违反本法规定，给被侵害的经营者造成损害的，应当承担损害赔偿责任，被侵害的经营者的损失难以计算的，赔偿额为侵权人在侵权期间因侵权所获得的利润；并应当承担被侵害的经营者因调查该经营者侵害其合法权益的不正当竞争行为所支付的合理费用。被侵害的经营者的合法权益受到不正当竞争行为损害的，可以向人民法院提起诉讼。

我国《反不正当竞争法》规定民事责任的意义在于保护合法经营者的合法权益不受侵害以及受到实际损害时得以补偿。

（二）行政责任

《反不正当竞争法》规定的行政责任，要通过不正当竞争行为的监督检查部门对不正当竞争行为的查处来实现。这样规定的目的在于使被破坏的市场竞争秩序得以恢复，我国《反不正当竞争法》规定的行政责任的形式主要包括罚款、没收违法所得、责令停止违法行为、责令改正、消除影响、停业整顿以及吊销营业执照等形式。此外，还规定了与不正当竞争行为有关的国家机关工作人员违法的行政处分。

当事人对监督检查部门的处罚决定不服的，可以自收到处罚决定之日起 15 日内，向上一级主管机关申请复议；对复议决定不服的，可以自收到复议决定之日起 15 日内，向法院提起诉讼；也可以直接向法院提起诉讼。

对于低成本价的销售行为，搭售或附加其他不合理条件的行为以及商业诋毁行为等不正当竞争行为，我国《反不正当竞争法》并没有规定与之对应的行政责任条款。对这些行为如何进行行政处罚，需要法律进一步作出明确的规定。

（三）刑事责任

刑事责任是对违法行为进行的最为严厉的法律制裁，适用于那些对其他经营者、消费者和社会经济秩序损害严重、情节恶劣的不正当竞争行为。《反不正当竞争法》对于不正当竞争行为的刑事责任的规定都是原则性的，确定具体的刑事责任适用我国《刑法》的相应规定。如《反不正当竞争法》第 21 条第 2 款只规定“销售伪劣商品，构成犯罪的，依法追究刑事责任”，而《刑法》分则第三章第一节具体规定了“生产、销售伪劣商品罪”的具体刑罚；《反不正当竞争法》第 22 条只规定“经营者采用财物或者其他手段进行贿赂以销售或者购买商品，构成犯罪的，依法追究刑事责任”，而《刑法》对于受贿罪和行贿罪都有相应的定罪量刑的规定。

此外，现行《刑法》还对许多不正当竞争行为的刑事责任作出了具体的规定，比如，第 221 条规定了损害他人商业信誉、商品声誉罪，第 222 条规定了虚假广告罪，第 223 条规定了串通投标罪，第 219 条规定了侵犯商业秘密罪。这些规定都是对不正当竞争行为追究刑事责任的规定。另外还对监督检查不正当竞争行为的国家工作人员承担刑事责任的情形作出了规定。

第三节　产品质量法

一、产品质量法概述

（一）产品与产品质量

我国《产品质量法》中所称产品，是指“经过加工、制作、用于销售的产品”，不包括建设工程和虽经加工、制作，但不用于销售的产品以及天然物品。

产品质量是指国家有关的法律、法规、质量标准以及合同约定的对产品适用、安全和其他特性的要求。它既包括产品的结构、性能、精度、纯度、机械物理性能和化学性能等内在的质量，也包括形状、色彩、光泽、手感、音响等外观方面的质量。

(二) 产品质量法的概念

产品质量法是指调整产品的生产者、销售者、用户及消费者以及政府有关行政管理部门之间，因产品质量问题而形成的权利义务关系的法律规范的总称。1993 年 2 月 22 日第七届全国人大党委会第三十次会议通过了我国第一部全面、系统规定产品质量的《中华人民共和国产品质量法》(以下简称《产品质量法》)，并自 1993 年 9 月 1 日起施行。2000 年 7 月 8 日，第九届全国人民代表大会常务委员会第十六次会议对《产品质量法》进行了修订，自 2000 年 9 月 1 日起施行。

在中华人民共和国境内从事产品生产、销售活动，必须遵守《产品质量法》。建设工程属于不动产，不适用《产品质量法》规定，但是，建设工程使用的建筑材料、建筑构配件和设备，属于前述产品范围的，适用《产品质量法》。

二、产品质量的监督管理

(一) 产品质量监督管理体制

产品质量管理旨在使产品的质量符合一定的标准或规格。我国实行统一管理、分工负责的产品质量管理体制。按照《产品质量法》的规定，包括下述层次有别、任务不同的机构：

(1) 国务院产品质量监督管理部门。负责全国产品质量监督管理工作，主要职责是：对产品质量进行宏观管理与指导，即统一制定有关产品质量管理的方针和政策，草拟或者发布有关产品质量的法规或规章；推广现代化质量管理方法；负责国家质量奖的评审和管理工作；负责国优产品的评审和评优管理工作；负责生产许可证的管理工作；等等。

(2) 县级以上地方人民政府管理产品质量监督工作的部门。其负责本行政区域内的产品质量监督管理工作，主要职责是按照国家法律、法规规定的职责和省级人民政府赋予的职权，负责本行政区域内的产品质量监督管理工作。

(3) 国务院和县级以上地方人民政府设置的有关行业主管部门。包括：国务院卫生行政部门，县级以上卫生行政部门；中华人民共和国船舶检验局，有关地区设立的船检机构；各级劳动部门；国家和地方进出口商品检验局。其主要职责是按照同级人民政府赋予的职权，负责本行政区、本行业关于产品质量的行政监督和生产经营性管理工作。根据分工，国家技术监督局是国务院专门管理产品质量的职能机构，地方技术监督局是地方人民政府管理产品质量的职能机构。

(二) 产品质量监督管理的制度

1. 产品计量与标准化制度

企业产品生产必须符合国家的法定计量单位和有关产品标准的规定，而且不同的产品执行不同的标准。对下列需要统一的技术要求，应当制定标准：工业产品的品种、规格、质量、等级或者安全、卫生要求；工业产品的设计、生产、检验、包装、储存、运输、使用的方法或者生产、储存、运输过程中的安全、卫生要求；有关环境保护的各项技术要求的检验方法；建筑工程的设计、施工方法和安全要求；有关工业生产、工程建设和环境保护的技术术语、符号、代号和制图方法等。

根据《标准化法》的规定，我国现行的标准分为国家标准、行业标准、地方标准和企业标准。国家标准是在全国范围内统一的标准，由国务院标准化行政主管部门组织制定。国家标准的代号用“国标”两个字汉语拼音的第一个字母G和B组合而成；行业标准主要是指全国性的各行业范围内统一的标准，由国务院有关行政主管部门制定，并报国务院标准化行政主管部门备案。对于没有国家标准而又需要在全国某个行业范围内统一的技术要求，可以制定行业标准，在公布国家标准后，该项行业标准即行废止。

国家标准、行业标准又可分为强制性标准和推荐性标准。凡是有关保障人体健康和人身、财产安全的标准和法律、行政法规规定强制执行的标准为强制性标准，其他标准为推荐性标准。强制性标准必须执行，不符合强制性标准的产品，禁止生产、销售和进口；推荐性标准，国家鼓励企业自愿采用。《产品质量法》第8条明确规定：“可能危及人体健康和人身、财产安全的工业产品，必须符合保障人体健康、人身、财产安全的国家标准、行业标准；未制定国家标准、行业标准的，必须符合保障人体健康、人身、财产安全的要求。”

2. 企业质量体系认证制度

国家根据国际通用的质量管理标准，推行企业质量认证制度。企业根据自愿原则，可以向国务院产品质量监督管理部门或者该部门授权的部门认可的认证机构，申请企业质量体系认证。经认证合格的，由认证机构颁发企业质量体系认证证书。

3. 产品质量认证制度

国家参照国际先进的产品标准和技术要求，推行产品质量认证制度。企业根据自愿原则可以向国务院产品质量监督管理部门或者国务院产品质量监督管理部门授权的部门认可的认证机构申请产品质量认证。经认证合格的，由认证机构颁发产品质量认证证书，准许企业在产品或者包装上使用产品质量认证标志。

4. 生产许可证制度

生产许可证，是指国家对于具备生产条件并对其产品检验合格的工业企业，发给许可其生产该项产品的凭证。

国家规定对重要的工业产品，特别是可能危及人体健康、人身、财产安全和公共利益的工业产品实行生产许可证制度，是为了保证产品质量，维护国家、用户和消费者利益而采取的强制性措施。通过实施生产许可证制度，强化国家对企业的宏观调控，有效地制止劣质产品的盲目生产。

（三）产品质量监督检查制度

产品质量监督检查，是指国家指定的产品质量专门机构，根据正式产品标准的规定，依照法定职权和法定程序，对企业产品质量所进行的监督性检验。国家机关监督即国务院负责产品质量监督的部门对产品质量的监督管理，实行以抽查为主要方式的监督检查制度，重点检查实行生产许可证管理的产品，影响国计民生的重要产品以及用户、消费者、有关组织反映有严重质量问题的产品。抽查的样品应当在市场上或者成品仓库内的待销产品中随机抽取。

监督抽查工作由国务院产品质量监督部门规划和组织。县级以上地方人民政府管理产品质量监督工作的部门也可在本行政区域内组织监督抽查。各级行业主管部门和企业主管部门负责本行业产品质量监督管理工作。

国家监督抽查的产品，地方不得另行重复抽查；上级监督抽查的产品，下级不得另行重复抽查。对依法进行的产品质量监督检查，生产者、销售者不得拒绝。

依法进行监督抽查的产品质量不合格的，由实施监督抽查的产品质量监督部门责令其生产者、销售者限期改正。逾期不改正的，由省级以上人民政府产品质量监督部门予以公告；公告后经复查仍不合格的，责令停业，限期整顿；整顿期满后经复查产品质量仍不合格的，吊销营业执照。

（四）产品质量社会监督制度

社会监督包括社会舆论监督和社会团体监督。报刊、广播、电视等社会舆论单位，有权按照国家的有关规定，运用新闻媒介，对产品质量进行舆论监督。社会团体监督，主要指消费者协会和其他消费者组织依法对产品质量所进行的社会监督。

此外，用户、消费者也可对产品质量进行监督，有权就产品质量问题，向产品的生产者、销售者查询；向产品质量监督管理部门、工商行政管理部门及有关部门申诉，有关部门应当负责处理。

三、生产者和销售者的责任和义务

【案例讨论】江某从甲贸易公司购买了一台电冰箱，回家后安装完毕准备试试怎么样，谁料刚刚插好电源，因冰箱漏电被击倒在地，当即不省人事。经奋力抢救，江某终于脱离危险，但因此住院一个多月。江某要求甲贸易公司和冰箱厂赔偿其经济损失，但贸易公司说自己只负责冰箱的销售，质量问题与己无关，冰箱厂则说冰箱出厂时有合格证，表明当时没有质量问题，既是贸易公司卖出去的，责任应在贸易公司。江某无奈只能诉至法院。法院受理后查明，冰箱确实存在质量问题。

问：江某的损失应由谁来承担？

（一）生产者的责任与义务

1. 对产品质量的一般要求

根据《产品质量法》的规定，产品质量应当符合如下要求：

（1）不存在危及人身、财产安全的不合理的危险，有保障人体健康和人身、财产安全的国家标准、行业标准的，应当符合该标准。

（2）具备产品应当具备的使用性能，但是，对产品存在使用性能的瑕疵作出说明的除外。

（3）符合在产品或者其包装上注明采用的产品标准，符合以产品说明、实物样品等方式表明的质量状况。

2. 对产品或者其包装上的标识的要求

（1）有产品质量检验合格证明。

（2）有中文标明的产品名称、生产厂厂名和厂址。

（3）根据产品的特点和使用要求，需要标明产品规格、等级、所含主要成分的名称和含量的，用中文相应予以标明；需要事先让消费者知晓的，应当在外包装上标明，或者预先向消费者提供有关资料。

（4）限期使用的产品，应当在显著位置清晰地标明生产日期和安全使用期或者失效日期。

（5）使用不当，容易造成产品本身损坏或者可能危及人身、财产安全的产品，有警示标志或者中文警示说明。

裸装的食品和其他根据产品的特点难以附加标识的裸装产品，可以不附加标识。

至于剧毒、危险、易碎、储运中不能倒置以及有其他特殊要求的产品，其包装必须符合相应要求，有警示标志或者中文警示说明标明储运注意事项。

3. 对生产者的禁止性、限制性规定

（1）生产者不得生产国家明令淘汰的产品。

（2）生产者不得伪造产地，不得伪造或者冒用他人的厂名、厂址。

（3）生产者不得伪造或者冒用认证标志、名优标志等质量标志。

（4）生产者生产产品，不得掺杂、掺假，不得以假充真、以次充好，不得以不合格产品冒充合格产品。

（二）销售者的责任与义务

（1）销售者应当执行进货检查验收制度，验明产品合格证明和其他标识，如产品合格证、生产日期、认证标志等是否齐备。进货检查验收制度是销售者销售合格产品的前提条件，也是区分生产者和销售者责任的依据。

（2）销售者应当采取措施，保持销售产品的质量。如果进货时产品符合质量要求，但销售时的产品出现缺陷，销售者就要承担相应的责任。

（3）销售者销售产品的标识应当符合生产者产品或其包装上标识的要求。

（4）销售者不得违反禁止性、限制性规定，即：销售者不得销售国家明令淘汰并停止销售的产品和失效、变质的产品；不得伪造产地，不得伪造或者冒用他人的厂名、厂址；不得伪造或者冒用认证标志、名优标志等质量标志；不得掺杂、掺假，不得以假充真、以次充好，不得以不合格产品冒充合格产品。

【案例评析】根据我国《产品质量法》规定，生产者应当对其生产的产品质量负责。本案中，冰箱厂生产的电冰箱质量上存在严重的缺陷，造成消费者的损失，厂家有不可推卸的责任。我国《产品质量法》第31条规定："因产品存在缺陷造成他人人身、财产损害的，受害人可以向产品的生产者要求赔偿，也可以向产品的销售者要求赔偿。属于产品生产者的责任，产品的销售者赔偿的，产品的销售者有权向产品的生产者追偿。属于产品销售者的责任，产品的生产者赔偿的，产品的生产者有权向产品的销售者追偿。"根据这一规定，江某可以依据法律要求销售者贸易公司赔偿损失，也可直接要求有责任的生产厂家赔偿损失。

四、法律责任

【案例讨论】刘某伙同王某从某电扇厂仓库盗窃未经检验的轮船用小型电扇两台，各分得一台。刘某将电扇以60元的价格卖给了高某。高某在使用时，被飞出的扇叶削掉半截左耳。高某以扇叶及保护网设计及制造中有瑕疵为由向电扇厂提出索赔。

问：高某是否有权向电扇厂索赔？法律依据是什么？

（一）损害赔偿责任

1. 违反产品质量担保义务的损害赔偿

售出的产品如违反了产品明示或默示的质量担保义务，销售者应承担相应的法律责任。

《产品质量法》规定，售出的产品有下列情形之一的，销售者应当负责修理、更换、退货；给购买产品的用户、消费者造成损失的，销售者应当赔偿损失：

（1）不具备产品应当具备的使用性能而事先未作说明的。

(2) 不符合在产品或者其包装上注明采用的产品标准的。

(3) 不符合以产品说明、实物样品等方式表明的质量状况的。

销售者依照前款规定负责修理、更换、退货、赔偿损失后，属于生产者的责任或者属于向销售者提供产品的其他销售者的责任的，销售者有权向生产者、供货者追偿。销售者未按照前款规定给予修理、更换、退货或者赔偿损失的，由管理产品质量监督工作的部门或者工商行政管理部门责令改正。

生产者之间、销售者之间、生产者与销售者之间订立的产品购销、加工承揽合同有不同约定，合同当事人按照合同约定执行。

2. 因产品存在缺陷引起的损害赔偿

产品应有保障人体健康、人身或财产安全的国家标准、行业标准。产品缺陷，是指产品存在危及人身、财产安全的危险，是指不符合标准。

(1) 责任主体的确定。因产品存在缺陷，造成人身、缺陷产品以外的其他财产损害的，生产者应当承担赔偿责任。生产者能够证明有下列情形之一的，不承担赔偿责任：①未将产品投入流通的；②产品投入流通时，引起损害的缺陷尚不存在的；③将产品投入流通时的科学技术尚不能发现该缺陷的存在的。

由于销售者的过错使产品存在缺陷，造成人身、他人财产损害的，受害人可以向产品的生产者要求赔偿，也可以向产品的销售者要求赔偿。属于产品的生产者的责任，产品的销售者赔偿的，产品的销售者有权向产品的生产者追偿。属于产品的销售者的责任，产品的生产者赔偿的，产品的生产者有权向产品的销售者追偿。

除此之外，在实践中有下列情况者不负质量责任：①损害是由于消费者擅自改变产品性能、用途或者没有按照产品的使用说明使用并且确因改变或使用不当造成的；②损害是由于受害人的故意所为造成的；③损害是由于常识性的危险造成的；④产品造成损害，是由于使用者自身特殊敏感所致；⑤产品已过了有效期限；⑥超过诉讼和赔偿请求时效。

(2) 损害赔偿范围。因产品存在缺陷造成受害人人身伤害的，侵害人应当赔偿医疗费、治疗期间的护理费、因误工减少的收入等费用；造成残疾的，还应当支付残疾者生活自助用具费、生活补助费、残疾赔偿金以及由其扶养的人所必需的生活费等费用；造成受害人死亡的，应当支付丧葬费、抚恤费、死亡赔偿金以及由死者生前扶养的人所必需的生活费等费用；造成受害人财产损失的，侵害人应当恢复原状或者折价赔偿。受害人因此遭受其他重大损失的，侵害人应当赔偿损失。

【案例评析】高某不能向电扇厂索赔，只能向刘某要求赔偿。尽管高某所受的伤害是因电扇的缺陷所致，电扇厂理应承担赔偿责任，但由于该电扇系刘某伙同他人从电扇厂仓库盗窃而来，并没有正式投入流通，属于法律规定的免责情况。因此，电扇厂对高某不负赔偿责任。

3. 产品质量纠纷的处理

因产品质量发生纠纷时，当事人双方可以通过协商或者调解解决。当事人不愿通过协商、调解解决或者协商、调解不成的，可以根据当事人各方的协议向仲裁机构申请仲裁；当事人各方没有达成仲裁协议的，可以向人民法院起诉。

仲裁机构或人民法院对产品质量无法确定时，可以委托省级以上人民政府产品质量监督管理部门或者其授权的部门考核合格的产品质量检验机构，对有关产品质量进行检验。

（二）行政责任和刑事责任

1. 生产者、销售者的违法行为与处罚办法

根据《产品质量法》的规定，对于生产者与销售者违反产品质量义务，由产品质量监督部门给予责任人如下处罚：

（1）凡生产、销售不符合保障人体健康和人身、财产安全的国家标准、行业标准的产品的，责令停止生产、销售，没收违法生产、销售的产品和违法所得，并处违法生产、销售产品（包括已售出和未售出的产品，下同）货值金额等值以上3倍以下的罚款；有违法所得的，并处没收违法所得；情节严重的，可以吊销营业执照；构成犯罪的，依法追究刑事责任。

（2）在产品中掺杂、掺假，以假充真，以次充好，或者以不合格产品冒充合格产品的，责令停止生产、销售，没收违法生产、销售的产品，并处违法生产、销售产品货值金额50%以上3倍以下的罚款；有违法所得的，并处没收违法所得；情节严重的，吊销营业执照；构成犯罪的，依法追究刑事责任。

（3）生产国家明令淘汰的产品，销售国家明令淘汰并停止销售的产品的，责令停止生产、销售，没收违法生产、销售的产品，并处违法生产、销售产品货值金额等值以下的罚款；有违法所得的，并处没收违法所得；情节严重的，吊销营业执照。

（4）销售失效、变质的产品的，责令停止销售，没收违法销售的产品，并处违法销售产品货值金额2倍以下的罚款；有违法所得的，并处没收违法所得；情节严重的，吊销营业执照；构成犯罪的，依法追究刑事责任。

（5）伪造产品产地的，伪造或者冒用他人厂名、厂址的，伪造或者冒用认证标志、名优标志的，责令公开更正，没收违法生产、销售的产品，并处违法生产、销售产品货值等值以下的罚款；有违法所得的，并处没收违法所得；情节严重的，吊销营业执照。

（6）产品标识不符合法律规定的，责令改正；有包装的产品标识不符合关于生产、使用日期以及警示标识规定的，情节严重的，责令停止生产、销售，并处违法生产、销售产品货值金额30%以下的罚款；有违法所得的，并处没收违法所得。

销售者销售前述（1）（2）（3）（4）（5）项规定禁止销售的产品，有充分证据证明其不知道该产品为禁止销售的产品并如实说明其进货来源的，可以从轻或者减轻处罚。

（7）拒绝接受依法进行的产品质量监督检查的，给予警告，责令改正；拒不改正的，责令停业整顿；情节特别严重的，吊销营业执照。

2. 生产者或销售者以外的主体违反产品质量法的责任

（1）产品质量检验机构、认证机构伪造检验结果或者出具虚假证明的，责令改正，对单位处5万元以上10万元以下的罚款，对直接负责的主管人员和其他责任人员处1万元以上5万元以下的罚款；有违法所得的，并处没收违法所得；情节严重的，取消其检验资格、认证资格；构成犯罪的，依法追究刑事责任。

产品质量检验机构、认证机构出具的检验结果或者证明不实，造成损失的，应当承担相应的赔偿责任；造成重大损失的，撤销其检验资格、认证资格。

（2）社会团体、社会中介机构对产品质量作出承诺、保证，而该产品又不符合其承

诺、保证的质量要求，给消费者造成损失的，与产品的生产者、销售者承担连带责任。

(3) 在广告中对产品质量作虚假宣传，欺骗和误导消费者的，依照《中华人民共和国广告法》的规定追究法律责任。

(4) 对生产者专门用于生产不合格、劣质产品或者以假充真的产品的原辅材料、包装物、生产工具，应当予以没收。

(5) 知道或者应当知道属于法律禁止生产、销售的产品而为其提供运输、保管、仓储等便利条件的，或者为以假充真的产品提供制假生产技术的，没收全部运输、保管、仓储或者提供制假生产技术的收入，并处违法收入50%以上3倍以下的罚款；构成犯罪的，依法追究刑事责任。

(6) 服务业的经营者将法律禁止销售的产品用于经营性服务的，责令停止使用；对知道或者应当知道所使用的产品（包括已使用和尚未使用的产品）的货值金额，依照本法对销售者的处罚规定处罚。

(7) 隐匿、转移、变卖、损毁被产品质量监督部门或者工商行政管理部门查封、扣押的物品的，处被隐匿、转移、变卖、损毁物品货值金额等值以上3倍以下的罚款；有违法所得的，并处没收违法所得。

违反法律规定，应当承担民事赔偿责任和缴纳罚款、罚金，其财产不足以同时支付时，先承担民事赔偿责任。

(三) 对处罚争议的解决办法

当事人对依照法律、行政法规的规定由工商行政管理部门、管理产品质量监督工作的部门或其他有权国家机关作出的行政处罚不服的，可以在接到处罚通知之日起15日内向作出处罚决定的机关的上一级机关申请复议，对复议决定不服的，可以在接到复议决定之日起15日内向人民法院起诉；当事人也可以在接到处罚通知之日起15日内直接向人民法院起诉。

当事人逾期不申请复议也不向人民法院起诉，又不履行处罚决定的，作出处罚决定的机关可以申请人民法院强制执行。

第四节　消费者权益保护法

一、消费者权益保护法概述

(一) 消费者的概念和特征

【案例讨论】2008年5月，沈某等五位农民从县化肥厂销售部购买尿素五袋，并趁下雨天将化肥撒入庄稼地，以利于肥料的吸收，谁知几日后，庄稼叶片萎黄，年底收成比往年大幅度减产。沈某把剩余的尿素带到县技术监督局检验，结果发现所买化肥中含有大量生石灰，遇水产生热量烧坏庄稼。沈某等人以化肥厂为被告向人民法院起诉，要求化肥厂赔偿。化肥厂称沈某等人买的化肥是生产资料，所以原告不是消费者，化肥厂无义务返还货款并加以赔偿。

消费作为社会再生产的一个重要环节，是生产、交换、分配的目的与归宿，它包括生产资料消费和生活资料消费两个方面，一般认为消费者主要是生活资料消费的主体。我国《消费者权益保护法》第2条规定：“消费者为生活需要购买、使用商品或者接受服务，其权益受本法保护；本法未作规定的，受其他有关法律、法规的保护。”因此，消费者是指为满足个人生活消费需要而购买、使用商品或者接受服务的自然人。

从上述定义可以归纳出消费者具有以下法律特征：

（1）消费者是以生活消费为目的的个体社会成员。生活消费通常是指为了满足个人物质和文化生活需要而进行的各种物质和精神产品以及劳动服务的消费行为，包括人们的衣、食、住、行等各个方面。因此，如果是为了生产消费的目的，就不属于《消费者权益保护法》保护的范围。但根据《消费者权益保护法》第 54 条的规定：“农民购买、使用直接用于农业生产的生产资料，参照本法执行。”这说明我国立法者从保护农民切身利益的角度出发，使农民也享有消费者的权利。

【案例评析】根据《消费者权益保护法》第 54 条的规定，农民购买生产资料如农药、化肥等，也应由《消费者权益保护法》调整。本案中，沈某等农民购买的是化肥，这时原告所处的位置应是消费者。化肥厂应该按照有关规定对沈某等人的损失予以赔偿。

（2）消费者是购买、使用商品或接受服务的个体社会成员。即消费者获得商品、使用商品或接受服务，可以通过有偿或无偿的形式表现出来。如果商家为了宣传或达到其他商业目的向个体社会成员免费提供服务和赠送商品，这时的个体社会成员也都属于消费者。

（3）消费者是个体社会成员。这表明消费者是自然人或家庭。包括一个国家领域内所有的人，不仅包括本国人，也包括外国人和无国籍人。法人和其他社会组织、社会团体均不属于消费者的范畴。

（二）消费者权益保护法的概念

消费者权益保护法是调整生产者、销售者与消费者之间以及国家在保护消费者权益过程中所发生的社会关系的法律规范的总称。消费者权益保护法有广义和狭义之分。广义的消费者权益保护法是广泛意义上的具有保护消费者权益功能的各种法律规范，它不仅包括消费者权益保护的专门法，还包括民法、产品质量法、食品卫生法、药品管理法、标准化法、广告法、价格法、反不正当竞争法等法律中的相关规定。狭义的消费者权益保护法是专项立法意义上的法律，如我国于 1993 年 10 月 31 日第八届全国人民代表大会常务委员会第四次会议通过，并于 1994 年 1 月 1 日施行的《中华人民共和国消费者权益保护法》（以下简称《消费者权益保护法》）。这是我国第一部保护消费者权益方面的法律。它的颁布施行，将为保护消费者的合法权益、维护社会经济秩序、促进社会主义市场经济的健康发展发挥积极的作用。

（三）消费者权益保护法的基本原则

（1）自愿、平等、公平、诚实信用原则。即消费者与经营者进行交易应当是完全出于自己的真实意愿，双方的权利均受到尊重，且经营者在交易过程中，信守承诺，不作虚假或者隐瞒陈述。

（2）对消费者进行特殊保护原则。按照法律规定，消费者与经营者、生产者应该是一种平等的民事法律关系。但在实际生活中，两者的关系通常表现为不平等。消费者较之生产者、经营者，经常处于弱势的地位。因此，国家制定专门保护消费者权益的法律、法规，就是要给消费者以特别的保护，保障消费者依法行使权利，维护消费者的人身、财产和其他合法权益。

（3）国家保护与社会监督相结合的原则。国家鼓励、支持一切组织和个人对损害消费者合法权益的行为进行社会监督；大众传播媒介应当做好维护消费者合法权益的宣传，对损害消费者合法权益的行为进行舆论监督。

二、消费者的权利

消费者权利作为一种基本人权，是生存权的重要组成部分。这是指消费者在消费过程中，即在购买、使用商品和接受服务过程中依法享有的各项权利。对此法律必须予以保障，以使消费者的基本人权从应然的权利转化为法定的权利。同时，国际消费者组织联盟于1983年作出决定，将每年的3月15日定为"国际消费者权益日"。

我国《消费者权益保护法》明确规定了消费者所享有的九项基本权利：

（一）保障安全权

【案例讨论】北京某服装公司从浙江村服装交易市场批发来的"洋洋"、"亚细亚"、"优旎"、"京美"四种牌子的羽绒服，每件售价均为398元。经北京技术监督局检查大队检查，发现标着含绒量60%的羽绒服内只有一些碎毛片、毛屑、纸屑，并散发出刺鼻的气味。按照国家规定，羽绒服内含绒量应达到45%。该公司出售的羽绒服中几乎没有绒质，且清洁度极差，耗氧指数超过规定，极易滋生细菌，对人体产生多种危害。

问：消费者在购买、使用商品和接受服务时享有什么权利？对某服装公司应如何处罚？

保障安全权是指消费者在购买、使用商品或者接受服务时所享有的保障其人身、财产安全不受损害的权利，包括人身安全和财产安全两方面的权利，这是消费者最基本的一项权利。人身安全权指消费者在进行生活消费的过程中，享有保护身体和器官机能的完整性及生命不受危害的权利；财产安全权不仅指消费者购买、使用商品的安全和接受服务本身的安全，而且包括除购买、使用的商品或接受的服务之外的其他财产的安全。

【案例评析】消费者享有保障安全权，经营者应当保证其提供的商品或者服务符合保障人身安全的要求。对可能危及人身、财产安全的商品和服务，应当向消费者做出真实的说明和明确的警示，并说明和标明正确使用商品或者接受服务的方法以及防止危害发生的方法。经营者发现其提供的商品或服务存在严重缺陷，即使正确使用商品或接受服务仍可能对人身、财产安全造成危害的，应当立即向有关行政部门报告和告知消费者，并采取防止危害发生的措施。本案中某服装公司销售劣质羽绒服，一方面在经济上侵害了消费者的权益；另一方面，羽绒服内充填的"垃圾"可能使购买衣服的消费者感染病毒，损害健康。对于某服装公司销售不符合安全标准商品的行为，有关部门应责令停止。

（二）知悉真情权

知悉真情权或称获取信息权、了解权、知情权，即消费者享有知悉其购买、使用的商品或者接受的服务的真实情况的权利。在商品经济高度发达的现代社会，商品和服务的种类日渐增多，层次日渐提高，普通消费者已很难仅凭自己的知识和经验对所购买的商品及服务的质量、价格等做出客观准确的判断和评价，消费者对商品和服务的了解，很大程度上依赖于经营者提供的信息。不真实的信息传递，会直接影响消费者的消费选择。为了保障消费者获取真实、准确的消费信息，我国依据消费者权益保护法的规定，消费者有权根据商品或者服务的不同情况，要求经营者提供商品的价格、产地、生产者、用途、性能、规格、等级、主要成分、生产日期、有效期限、检验合格证明、使用方法说明书、售后服务，或者服务的内容、规格、费用等有关情况。

（三）自主选择权

【案例讨论】某市农民甲到本市某家具公司购买家具，他在一套标价为15万元的红木家具中的一把椅子上坐了一下，不料，椅背忽然向后掉落到地上，上半截处断裂。顿时，这家公司有多人将其围住。公司一位负责人先是要求他出15万元把全套家具拿走，在甲连声哀求之下，便提出向他索赔1万元。经甲一再喊冤叫屈，最后以赔付5000元了结此事。

问：某家具公司的行为是否合法？为什么？

自主选择权是指消费者在面临众多的商品和服务提供者时，享有自主选择商品或服务的权利。该权利具体表现在以下几个方面：消费者有自主选择商品或者服务经营者的权利；有自主选择商品品种或者服务方式的权利；消费者在自主选择商品或者服务时，有权进行比较、鉴别和挑选，消费者有权自主决定购买或者不购买任何一种商品，接受或者不接受任何一项服务；消费者有权决定是否对所购买的商品予以退换。

【案例评析】家具公司的行为是不合法的。《消费者权益保护法》规定，消费者享有自主选择商品或者服务的权利。消费者在自主选择商品或服务时，有权进行比较、鉴别和挑选。因此甲的行为是合法的，至于被坐的椅子损坏，责任不在甲，而是由于椅子质量不合格所致，合格的椅子不会由于普通人一坐而损坏。某家具公司要求甲将家具买下的行为，是对消费者意愿的强迫，属法律所禁止的强制交易行为。最后，某家具公司强迫甲交纳5000元作为赔偿，也是不合法的，在法律上没有根据。

（四）公平交易权

公平交易权是指消费者在购买商品或接受服务时，有权获得质量保障、价格合理、计量正确等公平交易条件，有权拒绝经营者的强制交易行为。消费者的公平交易权是民法的平等、自愿、公平、等价有偿、诚实信用原则的具体体现。通过公平交易法对劣质销售、价格歧视、计量失度、强制交易等限制竞争和不正当竞争行为加以规制，保障消费者公平交易权的实现。

（五）获得赔偿权

【案例讨论】消费者甲在某商场购买了一台25英寸彩色电视机送给乙，用了一个星期左右，彩电发生爆炸，正巧邻居丙在场，炸伤左眼，乙脸部被炸伤。问：本案受害人应该如何索赔？

依法获得赔偿权是指消费者在因购买、使用商品或者接受服务受到人身、财产损害时，依法享有的要求并获得赔偿的权利。依法获得赔偿权是弥补消费者所受损害的必不可少的救济性权利。享有求偿权的主体包括商品的购买者、使用者、接受服务者以及第三人。第三人指在他人购买、使用商品或者接受服务时，因偶然原因在事故现场受到人身、财产损害的人。公民的人身权、财产权是两项基本的民事权利，在消费领域法律对消费者的人身、财产损害赔偿权的规定，是对消费者的人身权和财产权的进一步肯定，明确消费者可以通过一定的方式求得相应的损害赔偿，而且消费者的民事求偿权由于倾斜保护的原则要比一般的民事赔偿更为全面。

【案例评析】 消费者权益保护法规定，消费者或者其他受害人因商品缺陷造成人身、财产损害的，可以向销售者要求赔偿，也可以向生产者要求赔偿，据此，受害人有请求赔偿的选择权，既可以向商场索赔，也可以向生产厂家索赔。

（六）依法结社权

依法结社权是指消费者享有的依法成立维护自身合法权益的社会团体的权利。如"消费者协会"、"消费者委员会"等社团组织。消费者依法成立维护自身合法权益的社会团体，它可以使消费者有组织地参加消费者保护工作，使消费者能够从分散、弱小走向集中和强大，并通过法律的力量来改变自己的弱势地位，与实力强大的经营者相对抗，以此来保护消费者自身的合法权益。自从世界上第一个消费者组织——纽约市消费者协会成立以来的百余年间，各国都通过立法赋予消费者组织的合法地位，以此来抗衡日益强大的经营者，帮助消费者实现自身的正当权利要求。

我国的消费者团体——中国消费者协会自 1984 年成立以来，它的各级组织在保护消费者权益方面做了大量卓有成效的工作。为了便于消费者协会更好地开展工作，我国消费者权益保护法第一次以立法的形式对其地位和职权进行了确认，不仅赋予消费者依法结社的权利，而且明确规定了消费者协会应履行的职能。

（七）获得知识权

获得知识权（接受教育权）是从知悉真情权引申出来的一项消费者权利，是指消费者享有获得有关消费和消费者权益保护方面的知识的权利，以便能更好地维护自身的合法权益，使自己处于同经营者平等的地位。获得知识权是公民受教育权的具体体现，国家有义务通过各个职能部门创造各种机会，通过大众传媒提供商品服务和法律方面的知识。只有保障消费者的接受教育权，才能使消费者更好地掌握所需商品或者服务的知识和使用技能，以使其正确使用商品，提高自我保护意识。

（八）维护尊严权

【案例讨论】 某超市采用开架售货方式，允许顾客自带包、袋，并在超市门口公告："收银员受公司指示，对顾客带入的包、袋作必要查看，请将包、袋打开让收银员过目。"2000 年 2 月 3 日 17 时许，顾客王某在超市购物，交款后，走出超市。被从超市内追出的售货人员叫住并再三追问，要求检查王某的提包，王某非常气愤拒绝检查。销售人员即将王某带进市场办公室内，王某迫不得已按要求打开提包、解开外衣扣子并摘下帽子接受检查。销售人员未查到任何属于市场的未交费的物品。于是，销售人员向王某表示了歉意并放行，当问及经理时，答复是："不知道。"2000 年 3 月，王某向人民法院提起诉讼，请求判令被告该超市赔礼道歉，消除影响，并对侵害其名誉权造成的精神损害予以赔偿。试分析本案的案情。

维护尊严权是指消费者在购买商品、接受服务时所享有的其人格尊严、民族风俗习惯得到尊重的权利，主要表现在消费者在购买商品或接受服务时，经营者不得对消费者进行侮辱、诽谤，不得搜查消费者的身体及其携带的物品，不得侵犯消费者的人身自由。这是宪法规定的尊重和保障人权的基本内容，也是社会文明进步的一种表现。

【案例评析】 超市销售人员的行为违反了《消费者权益保护法》的有关规定，属违法行为。尽管形式上是顾客自己打开提包接受检查，但其实质是市场人员对顾客的搜查。按照法律的规定，销售人员无权对顾客进行搜查。此行为严重侵害了消费者的合法权益并对消费者的人格尊严造成了一定程度的侵害，应承担相应的法律责任。超市是无权要求检查顾客的包、袋的，超市所做的公告是无效的，因此法院应支持王某的诉讼请求。

（九）批评监督权

批评监督权是指消费者享有对商品的经营者、服务的提供者以及保护消费者权益工作进行监督的权利。消费者有权检举、控告侵害消费者权益的行为和国家机关及其工作人员在保护消费者权益工作中的违法失职行为，有权对保护消费者权益工作提出批评、建议。消费者的批评监督权是社会监督的重要组成部分，消费者对商品、服务以及保护消费者权益工作的批评监督是消费者权益得到真正保护的重要途径。

三、经营者的义务

经营者是为消费者提供商品或者提供服务的市场主体，是与消费者直接进行交易的另一方。因此，明确经营者的义务对于保护消费者权益至关重要。经营者的基本义务与消费者的基本权利相对应，消费者权利能否得以实现在很大程度上取决于经营者是否依法履行其应尽的义务。《消费者权益保护法》根据我国经济生活的需要和可能性，针对消费者权利的有关规定，明确规定了经营者的八项义务。

（一）依法定或约定履行义务

经营者向消费者提供商品或者服务，必须依法律规定履行义务。经营者应当依照《中华人民共和国产品质量法》和其他有关法律、法规的规定履行义务。此外，经营者和消费者有约定的，在不与国家法律中的强制性规定发生抵触的情况下，经营者应当按照约定履行义务。

经营者提供商品或者服务，按照国家规定或者与消费者的约定，承担包修、包换、包退或者其他责任的，应当按照国家规定或者约定履行，不得故意拖延或者无理拒绝。

（二）听取意见和接受监督的义务

这是与消费者的批评监督权相对应的经营者的义务。经营者应当听取消费者对其提供的商品或者服务的意见，接受消费者的监督。生产者应采取访问用户或召开座谈会等方式，对所提供的产品进行使用效果与使用要求的调查，了解本产品存在的问题，及时反馈，进一步改进设计，提高产品质量。销售者应通过设置意见簿、投诉电话、公平秤和挂牌上岗、明码标价等措施给消费者提供监督的机会和条件。服务者也应因地制宜地为消费者监督提供便利条件，接受消费者监督，提高服务质量。

（三）保障人身和财产安全的义务

这是与消费者的保障安全权相对应的经营者的义务，要求经营者应当保证其提供的商品或者服务符合保障人身、财产安全的要求。具体来说，经营者提供的商品必须不存在危及人身、财产安全的不合理因素，有保障人体健康，人身、财产安全的国家标准、行业标准的，应当符合该标准。经营者为消费者提供服务时，其服务环境、服务设施、服务内容等也必须不存在危及人身、财产安全的不合理因素。对可能危及人身、财产安全的商品和服务，应当向消费者作出真实的说明和明确的警示，并说明和标明正确使用商品或者接受服务的方法以及防止危害发生的方法。此外，经营者发现其提供的商品或者服务存在严重缺陷，即使正确使用商品或者服务仍然可能对人身、财产安全造成危害的，应当立即向有关行政部门报告和告知消费者，并采取防止危害发生的措施。

（四）提供真实信息的义务

这是与消费者的知悉真情权相对应的经营者的义务。消费者了解、掌握有关商品、服务的信息主要来自于经营者通过标注、表示、宣传等方式提供的信息。因此，《消费者权益保护法》要求经营者应当向消费者提供有关商品或者服务的真实信息，不得作引人误解的虚假宣传，否则即构成侵犯消费者权益的行为和不正当竞争行为。经营者的这一义务包括以下内容：

（1）经营者不得利用广告和其他方式对商品或者服务的质量、制作成分、性能、用途、生产者、有效期限、产地等作令人误解的虚假宣传。

（2）经营者对消费者提出的、有关其提供的商品或者服务的质量和使用方法等问题的询问，应当作出真实、明确的答复。

（3）经营者提供商品时应当明码标价，以利于消费者对不同经营者提供的商品的价格进行比较，从而选择对自己更有利的商品。

（4）经营者应当标明其真实名称和标记。租赁他人柜台或者场地的经营者，应当标明其真实名称和标记。

（五）出具购货凭证和服务单据的义务

购货凭证和服务单据的形式多种多样，如发票、收据、购货单、信誉卡等，是经营者向消费者提供商品或者服务以及相关具体事项的书面凭证。这是记载商品买卖和服务提供的主要内容的重要凭据，也是处理日后可能发生的消费争议的最基本依据，对于确定消费者、经营者权利义务是必不可少的书面证据。根据《消费者权益保护法》的规定，经营者提供商品或者服务，应当按照国家有关规定或者商业惯例向消费者出具购货凭证或者服务单据；消费者索要购货凭证或者服务单据的，经营者必须出具。为了便于消费争议的及时、合理解决，切实保护消费者的合法权益，经营者必须履行出具相应凭证和单据的义务。

（六）保证商品和服务质量的义务

经营者应当保证在正常使用商品或者提供服务的情况下说明其提供的商品或者服务应当具有的质量、性能、用途和有效期限；但消费者在购买该商品或者接受服务前已经知道其存在瑕疵的除外。经营者以广告、产品说明、实物样品或者其他方式表明商品或者服务的质量状况的，应当保证其提供的商品或者服务的实际质量与表明的质量状况相符。这一规定意味着如果商家向消费者提供的商品或者服务与广告、说明、实物样品不一致，将被视为欺诈。消费者可以要求退货并索赔。

（七）禁止从事不公平、不合理交易的义务

【案例讨论】张某在当地一家手机店花1500元购买了一部手机，当天使用就出现了听筒有杂音、对方说话听不清的问题，于是将手机拿到该店去修，第二天取回之后，又发现手机电池性能太差，于是再次去修，接着又出现了手机信号灯不亮、自动关机等一连串的问题。短短十多天，张某反反复复修了五六次还是没修好，张某于是要求店主为他换一部新手机，但店主以“店里有规定，凡是卖出去的手机只修不换”为由予以拒绝，于是张某将该手机店告上了法庭。

这是与消费者的公平交易权相对应的经营者的义务。尽管消费者和经营者的法律地位平等，但由于消费者在信息占有、经济实力等方面均不如经营者而处于弱势的地位，经营者往往利用其优势地位从事不公平、不合理的交易。为了保护消费者的合法权益，《消费者权益保护法》明确规定经营者不得从事不公平、不合理的交易。即经营者不得以格式合同、通知、声明、店堂告示等方式作出对消费者不公平、不合理的规定，或者减轻、免除其损害消费者权益应当承担的责任。格式合同、通知、声明、店堂告示等含有对消费者不公平、不合理的规定或者减轻、免除其承担损害赔偿责任等内容的，其内容无效。

【案例评析】根据有关规定，移动电话在售出第 8 天到第 15 天内，如果移动电话机主机性能出现故障的，消费者可以选择修理或换货，经营者无权通过自己的规定对此予以变更。因此，本案中手机店想通过不合理的规定减轻或免除责任是无效的。当张某要求店主更换新手机时，手机店必须更换。

（八）尊重消费者人格尊严和人身自由的义务

人身自由和人格尊严是宪法赋予每一个公民的基本权利，消费者在购买商品或者接受服务的过程中，其人身自由、人格尊严理应受到经营者的尊重，经营者不得以任何理由对消费者进行侮辱、诽谤，不得搜查消费者的身体及其携带的物品，不得侵犯消费者的人身自由。

四、消费者合法权益的保护

对于消费者权益的保护，仅靠一种方式、通过一种途径进行法律保护是不够的，只有依靠国家和社会的各方面力量，形成一个多途径、多方式的保护机制，互相配合，相互协调，发挥各自优势，才能使消费者的权益得到真正有力有效的保护。目前，我国消费者权益保护的方式主要包括国家保护和社会保护两种方式。

（一）国家对消费者合法权益的保护

国家在保护消费者合法权益的方面担负着主要的职责，国家对消费者合法权益的保护是通过各有关国家机关履行职责的活动得以实现的。根据我国《消费者权益保护法》的规定，国家对消费者合法权益的保护主要体现在以下几方面：

1. 立法保护

保护消费者合法权益是国家应尽的职责，而立法保护则是国家充分有效地保护消费者权益的基础和依据。因此，国家应当加强和完善消费者权益保护的立法工作。国家制定有关消费者权益的法律、法规和政策时，应当充分听取和反映消费者的意见和要求，明确规定消费者的权利和经营者的义务，使消费者权益的保护真正做到有法可依、有章可循。

2. 行政保护

各级人民政府应当加强领导，组织、管理、协调、督促有关行政部门做好保护消费者合法权益的工作。各级人民政府应当加强监督、预防危害消费者人身、财产安全行为的发生，及时制止危害消费者人身、财产安全的行为。

各级人民政府工商行政管理部门和其他有关行政部门应当依照法律、法规的规定在各自的职责范围内，采取措施，保护消费者的合法权益。其他相关行政部门的监督包括技术监督部门对产品质量的监督，计量部门对计量工作的监督，卫生监督部门对食品卫生、药品的生产经营实施监督，物价管理部门对物价的监督，进出口商品检验部门对商品的质量、规格、重量和包装的监督。此外，有关行政部门应当听取消费者及其社会团体对经营者交易行为、商品和服务质量问题的意见，及时调查处理。

3. 司法保护

司法机关应当各司其职，在各自的职权范围内，利用司法手段保护消费者权益。人民法院应当采取措施，方便消费者起诉。对符合《中华人民共和国民事诉讼法》起诉条件的消费者权益争议，必须受理并及时审理。对违法犯罪行为有惩处权力的有关国家机关，应当依照法律、法规的规定，惩处经营者在提供商品和服务中侵害消费者权益的违法犯罪行为，以切实有效保护消费者权益。

（二）社会对消费者合法权益的保护

保护消费者的合法权益是全社会的共同责任，国家鼓励、支持一切组织和个人对损害消费者合法权益的行为进行社会监督。在消费者权益保护方面，国家干预是必要的但不是万能的，国家对消费者权益的保护在手段、方式、程度等方面都存在一定的局限性，仅仅依靠国家对消费者权益进行保护是不够的。而社会监督可以有效地弥补国家干预的不足，保护消费者的合法权益是全社会的共同责任，一切组织和个人都可以对损害消费者权益的行为进行社会监督。

首先，大众传媒应当做好消费者权益的宣传工作，对损害消费者权益的行为进行有效的舆论监督。充分发挥广播、电视、报刊等大众传媒的作用，积极宣传消费者权益保护法，对侵犯消费者权益的行为予以揭露、批评，营造出良好的保护消费者权益的社会氛围。

其次，消费者协会和其他消费者组织应当充分发挥对商品和服务进行社会监督的职能，以切实保护消费者的自身权益。消费者协会和其他消费者组织是依法成立的对商品和服务进行社会监督的保护消费者权益的社会团体（如1984年成立的中国消费者协会、1989年成立的中国保护消费者基金会）。特别是消费者协会，在保护消费者权益方面发挥着至关重要的作用。消费者协会的职能是：

（1）向消费者提供消费信息和咨询信息；

（2）参与有关行政部门对商品和服务的监督、检查；

（3）就有关消费者权益的问题，向有关行政部门反映、查询，提出建议；

（4）受理消费者的投诉，并对投诉事项进行调查、调解；

（5）投诉事项涉及商品和服务质量问题的，可以提请鉴定部门鉴定，鉴定部门应当告知鉴定结论；

（6）就损害消费者权益的行为，支持受损害的消费者提起诉讼；

（7）对损害消费者权益的行为，通过大众传播媒介予以揭露、批评。

最后，消费者组织的根本任务就是维护消费者利益。因此，消费者组织不得从事商品经营和营利性服务，不得以牟利为目的向社会推荐商品和服务。同时，各级人民政府对消费者协会履行职能应当予以大力支持和帮助。

五、消费争议的解决

由于消费者和经营者利益上存在冲突，消费者在购买、使用商品或接受服务的过程中，不可避免地会与经营者就彼此之间的权利义务发生争执而引起民事权益纠纷。及时、有效、合理地解决消费者争议，直接关系到消费者的切身利益，是保护消费者合法权益的关键所在，对于维护和发展正常的经济秩序具有十分重要的意义。为此，我国消费者权益保护法对争议的解决作了专门的规定。

消费者和经营者发生消费者权益争议的，可以通过下列途径解决：

（一）与经营者协商解决

【案例讨论】2002年11月，消费者王某在某公司家具城购买了一套家具共8件，售价13 000元，然而，在半年后，原本漂亮的家具开始显露原形，华丽板一块块脱落变形。无奈之下，王某找到该公司要求处理。该公司对此非常重视，当即派人随王某回家查看家具情况，确认属质量问题。在征得王某同意后，公司在一周内对家具进行了全面修复，并对王某表示歉意，还对王某为修理家具而购买的有关材料的花费作了赔偿。王某也对该公司的诚意表示感谢，通过协商和解，消费者的权益得到了维护。

协商解决是指争议发生后，经营者和消费者双方在没有第三人实质参与的情况下，本着平等、自愿、互利的原则，就争议问题相互交换意见，达成和解协议，使纠纷得以解决。这是发生消费者争议时应当首先采用的一种方式，也是一种最快速、最方便的解决方法。

（二）请求消费者协会调解

这是指在协商不成的情况下，消费者可向消费者协会反映情况，由消费者协会作为第三人出面主持消费争议的调解。消费者协会应在查明事实、分清是非、明确责任的基础上，引导双方协商，促成争议尽快解决。但是，消费者协会不得强制争议各方进行调解，调解必须在各方自愿的基础上依法进行。值得注意的是，由于消费者协会调解达成的协议不具有强制执行的效力，任何一方反悔的，应当通过其他途径解决。

（三）行政申诉

当经营者和消费者就消费者权益争议不能通过和解方式解决时，也可以根据商品和服务的性质直接向有关行政部门提出申诉。有关行政部门主要指工商、物价、技术监督、卫生、商检等机关，应当依法在各自的职责范围内保护消费者权益。具体说来，有关行政机关对受理的消费争论，应及时审查，获取证据，分清责任，可在自愿、合法的前提下，组织双方调解，达成协议。如发现经营者违反法律、行政法规，应承担行政责任时，可依法对其予以行政处罚；发现有犯罪嫌疑的，应移交司法机关处理。

（四）申请仲裁

仲裁，是指双方当事人在争议发生之前或者争议发生之后达成协议，自愿将争议交由第三方作出裁决，以解决争议的法律制度。消费者与经营者产生消费争议后，如果双方协商和解不成，消费者可以根据事前或事后与经营者达成的仲裁协议向仲裁机关申请仲裁。

（五）向法院提起诉讼

这一方式是解决消费者争议最具权威性的方式。消费争议发生后当事人在没有仲裁协议的情况下，可以向有管辖权的人民法院提起诉讼，人民法院根据民事诉讼的规定，应及时立案审理，从尽量方便消费者的原则出发，使纠纷得以及时判决。

六、法律责任

（一）经营者承担法律责任的原则

经营者侵害消费者权益承担法律责任，一般以过错责任为原则，但法律、法规另有规定的除外。消费者对侵权的发生也有过错的，可以减轻经营者的法律责任。经营者因不可抗力而导致侵害消费者权益的，不承担法律责任。此外，《消费者权益保护法》还规定了经营者和其他赔偿主体之间的连带责任：

（1）消费者在购买、使用商品时，其合法权益受到损害的，可以向销售者要求赔偿。销售者赔偿后，属于生产者的责任或者属于向销售者提供商品的其他销售者的责任的，销售者有权向生产者或者其他销售者追偿。消费者或者其他受害人因商品缺陷造成人身、财产损害的，可以向销售者要求赔偿，也可以向生产者要求赔偿。属于生产者责任的，销售者赔偿后，有权向生产者追偿；属于销售者责任的，生产者赔偿后，有权向销售者追偿。消费者在接受服务时，其合法权益受到损害的，消费者可以向服务者要求赔偿。

（2）消费者在购买、使用商品或者接受服务时，其合法权益受到损害，因原企业分立、合并的，消费者可以向变更后承受其权利义务的企业要求赔偿。

（3）使用他人营业执照的违法经营者，若其提供的商品或服务损害了消费者合法权益的，消费者可以直接向其要求赔偿，也可以向营业执照的持有人要求赔偿。

（4）消费者在展销会、租赁柜台购买商品或者接受服务，其合法权益受到损害的，可以向销售者或者服务者要求赔偿。展销会结束或者柜台租赁期满后，也可以向展销会的举办者、柜台的出租者要求赔偿。展销会的举办者、柜台的出租者赔偿后，有权向销售者或者服务者追偿。

（5）消费者因经营者利用虚假广告提供商品或者服务，其合法权益受到损害的，可以向经营者要求赔偿。广告的经营者发布虚假广告的，消费者可以请求行政主管部门予以惩处。广告的经营者不能提供经营者的真实名称、地址的，应当承担赔偿责任。

（二）经营者承担法律责任的形式

根据《消费者权益保护法》的规定，经营者由于违法的情节、性质不同，分别或者同时承担民事责任、行政责任和刑事责任。

（1）经营者提供商品或服务侵害消费者权益的民事责任。经营者提供商品或服务有下列情形之一的，应当依照有关法律规定，承担民事责任：①商品存在缺陷的；②不具备商品应当具备的使用性能而出售时未作说明的；③不符合在商品或者其包装上注明采用的商品标准的；④不符合商品说明、实物样品等方式表明的质量状况的；⑤生产国家明令淘汰的商品或者销售失效、变质的商品的；⑥销售的商品数量不足的；⑦服务的内容和费用违反约定的；⑧对消费者提出的修理、重作、更换、退货、补足商品数量、退还货款和服务费用或者赔偿损失的要求，故意拖延或者无理拒绝的；⑨法律、法规规定的其他损害消费者权益的情形。

（2）经营者提供商品或者服务，造成消费者或者其他受害人人身伤残或者死亡的民事责任和刑事责任。经营者提供商品或者服务，造成消费者或者其他受害人人身伤害的，应当支付医疗费、治疗期间的护理费和因误工减少的收入等费用；造成残疾的，还应当支付残疾者生活自助费、生活补助费、残疾赔偿金以及由其抚养的人所必需的生活费等费用；构成犯罪的，依法追究刑事责任。经营者提供商品或者服务，造成消费者或者其他受害人死亡的，应当支付丧葬费、死亡赔偿金以及由死者生前抚养的人所必需的生活费等费用；构成犯罪的，依法追究刑事责任。

（3）经营者侵害消费者的人格尊严、人身自由的民事责任。经营者违反《消费者权益保护法》的规定，侵害消费者的人格尊严或者侵犯消费者人身自由的，应当停止侵害、恢复名誉、消除影响、赔礼道歉，并赔偿损失。

（4）经营者提供商品或者服务，造成消费者财产损害的民事责任。经营者提供商品或者服务，造成消费者财产损害的，应当按照消费者的要求，以修理、重作、更换、退货、补足商品数量、退还货款和服务费用或者赔偿损失等方式承担民事责任。消费者与经营者另有约定的，按照约定履行。

（5）经营者违反“三包”的规定或约定的民事责任。对国家规定或者经营者与消费者约定包修、包换、包退的商品，经营者应当负责修理、更换或者退货。在保修期内两次修理仍不能正常使用的，经营者应当负责更换或者退货。对包修、包换、包退的大件商品，消费者要求经营者修理、更换、退货的，经营者应当承担运输等合理费用。依法经有关部门认定为不合格的商品，消费者要求退货的，经营者应当负责退货。

（6）经营者违反有关约定的民事责任。经营者以邮购方式提供商品的，应当按照约定提供。未按照约定提供的，应当按照消费者的要求履行约定或者退回货款，并应当承担消费者必须支付的合理费用。经营者以预收款方式提供商品或者服务的，应当按照约定提供。未按照约定提供的，应当按照消费者的要求履行约定或者退回预付款，并应当承担预付款的利息、消费者必须支付的合理费用。

（7）经营者欺诈行为的惩罚性民事赔偿责任。经营者提供商品或者服务有欺诈行为的，应当按照消费者的要求增加赔偿其受到的损失，增加赔偿的金额为消费者购买商品的价款或者接受服务的费用的一倍。

（8）经营者提供商品或者服务侵害消费者权益的行政责任。根据《消费者权益保护法》的有关规定，经营者应承担行政责任的情形有：①生产、销售的商品不符合保障人身、财产安全要求的；②在商品中掺假、掺杂，以假充真、以次充好，或者以不合格商品冒充合格商品的；③生产国家明令淘汰的商品或者销售失效、变质的商品的；④伪造商品的产地，伪造或者冒用他人的厂名、厂址，伪造或者冒用认证标志、名优标志等质量标志的；⑤销售的商品应当检验、检疫而未检验、检疫或者伪造检验、检疫结果的；⑥对商品或者服务作引人误解的虚假宣传的；⑦对消费者提出的修理、重作、更换、退货、补足商品数量、退还货款和服务费用或者赔偿损失的要求，故意拖延或者无理拒绝的；⑧侵害消费者人格尊严或人身自由的；⑨法律、法规规定的其他损害消费者权益的情形。

经营者有上述情形之一的，依照法律、法规的规定执行；法律、法规未作规定的，由工商行政管理部门责令改正，可以根据情节单处或者并处警告、没收违法所得、处以违法所得1倍以上5倍以下的罚款，没有违法所得的，处以1万元以下的罚款，情节严重的，责令停业整顿、吊销营业执照。

（9）经营者在提供商品或者服务的过程中，如果有触犯刑律的严重违法行为，应当承担刑事责任。依照我国《消费者权益保护法》的有关规定，追究刑事责任的情况主要包括以下几种：①经营者提供的商品或者服务，造成消费者或者其他受害人人身伤害或导致受害人死亡的，除必须承担的民事赔偿责任外，构成犯罪的，依法追究刑事责任；②以暴力、威胁等方法阻碍有关行政部门工作人员依法执行职务的，依法追究刑事责任；拒绝、阻碍有关行政部门工作人员依法执行职务，未使用暴力、威胁方法的，由公安机关依照《中华人民共和国治安管理处罚条例》的规定处罚；③国家机关工作人员有玩忽职守或者包庇经营者侵害消费者合法权益的行为的，由其所在单位或者上级机关给予行政处分；情节严重，构成犯罪的，依法追究刑事责任。

第六章
知识产权法律制度

知识产权，也称为智力成果权、精神财产权或者智慧财产权，是指在自然人、法人或其他组织对其在科学、技术、文学、艺术等领域从事智力劳动所创造的智力成果依法所享有的专有权。众所周知，在现代社会的经济发展中，智力成果已产生了巨大的经济价值，对社会文明的进步起着重要的推动作用。因此，随着智力成果越来越商品化和权利化，知识产权也成为法律保护的重要内容。经济学界认为，未来市场产品的竞争实质上就是知识产权的竞争。可以说，尊重和保护知识产权是一个国家和民族生存和发展的必由之路。

知识产权主要包括专利权、商标权（两者简称工业产权）和著作权等。法律界普遍认为，知识产权的保护具有地域性、时间性和独占性等法律特征。我国建立了比较完善的知识产权法律保护制度，其中主要有《中华人民共和国民法通则》、《中华人民共和国专利法》、《中华人民共和国商标法》、《中华人民共和国著作权法》等，同时我国还加入了与知识产权保护相关的国际条约，主要有《保护工业产权巴黎公约》、《保护文学作品伯尔尼公约》、《世界版权公约》、《商标国际注册马德里协定》、《专利合作条约》（缩写《PCT》）和世界贸易组织的《与贸易有关的知识产权协定》（《TRIPS协议》）等。在维护知识产权人的合法权益、促进知识产权的自主创新和实现创新型国家等方面，知识产权法都将发挥重要作用。

第一节 专利法

一、专利与专利法概述

（一）专利与专利权的概念

专利，原指由国家政府授予某项可公开的发明的垄断权。现代意义上的专利有广义和狭义之分。广义上的“专利”有多种含义：一是指专利权；二是指获得专利的发明创造本身；三是指记载专利技术公开的专利文献的总和。狭义上的“专利”，即指专利权。专利权是指一项发明创造经依法审查后，由国家专利管理机关向专利申请人授予的专有权。

（二）专利法的概念

专利法，是指调整因确认、保护和行使发明创造专利权而产生的社会关系的法律规范的总称。专利法的目的是保护发明创造专利权，鼓励发明创造特别是自主知识产权的创新，有利于发明创造的推广应用和创新型国家的建设。

1984 年 3 月 12 日，第六届全国人民代表大会常务委员会第四次会议通过了《中华人民共和国专利法》（以下简称《专利法》）。1992 年和 2000 年，我国先后两次对《专利法》及相关法律进行了修改。《专利法》的主要内容有：专利法的基本原则、授予专利权的条件、专利的申请、审查与批准、专利权的期限、终止与无效、专利实施的强制许可和专利权的保护等。

二、专利权的主体

【案例讨论】2003 年初，甲交通大学建筑工程科研所副主任杨安应当地建筑公司的邀请，同意帮助其研究有关土建工程技术问题。当时，杨安还主管后勤工作。同年暑假，杨安利用本大学实验室的工具和设施，经过数十次的实验和测试，完成了“钻孔压浆成桩法”的发明创造。此后，杨安对该项发明创造向中国专利机关申请了非职务发明专利，并于 2005 年 4 月获得了专利权。甲交通大学认为该项发明应属于职务发明，专利权归属有误。问：

1. 杨安作为发明人是否有权申请专利保护？

2. 该项发明创造是职务发明创造还是非职务发明创造？

专利权的主体，是指对一项发明创造享有署名权、提出专利申请或拥有专利权利的自然人、法人和其他组织。专利权的主体包括发明人或设计人、专利申请人和专利权人三种类型。

（一）发明人或设计人、专利申请人与专利权人

1. 发明人或设计人

发明人或设计人，是指对发明创造的实质性特点做出创造性贡献的人。我国法律将发明、实用新型和外观设计统称为发明创造，将发明的完成人称为发明人，将实用新型和外观设计的完成人称为设计人。我国《专利法》规定，发明人或者设计人有在专利文件中写明自己是发明人或者设计人的权利。

2. 专利申请人

专利申请人，是指就一项发明创造向专利管理机关申请专利的人。一般情况下，发明人或设计人就是专利申请人。但发明人或设计人与专利申请人不完全是同一个人，其原因主要有：①申请人以合同或继承等方式取得了发明人或设计人对发明创造的专利申请权；②法律直接赋予非发明人或设计人对发明创造的专利申请权，如职务发明等。

3. 专利权人

专利权人，是指依法享有专利权的人。专利权人与专利申请人是两个不同的概念。在实践生活中，一方面因专利申请不符合法定条件而不能成为专利，即专利申请人不能成为专利权人；另一方面依据合同或继承等法律事实，非专利申请人也能通过继受取得专利而成为专利权人。

（二）专利申请权和专利权的原始归属

各国专利法均规定，发明人或设计人有权对其完成的发明创造申请专利并依法获得专利法的保护，这是专利申请权和专利权原始归属的基本原则。除此之外，我国

《专利法》还对专利申请权和专利权的原始归属作出了特别规定：

1. 关于合作发明创造或委托发明创造

合作发明创造也称共同发明创造，是指由两人或两人以上依据合作开发合同，共同进行研究所完成的发明创造。委托发明创造，是指接受他人委托所完成的发明创造。我国《专利法》规定，两个以上单位或者个人合作完成的发明创造、一个单位或者个人接受其他单位或者个人委托所完成的发明创造，除另有协议的以外，申请专利的权利属于完成或者共同完成的单位或者个人；申请被批准后，申请的单位或者个人为专利权人。

2. 关于职务发明创造

职务发明创造，是指职工在执行本单位的任务或者主要是利用本单位的物质技术条件所完成的发明创造。其中，所谓的“执行本单位的任务”所完成的发明创造应当包括：①在本职务工作职责中作出的发明创造；②履行本单位交付的本职工作之外的任务所作出的发明创造；③退职、退休或调动工作后一年内所作出的，与其在原单位承担的本职工作或分配的任务有关的发明创造。所谓“本单位的物质条件”是指本单位的资金、设备、零部件、原材料或不向外公开的技术资料等。我国《专利法》规定，职务发明创造申请专利的权利属于该单位；申请被批准后，该单位为专利权人。

3. 关于非职务发明创造

非职务发明创造，是指不是执行本单位的任务，也未利用本单位的物质技术条件，或者虽然利用了本单位的物质技术条件，但依事先约定要返还资金或者使用费所完成的发明创造。我国《专利法》规定，非职务发明创造的专利申请权属于发明人或者设计人；申请被批准后，该发明人或者设计人为专利权人。对于利用本单位的物质技术条件所完成的发明创造，单位与发明人或者设计人订有合同，对申请专利的权利和专利权的归属作出约定的，从其约定。

【案例评析】杨安是发明人，但不是该发明的合法专利申请人。依据《专利法》的规定，杨安的发明属于职务发明，而职务发明的专利申请权属于单位。杨安的发明属于职务发明，理由是其符合《专利法》规定的职务发明的条件，即该发明属于其建筑工程科研工作职责范围且利用了本单位的实验设施等。

三、专利权的客体

专利权的客体，就是专利法所保护的对象。我国《专利法》所规定的保护对象包括发明、实用新型和外观设计三种类型。

（一）发明

发明，是指人们对产品、方法或者其改进所提出的新的技术方案。发明是专利法保护的主要对象，其表现形式多种多样，如产品发明、方法发明、物质发明、首创发明、改进发明、组合发明等。我国《专利法》所保护的发明只包括产品发明、方法发明和改进发明三种。

（二）实用新型

实用新型，是指对产品的形状、构造或者其结合所作出的适于实用的新的技术方案。习惯上，将实用新型称为小发明。在专利申请中，大多数发明创造是实用新型。

（三）外观设计

外观设计，是指对产品的形状、图案、色彩或者其结合所作出的富有美感并适于工业上应用的新设计。

四、授予专利权的条件、专利权的申请与审批

【案例讨论】2005年6月，黄亮向我国某专利局递交了一份发明创造的专利申请。三个月后，收到了专利局的意见通知书："据查，2005年5月的英国专利文献中记载了与黄亮相同的发明，其发明创造不具有新颖性。因此，驳回专利申请。"黄亮认为，自己不懂外文，从未查阅和参照英国的专利文献，其发明完全是自己辛苦得来的科研成果，对专利局的驳回专利申请深感困惑。问：

1. 依据《专利法》的规定，专利机关的意见通知书是否合法？

2. 黄亮对驳回专利申请不服，他应怎么办？

（一）授予专利权的条件

各国专利法对发明创造授予专利权有明确的规定。只有符合法律规定条件的发明创造，经专利申请和审核后才可能授予专利权。

1. 授予专利的积极条件

我国《专利法》对发明创造授予专利权所规定的积极条件，因授予专利的类型不同而有不同的规定。

（1）授予发明和实用新型专利的积极条件。《专利法》规定，授予专利权的发明和实用新型，应当具备新颖性、创造性和实用性。其中，新颖性是指除法律另有规定外，在申请日以前没有同样的发明或者实用新型在国内外出版物上公开发表过、在国内公开使用过或者以其他方式为公众所知，也没有同样的发明或者实用新型由他人向国务院专利行政部门提出过申请并且记载在申请日以后公布的专利申请文件中。创造性是指同申请日以前已有的技术相比，该发明有突出的实质性特点和显著的进步，该实用新型有实质性特点和进步。实用性是指该发明或者实用新型能够制造或者使用，并且能够产生积极效果。

（2）授予外观设计专利的积极条件。《专利法》规定，授予专利权的外观设计，应当同申请日以前在国内外出版物上公开发表过或者在国内公开使用过的外观设计不相同和不相近似，并不得与他人在先取得的合法权利相冲突。《中华人民共和国专利法实施细则》规定，外观设计是指对产品的形状、图案、色彩或者其结合所作出的富有美感并适于工业上应用的新设计。由此可见，授予外观设计专利权的条件应为新颖性、独创性、富有美感及实用性。

2. 不授予专利的消极条件

《专利法》规定了不授予专利权的情形即不授予专利的消极条件，具体包括：科学发现、智力活动的规则和方法，疾病的诊断和治疗方法，动物和植物品种，用原子核变换方法获得的物质及违反法律、社会公德和社会公共利益的发明创造。

（二）专利申请

为了获得一项发明创造的专利权，当事人应依法向专利管理机关提出专利申请。也就是说，一项发明创造即使符合新颖性、创造性和实用性等条件，也不能自动获得专利法的保护，还必须由当事人依法办理相关申请手续。

1. 专利申请的原则

依据我国《专利法》的规定，专利申请的原则主要有：

（1）单一性原则。单一性原则即一件发明或实用新型专利申请应当限于一项发明或实用新型；一件外观设计专利申请应当限于一种产品所使用的一项外观设计。

（2）申请在先原则。申请在先原则即两个以上的申请人分别就同样的发明创造申请专利的，专利权授予最先申请的人。

（3）优先权原则。它是指作为《保护工业产权巴黎公约》成员国的申请人首次提出专利申请后，在法定期限内又向其他成员国提出申请时，申请人有权要求以第一次申请的日期作为后来申请的日期。

2. 专利申请的文件

申请专利必须提交书面的申请文件。专利法对申请文件的种类、内容和格式都有严格的规定。

（1）申请发明或者实用新型专利应提交的文件。我国《专利法》规定，申请发明或者实用新型专利的，应当提交请求书、说明书及其摘要和权利要求书等文件。其中，请求书应当写明发明或者实用新型的名称、发明人或者设计人的姓名、申请人姓名或者名称、地址以及其他事项。说明书应当对发明或者实用新型作出清楚、完整的说明，以所属技术领域的技术人员能够实现为准，必要的时候，应当有附图。摘要应当简要说明发明或者实用新型的技术要点。权利要求书应当以说明书为依据，说明要求专利保护的范围。

（2）申请外观设计专利应提交的文件。由于外观设计专利是对产品形状、图案、色彩或者其结合所给予的法律保护，所以在申请时应当提交请求书和外观设计的图片或照片以及简要说明。

（三）专利审批

依据法律规定，专利管理机关对发明创造的专利申请分不同类型按照不同条件进行分别审批。

1. 发明专利的审批

发明专利的审批涉及以下四个步骤：

（1）初步审查即形式审查。这主要审查发明专利的申请是否符合专利法有关形式方面的要求。

（2）早期公开。符合要求的申请将在申请日起第 18 个月后被公之于众。

（3）实质审查。它是指专利局依法对申请专利的发明是否具有新颖性、创造性和实用性等条件所进行的审查。一般情况下，实质审查是应申请人的要求而进行的。自申请日起 3 年内，申请人都可以向专利机关提出实质审查的请求。申请人无正当理由逾期不请求实质审查的，该申请被视为撤回。在3 年期限内，专利管理机关认为必要时，也可以自行对发明专利申请进行实质审查。

（4）授予发明专利权。专利机关对符合法律要求的申请案将授予专利，并予以登记和公告。

2. 实用新型和外观设计专利的审批

对于实用新型或外观设计的专利申请，专利管理机关在受理申请案后便进行初步审查，没有发现驳回理由的，专利管理机关应当作出授予实用新型专利权或者外观设计专利权的决定，发给相应的专利证书，并予以登记和公告。

（四）对专利申请处理决定不服的救济程序

对驳回专利申请的决定不服的，专利申请人可以自收到通知之日起3个月内，向专利复审委员会请求复审。专利申请人对专利复审委员会的复审决定不服的，可以自收到通知之日起3个月内向人民法院起诉。

对专利权授予有异议的，自公告授予专利权之日起，申请人可以请求专利复审委员会宣告该专利权无效。对专利复审委员会宣告专利权无效或者维持专利权的决定不服的，可以自收到通知之日起3个月内向人民法院起诉。

【案例评析】 专利管理机关的意见通知书是合法的。依据《专利法》规定，授予发明创造专利权的必备条件之一是新颖性。黄亮申请的专利的发明创造不符合此项条件。若黄亮对专利管理机关的处理意见不服，可以依据《专利法》规定向专利复审委员会申请复审，对复审决定不服的，可以依法向人民法院提起诉讼。

五、专利权的内容

【案例讨论】 2003年4月，李智依法申请并取得了“编织式活动地板”的实用新型专利。2004年1月，李智与昆明机房地板厂签订了该专利的普通许可使用合同，允许其在中国境内生产销售该专利产品。2005年3月，李智在市场上发现成都福利电线厂的产品与其专利产品完全相同。李智认为，成都福利电线厂未经其许可使用其专利生产销售专利产品，属于侵权行为。在诉讼中，成都福利电线厂辩称其是根据合同从昆明机房厂取得李智的专利的生产和销售权，不存在侵权。问：

成都福利电线厂是否存在侵权行为，为什么？

专利权的内容是指专利权人依法取得专利后所享有的权利。其主要有专利专有权、转让权、许可使用权、标记权和投资权等。其中，专利专有权是基本和核心的权利，其他都是从专利专有权中派生出来的权利。

1. 专利专有权

专利专有权，是指专利权人在专利有效期限内享有独占制造、使用和销售专利产品或者使用专利方法的权利。我国《专利法》规定：除法律规定外，发明和实用新型专利权被授予后，任何单位或者个人未经专利权人许可，都不得实施其专利，即不得为生产经营目的制造、使用、许诺销售、销售、进口其专利产品，或者使用其专利方法以及使用、许诺销售、销售、进口依照该专利方法直接获得的产品；外观设计专利权被授予后，任何单位或者个人未经专利权人许可，都不得实施其专利，即不得为生产经营日的制造、销售、进口其外观设计专利产品。

2. 专利转让权

专利转让权，是指专利权人享有将其专利申请权或者专利权依法转让给他人并获取报酬的权利。依据我国《专利法》规定，专利转让时应注意：①中国单位或者个人向外国人转让专利申请权或者专利权的，必须经国务院有关主管部门批准。②转让专利时，双方须订立书面合同，并向国务院专利行政部门登记，由国务院专利行政部门予以公告。专利申请权或者专利权的转让自登记之日起生效。

3. 专利许可权

专利许可权，是指专利权人享有依法许可他人实施其专利，并收取专利使用费的权利。专利许可的种类有独占许可、排他许可和普通许可等。我国《专利法》规定，任何单位或者个人实施他人专利的，应当与专利权人订立书面专利实施许可合同，向专利权人支付专利使用费。被许可人无权允许合同规定以外的任何单位或者个人实施该专利。

4. 标记权

标记权，是指专利权人享有在专利产品或者该产品的包装上标明专利标记和专利号的权利。

5. 专利投资权

专利投资权，是指专利权人依据法律规定享有将专利以资本形式进行投资并获取经济利益的权利。

【案例评析】成都福利电线厂的行为构成侵权。依据《专利法》的规定，李智属于“编织式活动地板”的实用新型专利权人，依法享有专利权。未经专利权人的许可，任何人不得实施其专利。在本案中，李智与昆明机房地板厂所签订的合同属于普通许可合同，作为被许可方昆明机房厂无权许可第三方即成都福利电线厂实施该专利。因此，成都福利电线厂依据与被许可方签订的合同所取得的权利不受法律保护。

六、专利权的限制

为了促进专利创新，防止专利权人滥用专利权，各国专利法均在授予专利权的同时又对其进行了限制。我国《专利法》在专利权的限制方面的规定主要有：

（一）专利权保护的范围限制

1. 对于发明和实用新型专利权的保护范围

我国《专利法》确立了以专利权利要求书所记载的各项必要技术特征为限的原则。该原则要求：第一，发明或者实用新型专利权的保护范围以其权利要求的内容为准；第二，权利要求的内容应当以权利要求中明确记载的必要技术特征所确定的范围为准；第三，专利说明书及附图可以用于解释权利要求。

2. 对于外观设计专利权的保护范围

我国《专利法》规定对外观设计专利权的保护范围以表示在图片或者照片中的该外观设计专利产品为准。

（二）专利权保护的时间限制

专利权人对发明创造享有专有权并非永远而是有期限的。专利权期限届满时，发明创造就进入公共领域，任何人都可以无经许可并无偿地使用。我国《专利法》规定，发明专利权的期限是20年，实用新型和外观设计专利权的期限是10年，均自申请日起计算。

（三）专利权保护的地域限制

依照一国专利法所获得的专利，只有在该国法律保护的范围内才享有专有权。除缔结或参加的国际条约另有规定外，专利权没有域外效力。换言之，依据中国专利法所取得的专利，仅在中国受法律保护，其他国家对外国专利没有保护义务。

（四）专利权的许可限制

对专利权的许可限制主要体现在强制许可方面。所谓的强制许可，是指为了国家利益或公共利益，国家专利机关不经专利权人的同意，通过行政程序直接允许有关申请人实施专利权人的发明或者实用新型专利，但申请人应向专利权人支付使用费。

我国《专利法》规定专利强制许可的法定情形有：

（1）具备实施条件的单位以合理的条件请求发明或者实用新型专利权人许可实施其专利，而未能在合理长的时间内获得这种许可的。

（2）在国家出现紧急状态或者非常情况时，或者为了公共利益的目的。

（3）一项取得专利权的发明或者实用新型比前已经取得的专利权的发明或者实用新型具有显著经济意义的重大技术进步，其实施又有赖于前一发明或者实用新型的实施的。

（五）专利权或专利申请权的转让限制

专利权主体享有对专利申请权和专利权的转让的权利，但必须办理法定手续，否则转让行为属于无效行为。依据《专利法》的规定，中国单位或者个人向外国人转让专利申请权或者专利权的，必须经国务院有关主管部门批准。转让专利申请权或者专利权的，当事人应当订立书面合同，并向国务院专利行政部门登记，由国务院专利行政部门予以公告。专利申请权或者专利权的转让自登记之日起生效。

七、专利权的侵权行为与抗辩理由

【案例讨论】2004 年 12 月大都高科公司（以下称原告）取得了“高效能电炒勺”的专利权。2005 年初，原告在与一家公司洽谈其专利许可合同时，发现当地市场上已有相同产品在出售。原告购回后，查明该产品技术与其专利产品相同。于是，原告将该产品生产者明新公司（以下称被告）起诉到法院，要求追究其专利侵权责任。被告辩称，该产品已在 2003 年批量生产，并在中央电视台做了广告宣传。问：

被告的抗辩理由是否成立，为什么？

（一）侵犯专利权的行为

根据《专利法》规定，未经专利权人许可，以营利为目的实施其专利或者假冒其专利，属于专利侵权行为。根据侵权行为性质的不同，侵权人承担的法律责任有民事责任、行政责任或刑事责任。侵犯专利权的行为具体表现为：

1. 未经专利权人许可实施其专利的行为

（1）未经专利权人许可制造专利产品；

（2）未经专利权人许可故意使用专利产品；

（3）未经专利权人许可销售专利产品；

（4）未经专利权人许可使用其专利方法以及使用、销售依照该专利方法直接获得的产品；

（5）未经专利权人许可制造、销售外观设计专利产品；

（6）未经专利权人许可进口专利产品或进口依照专利方法直接获得的产品。

2. 假冒或冒充其专利的行为

（1）未经专利权人许可标明专利权人的专利标记或专利号的假冒行为；

（2）将非专利产品或者方法冒充为专利产品或者方法的冒充行为。

（二）专利纠纷中的抗辩理由

在专利侵权纠纷中，被告可以主张不构成专利侵权或不承担赔偿责任的抗辩理由。依据我国《专利法》和相关法律的规定，抗辩理由主要有以下情形：

（1）属于法律上不视为侵犯专利权的行为。①专利权人制造、进口或者经专利权人许可而制造、进口的专利产品或者依照专利方法直接获得的产品售出后，使用、许诺销售或者销售该产品的；②在专利申请日前已经制造相同产品、使用相同方法或者已经做好制造、使用的必要准备，并且仅在原有范围内继续制造、使用的；③临时通过中国领陆、领水、领空的外国运输工具，依照其所属国同中国签订的协议或者共同参加的国际条约，或者依照互惠原则，为运输工具自身需要而在其装置和设备中使用有关专利的；④专为科学研究和实验而使用有关专利的。

（2）属于法定不承担责任的情形。为生产经营目的使用或者销售不知道是未经专利权人许可而制造并售出的专利产品或者依照专利方法直接获得的产品，能证明其产品合法来源的，不承担赔偿责任。

（3）有超过《专利法》对专利权保护范围、保护时间或保护地域的情形之一的。

（4）不符合授予专利权的法定条件的，经依法主张并认定专利无效的。

（5）超过诉讼时效的。侵犯专利权的诉讼时效为2年，自专利权人或者利害关系人知道或者应当知道侵权行为之日起计算。超过诉讼时效的，专利权人的诉讼请求不能获得法院的支持。

【案例评析】被告行为属于《专利法》上的不视为侵犯专利权的行为。根据《专利法》规定，在专利申请日前已经制造相同产品、使用相同方法或者已经做好制造、使用的必要准备，并且仅在原有范围内继续制造、使用的行为，不视为侵犯专利权的行为。被告的行为符合此项规定，抗辩理由成立，不承担相关责任。

八、专利纠纷的解决程序

专利纠纷包括专利侵权纠纷和专利合同纠纷。对此，专利权人或利害关系人可以通过以下途径维护自身的合法权益。

（一）双方自愿协商解决

当事人可以协商解决专利纠纷，但必须依法进行，不得损害国家、集体或者第三人合法权益，不得违反法律强制性规定和社会公共利益。

（二）请求行政机关处理

当事人不愿协商或者协商不成的，可以请求专利管理机关处理。其中，当事人对专利侵权纠纷行政处理决定不服的，可以自收到处理通知之日起15日内依照《中华人民共和国行政诉讼法》向人民法院起诉；侵权人期满不起诉又不停止侵权行为的，专利管理机关可以申请人民法院强制执行。

在处理侵犯专利权的赔偿数额时，专利管理机关应当事人的请求可以进行调解；调解不成的，当事人可以依照《中华人民共和国民事诉讼法》向人民法院起诉。

（三）提起诉讼程序

当事人不愿协商或者协商不成的，同时也不愿意请求专利管理部门处理的，专利权人或者利害关系人还可以直接向人民法院提起民事诉讼。

第二节 商标法

一、商标与商标法概述

（一）商标的概念

商标，是商品的生产者、经营者或者服务项目的提供者为了使自己生产经营的商品或者提供的服务项目同他人生产经营的商品或者提供的服务项目相区别而采用的一种标志。作为商品或者服务的标志，商标能代表一定商品或者服务的质量和信誉。商标知名度越高，其商品的市场竞争力就越强。

（二）商标的分类

按照不同的标准，可以将商标分为不同的种类。

1. 按商标的结构分类

按商标的结构的不同，可将商标分为文字商标、图形商标、字母商标、数字商标、颜色组合商标、立体商标和非形象商标（如音响商标、气味商标和电子数据传输标记等）等。

2. 按商标的使用者分类

按商标的使用者的不同，可将商标分为产业商标、服务商标、集体商标和无主商标等。

3. 按商标的用途分类

依商标用途的不同，可将商标分为营业商标、证明商标、等级商标、亲族商标、防御商标和联合商标等。

4. 按商标的知名度分类

依商标的知名度情况，可将商标分为普通商标、著名商标和驰名商标等。其中，著名商标是指在一定的地域范围较为知名的商标。它不属于国际上的专用名词，只是在我国省市级名誉评选中采用。驰名商标是指在较大地域范围的市场上享有较高声誉，为相关公众所普遍熟知，有良好质量信誉并受法律特别保护的商标。我国商标法对驰名商标的认定和保护作了明确规定。

【知识链接】绿色食品协会注册的绿色食品商标，旅游饭店协会注册的五星长城星级商标，杭州娃哈哈集团在同类商品上注册的哈娃娃、娃娃哈、哈娃哈等一系列商标，烟台北极星钟表公司在钟表上注册北极星商标外，还在其他机械商品上也注册了北极星商标，可口可乐公司在饮料上注册了可口可乐商标，也在其他商品上注册了可口可乐商标。问：

按商标的用途，它们各属于哪一种商标？

（三）商标法的概念

商标法，是指调整在商标注册、使用、管理和保护过程中所发生的社会关系的法律规范的总称。其核心内容是确认和保护注册商标的专用权。商标法的目的是为了加强商标管理，保护商标专用权，促使生产者、经营者保证商品和服务质量，维护商标信誉，以保障消费者和生产者、经营者的利益，促进社会主义市场经济的发展。

1982 年，中华人民共和国第五届全国人民代表大会常务委员会第二十四次会议通过了《中华人民共和国商标法》（以下简称《商标法》），并于1983年3月1日起施行。1983年，出台了相应的配套法规《中华人民共和国商标法实施条例》。为了适应市场经济发展和中国加入世贸组织的需要，1993年和2001年，我国先后两次对《商标法》和其他相关法律进行了修改。我国现行《商标法》的主要内容有：商标注册的申请、商标注册的审查和核准、注册商标的续展、转让和使用许可、注册商标争议的裁定、商标使用的管理和注册商标专用权的保护等。

二、商标注册原则

在商标专用权的保护上，绝大多数国家实行商标注册原则。商标注册原则，是指商标使用人必须依法向商标管理机关办理注册登记才能取得商标专用权。在我国，商标使用人为了获得商标专用权，应当依照商标法的规定，向商标管理机关提出注册申请，经商标管理机关审核并授予商标专用权。依据我国《商标法》的规定，在商标注册中应遵守以下原则：

（一）自愿注册和强制注册相结合的原则

自愿注册，是指商标使用人根据实际需要和自己的意愿，自主决定商标注册申请并取得商标专用权。通过申请并经国家商标局核准注册的商标为注册商标，注册人对其享有专用权，受法律保护；未经注册的商标也可使用，但不得与他人商标专用权相冲突。强制注册，是指商标使用人应当依法在其生产或者经营的商品上使用注册商标，未使用注册商标的商品禁止在市场上销售。

我国商标法实现自愿注册和强制注册相结合的原则。对于强制注册的商标，《商标法》第6条明确规定，国家规定必须使用注册商标的商品，必须申请商标注册，未经核准注册的，不得在市场上销售。依据我国法律规定，烟草制品必须使用注册商标。国家规定必须使用注册商标的其他商品，由国家工商行政管理局公布。

（二）分类申请的原则

分类申请的原则，是指商标使用人申请商标注册的，应当按照规定的商品分类表填报使用商标的商品类别和商品名称；同一申请人在不同类别的商品上使用同一商标的，应当按商品分类表提出注册申请。因此，一份申请只能请求注册一件商标，不能在一份申请中提出两件以上的商标，不同类别的商品需要使用同一商标的，应当按商品分类表分别提出申请。

（三）申请在先原则

申请在先原则，又称注册在先原则，是指两个或两个以上的申请人，在同一或者类似商品上以相同或者相近似的商标申请注册时，注册申请在先的商标，对申请在后的商标予以驳回。

（四）使用在先原则

使用在先原则，是指两个或两个以上的申请人，在同一天就同一或者类似商品上以相同或者相近似的商标申请注册时，注册最先使用的商标，对使用在后的商标注册申请予以驳回。

（五）优先权原则

优先权原则，是指申请人第一次在《保护工业产权巴黎公约》成员国就一件商标提出注册申请后6个月内，又向其他成员国提出同样的申请，则其他成员国必须以其第一次申请日为有效申请日期，任何第三人就同一商标提出申请时都不影响其权利的获得。优先权是国际商标注册中给予在某一国家已注册的申请人的一种优先“特权”。

三、商标注册的条件

【案例讨论】 四川省长寿县有一家挂面生产厂，其生产的挂面深受当地消费者的喜爱。为了与其他生产者的产品相区别，其在挂面上印有“长寿”字样及寿仙图样，意思是“吃了长寿面，人人健康长寿”。同时，该厂向国家商标管理机关申请“长寿”注册商标，期望获得商标专用权。问：

该商标能否获得国家商标管理机关的核准注册，为什么？

为了维护商标管理秩序，各国对申请注册的商标都规定了注册条件。依据我国《商标法》规定，申请注册的商标应当具备下列条件：

（一）商标必须具备法定的构成要素

商标必须由文字、图形、字母、数字、三维标志和颜色组合，以及上述要素的组合，并且具有可视性。依据《商标法》的规定，我国商品的气味、音响等不能作为注册商标使用。

（二）商标必须具有显著的特征，便于识别

商标必须具有显著特征，才能起到商标标记和区别的作用。因此，申请注册的商标不能与商品名称和商品本身的性质相混同，不能与他人已注册的商标相同或者近似。否则，不予注册或注册无效。

（三）商标不得使用禁用标志

1. 注册商标和非注册商标均不得采用的标志

（1）同中华人民共和国的国家名称、国旗、国徽、军旗、勋章相同或者近似的，以及同中央国家机关所在地特定地点的名称或者标志性建筑物的名称、图形相同的；

（2）同外国的国家名称、国旗、国徽、军旗相同或者近似的，但该国政府同意的除外；

（3）同政府间国际组织的名称、旗帜、徽记相同或者近似的，但经该组织同意或者不易误导公众的除外；

（4）与表明实施控制、予以保证的官方标志、检验印记相同或者近似的，但经授权的除外；

（5）同“红十字”、“红新月”的名称、标志相同或者近似的；

（6）带有民族歧视性的；

（7）夸大宣传并带有欺骗性的；

（8）有害于社会主义道德风尚或者有其他不良影响的。

县级以上行政区划的地名或者公众知晓的外国地名，不得作为商标。但是地名具有其他含义或者作为集体商标、证明商标组成部分的除外；已经注册的使用地名的商标继续有效。

2. 注册商标不得采用的标志

（1）仅有本商品的通用名称、图形、型号的。

（2）仅仅直接表示商品的质量、主要原料、功能、用途、重量、数量及其他特点的。

(3) 缺乏显著特征的。前款所列标志经过使用取得显著特征，并便于识别的，可以作为商标注册。同时，《商标法》对三维标志申请注册商标作出了特别规定，仅由商品自身的性质产生的形状、为获得技术效果而需有的商品形状或者使商品具有实质性价值的形状，不得注册。

商标中有商品的地理标志，而该商品并非来源于该标志所标示的地区，误导公众的，不予注册并禁止使用；但是，已经善意取得注册的继续有效。所谓的地理标志，是指标示某商品来源于某地区，该商品的特定质量、信誉或者其他特征，主要由该地区的自然因素或者人文因素所决定的标志。

【案例评析】本案中的"长寿"商标，能够获得国家商标管理机关的核准注册。依据《商标法》的规定，县级以上行政区划的地名或者公众知晓的外国地名，不得作为商标，但是地名具有其他含义或者作为集体商标、证明商标组成部分的除外，已经注册的使用地名的商标继续有效。本案中的"长寿"虽然是县级行政区划的地名，但具有其他含义。因此，其符合商标注册条件，可以申请注册。

四、商标注册的申请与审批

(一) 商标注册的申请

商标注册申请是取得商标专用权的必经程序。在我国，申请手续可由当事人自己办理或委托他人办理。但对于申请人是外国人或外国企业的，则应当按其所属国和中国签订的协议或者共同参加的国际条约办理，或者按对等原则办理。需要强调的是，外国人或者外国企业在中国申请商标注册和办理其他商标事宜的，应当委托国家认可的具有商标代理资格的组织代理。

商标注册申请分为首次注册申请、另行注册申请和变更注册申请三种情形。在首次注册申请时，主要有以下步骤：

1. 商标查询

商标注册申请人应到商标注册机关查询有关商标登记注册情况，目的是了解自己准备申请注册的商标与他人已经注册或正在申请注册的商标是否相同或者相似，是否在同种商品或同类商品上使用。

2. 送交申请书件

商标注册申请人应送交的申请书件有：①按商品和服务国际分类表填写《商标注册申请书》一份。②商标图样（着色图样）10 份和黑白墨稿 1 份，要求是用光洁耐用的纸张印制或者用照片代替，长和宽应不大于 10 厘米，不小于 5 厘米。③申请的注册商标的商品是国家规定必须使用注册商标的，应当附送有关证明文件，如药品商标注册的卫生行政部门发给的证明文件，烟草商标注册的国家烟草主管机关批准生产的证明文件等。

3. 缴纳费用

商标注册申请人申请商标注册时包括转让注册商标、续展注册、变更、补证、评审及其他有关事项，必须按规定缴纳费用。

(二) 商标注册的审核

我国对申请注册的商标实行审查制度，即对申请注册的商标不仅要进行形式审查，而且还要进行实质审查。

形式审查，是指审查该商标注册申请的文件和手续是否符合法定条件，以确定对商标注册申请是否受理的行为。

实质审查，是指对申请注册的商标实体内容和条件进行审查的行为。实质审查主要包括以下几个方面的内容：

（1）商标是否符合法定构成要素；

（2）商标是否具有显著特征；

（3）商标是否违反了禁用条款；

（4）商标是否与他人在同一种商品或者类似商品上已经注册的或者初步审定的商标相同或者近似。

商标注册机关对申请注册的商标，依据商标法进行实质审查后，凡符合商标法有关规定并具有显著特征的商标，予以初步审定，并予以公告。对初步审定的商标，自公告之日起3个月内，没有人提出异议或者经裁定异议不能成立的，商标注册机关给予核准注册，发给商标注册证，并予以公告。商标注册证是商标注册人在法律上取得商标专用权的证明文件。

（三）对驳回商标注册申请和注册商标有异议的处理

（1）对驳回申请、不予公告的商标，商标局应当书面通知商标注册申请人。商标注册申请人不服的，可以自收到通知之日起15日内向商标评审委员会申请复审，由商标评审委员会做出决定，并书面通知申请人。

当事人对商标评审委员会的决定不服的，可以自收到通知之日起30日内向人民法院起诉。

（2）对初步审定、予以公告的商标提出异议的，商标局应当听取异议人和被异议人陈述事实和理由，经调查核实后，做出裁定。当事人不服裁定的，可以自收到通知之日起15日内向商标评审委员会申请复审，由商标评审委员会做出裁定，并书面通知异议人和被异议人。

当事人对商标评审委员会的裁定不服的，可以自收到通知之日起30日内向人民法院起诉。人民法院应当通知商标复审程序的对方当事人作为第三人参加诉讼。当事人在法定期限内对商标局做出的裁定不申请复审或者对商标评审委员会做出的裁定不向人民法院起诉的，裁定生效。

五、注册商标权的内容

【案例讨论】2004年初，健力保足球俱乐部与南京体育用品厂合作开发纪念足球等系列用品，使用“健力保”商标，但未就该商标向国家申请注册。2004年12月，天津体育用品厂依法申请并获准注册了在体育用品上的“健力保”商标。2005年3月，天津体育用品厂要求健力保足球俱乐部、南京体育用品厂同其签订注册商标使用许可合同，否则追究其商标侵权责任。问：

天津体育用品厂的要求是否合法，为什么？

注册商标权的内容，主要是指注册商标权人依法对其注册商标所享有的权利。注册商标权主要有商标专用权、续展权、转让权、许可使用权和投资权等。

（一）注册商标专用权

注册商标专用权，是指商标专用权人在核定的商品上独自享有使用核准注册商标的权利。我国《商标法》第3条规定，经商标局核准注册的商标为注册商标，商标注册人享有商标专用权，受法律保护。商标专用权是注册商标权基本和核心的权利，其他权利都是从专用权中派生出来的。

注册商标专用权的取得方式有两种，即原始取得和继受取得。注册商标专用权的原始取得即申请获准注册取得，申请人应当按商标注册申请程序办理；注册商标专用权的继受取得即转让或继承取得，当事人应当按商标转让或者继承程序办理。

（二）注册商标转让权

注册商标转让权，是指商标专用权人依法享有将其注册商标转让给他人并获取报酬的权利。转让注册商标权时应注意：①转让人和受让人应当签订转让协议，并共同向商标局提出申请。②受让人应当保证使用该注册商标的商品质量。③转让注册商标经核准后，予以公告。受让人自公告之日起享有商标专用权。④注册商标的转让不影响转让前已经生效的商标使用许可合同的效力，但商标使用许可合同另有约定的除外。

（三）注册商标使用许可

注册商标使用许可权，是指注册商标专用权人依法享有将其注册商标许可他人使用并获取报酬的权利。使用许可注册商标时应注意：①商标注册人可以通过签订商标使用许可合同，许可他人使用其注册商标。许可人应当监督被许可人使用其注册商标的商品质量。②被许可人应当保证使用该注册商标的商品质量。③经许可使用他人注册商标的，必须在使用该注册商标的商品上标明被许可人的名称和商品产地。④商标使用许可合同应当报商标局备案。商标使用许可合同未经备案的，不影响该许可合同的效力，但当事人另有约定的除外。

（四）注册商标投资权

注册商标投资权，是指注册商标持有人依据法律规定能以其注册商标作为投资方式之一并获取经济利益的权利。在现代企业进行投资、扩张中，除了投入资金、设备等有形资产以外，更加注重投入以商标（品牌）、技术等以知识产权为核心和主要内容的无形资产。

【案例评析】天津体育用品厂的要求合法。我国《商标法》第3条规定，经商标局核准注册的商标为注册商标，商标注册人享有商标专用权，受法律保护。天津体育用品厂依法对“健力保”商标进行了注册，即取得了商标专用权。本案中，健力保足球俱乐部与南京体育用品厂虽然早已使用“健力保”商标，但未就该商标向国家申请注册，其行为不受商标法的保护。若要继续使用“健力保”商标，应取得商标专用权人的许可，否则其行为违法，应承担相关责任。

六、商标权的限制

（一）商标权保护的范围限制

商标权的保护范围以核准注册的商标和核定使用的商品为依据。核准注册的商标指核准注册的商标图样，包括商标名称、文字、图形、字母、数字、三维标志和颜色组合以及上述要素的组合；核定使用的商品指核定使用该商标的商品类别和商品名称。核准注册的商标与核定使用的商品是一个整体，两者的结合构成商标权的有效范围。

（二）商标权保护的地域限制

商标权同专利权一样，其法律保护有着地域特点。依照一国商标法所获得的商标权，只有在该国法律保护的范围内才享有专用权。除缔结或参加的国际条约另有规定外，商标权没有域外效力，一国对他国商标的专用权没有保护义务。

（三）商标权保护的时间限制

商标权人对注册商标享有专用权，但保护时间有特别规定。《商标法》规定，注册商标的有效期为10年，自核准注册之日起计算。注册商标有效期满，需要继续使用的，应当在期满前6个月内申请续展注册；在此期间未能提出申请的，可以给予6个月的宽展期。宽展期满仍未提出申请的，注销其注册商标。每次续展注册的商标权有效期为10年。

七、驰名商标的特别保护

驰名商标相对普通商标而言，可以享有较高的法律保护。我国《商标法》建立了符合《TRIPS协议》的驰名商标特别法律保护制度，主要体现在：

（一）对未注册的驰名商标的特别保护

我国《商标法》规定，就相同或类似商品申请注册的商标是复制、模仿或者翻译他人未在中国注册的驰名商标，容易导致混淆的，不予注册并禁止使用。这表明，我国商标法对未注册的驰名商标实行同类商品保护法律制度。

（二）对注册的驰名商标的特别保护

我国《商标法》规定，就不相同或者不类似商品申请注册的商标是复制、模仿或者翻译他人已经在中国注册的驰名商标，误导公众，致使该驰名商标注册人的利益可能受到损害的，不予注册并禁止使用。可以看出，我国商标法对注册的驰名商标实行跨类商品保护法律制度。

（三）对驰名商标所有人行使撤销权的特别保护

我国《商标法》规定，已经注册的商标违反本法第13条的规定，自商标注册之日起5年内，商标利害关系人可以请求商标评审委员会裁定撤销该注册商标。对恶意注册的，驰名商标不受5年的限制。由此可见，对驰名商标所有人行使撤销权分情形而区别对待。如果他人是非恶意注册的，商标利害关系人的撤销权受5年的限制；如果是恶意注册的，其撤销权不受时间的限制。

同时，我国还对驰名商标给予其他特别保护，如：他人不得将驰名商标作为企业名称或者企业名称的一部分，不得以任何方式将与驰名商标相同或者近似的文字（含译文）、图形作为商品名称或者商品装潢和作为商业网络域名等使用。

八、侵犯商标权的行为与抗辩理由

【案例讨论】成都福兰德公司（以下称原告）于2004年向国家商标局申请注册商标“PDA”，核定使用范围为第九类。为了扩展网络市场，原告准备将PDA注册为域名的时候，发现弥天业经贸有限公司（以下称被告）于2005年10月注册了“pda. com. cn”域名。原告以商标侵权和不正当竞争为由向法院起诉。被告在诉讼中辩称，原告的注册商标是与其核准使用商品即电子记事簿类产品的通用名称，不符合注册条件。被告向商标管理机关申请裁定原告注册商标无效。在裁定前，法院中止本案审理。问：

被告的抗辩理由是否成立，为什么？

（一）侵犯商标专用权的行为

商标侵权行为应当承担法律责任。依据我国《商标法》规定，商标侵权责任可以分为三类：民事责任、行政责任和刑事责任。侵犯注册商标专用权的行为主要有：

（1）未经商标注册人的许可，在同一种商品或者类似商品上使用与其注册商标相同或者近似的商标的。

（2）销售侵犯注册商标专用权的商品的。

（3）伪造、擅自制造他人注册商标标识或者销售伪造、擅自制造的注册商标标识的。

（4）未经商标注册人同意，更换其注册商标并将该更换商标的商品又投入市场的。

（5）给他人的注册商标专用权造成其他损害的。

（6）在同一种商品或类似商品上将与他人的注册商标相同或相近似的文字、图形作为商品名称或者商品装潢使用，并足以造成误认的。

（7）故意为侵犯他人商标专用权提供仓储、运输、邮寄、隐匿等便利条件的。

（8）将与他人注册商标相同或者相近似的文字作为企业的字号在相同或者类似商品上突出使用，容易使相关公众产生误认的行为的。

（9）复制、摹仿、翻译他人注册的驰名商标或其主要部分在不相同或者不相类似的商品上作为商标使用，误导公众，致使该驰名商标注册人的利益可能受到损害的。

（二）商标纠纷中的抗辩理由

在商标侵权纠纷中，被告可以主张不构成商标侵权或不承担赔偿责任的抗辩理由。依据我国《商标法》和其他法律的规定，抗辩理由主要有：

（1）本人依法获得商标权，包括商标权的原始取得和继受取得。

（2）原告的注册商标有不符合法律规定之处，经申请并由商标管理机关裁定注册商标无效的。

（3）注册商标所有人未在有效期内办理续展手续或者自动放弃注册商标并办理放弃登记手续，被注销商标的。

（4）原告的诉讼请求有超出商标法的保护范围、保护地域等情形之一的。

（5）超过诉讼时效的。侵犯商标专用权的诉讼时效为 2 年，自商标权人或者利害关系人知道或者应当知道侵权行为之日起计算。超过诉讼时效的，法院对原告的诉讼请求不予支持。

【案例评析】被告的抗辩理由成立。原告成都福兰德公司的注册商标有不符合《商标法》规定之处。我国《商标法》规定，注册商标不得采用下列标志：仅有本商品的通用名称、图形、型号的。本案中，原告向国家商标局申请注册的商标“PDA”，是与其核准使用商品即电子记事簿类产品的通用名称，属于《商标法》规定的禁止注册情形。作为对原告的抗辩理由，被告有权向商标管理机关申请裁定原告注册商标无效，从而免除相关的法律责任。

九、商标纠纷的解决

商标纠纷包括商标侵权行为纠纷和商标合同纠纷。商标权人或利害关系人可以依法通过下列方式处理：

（一）自行协商和解

当事人可以协商解决商标纠纷。法律规定，当事人协商解决商标纠纷时必须依法进行，不得损害国家、集体或者第三人的合法权益，不得违反法律强制性规定和社会公共利益。

（二）请求行政处理

对商标纠纷，当事人不愿协商或者协商不成的，商标注册人或者利害关系人可以请求工商行政管理部门处理。

对于商标纠纷处理决定不服的，当事人可以向人民法院起诉；侵权人期满不起诉又不履行的，工商行政管理部门可以申请人民法院强制执行。工商行政管理部门根据当事人的请求，可以就纠纷中的赔偿数额进行调解；调解不成的，当事人可以向人民法院起诉。

对侵犯注册商标专用权的行为，工商行政管理部门有权依法查处；涉嫌犯罪的，应当及时移送司法机关依法处理。

（三）提起诉讼程序

对于商标纠纷，当事人不愿协商或者协商不成的，也不向工商行政管理部门申请处理的，商标注册人或者利害关系人可以向人民法院起诉，通过诉讼程序处理纠纷。

第三节　著作权法

一、著作权与著作权法概述

（一）著作权的概念

著作权，是指文学、艺术和科学作品的著作权人依法对某作品所享有的权利。在我国的法律上，著作权与版权系同义词。版权源于英文 Copyright，最初仅指出版商的权利，现在逐步演变为作者或著作权人的权利。

著作权属于知识产权，但相对于工业产权而言，其不同之处表现在：①取得著作权的有效条件是作品的独创性，不同于工业产权所要求的新颖性和实用性；②著作权的自动取得制度，即著作权法采用创作保护主义的原则，只要作者独立完成了作品的创作就自动取得了著作权，不同于工业产权的审核制。因此，著作权的取得方式决定了著作权的效力不能排斥他人独立完成的相同作品的著作权。

（二）著作权法的概念

著作权法，是指调整因创作、使用和传播文学、艺术和科学作品而产生的社会关系的法律规范的总称。著作权法的立法目的，是通过确认和保护著作权，促进国家文化与科学事业的发展与繁荣。

1990 年 9 月 7 日，中华人民共和国第七届全国人民代表大会常务委员会第十五次会议通过了《中华人民共和国著作权法》（以下简称《著作权法》）。2001 年，按照世界贸易组织《TRIPS 协议》对各成员保护知识产权的要求，我国对《著作权法》及相关法律进行了修改。《著作权法》的主要内容有：著作权人及其权利、著作权归属、著作权权利的保护期与权利的限制、著作权许可使用与转让合同和法律责任等内容。

二、著作权的主体

【案例讨论】 2004年6月，原告与被告协商同意共同创作一部武打功夫电影剧本。其分工为：原告负责搜集素材，构思成电影剧情并提供给被告，双方讨论后，由被告撰写剧本。2004年10月，被告根据原告提供的素材和剧情完成了剧本创作。2005年2月，被告以个人名义发表了该电影剧本。在诉讼中，原告认为该剧本系合作创作，其依法享有著作权，被告未经其同意就以个人名义发表，侵犯了其著作权，要求被告赔偿损失和公开道歉。被告辩称，该剧本是由其个人写作完成，原告没有写一个字，自己才是剧本的唯一作者，不存在著作权的侵权行为。问：

依据我国《著作权法》的规定，被告理由是否成立，为什么？

（一）著作权的主体

著作权的主体有广义和狭义之分。狭义的著作权主体仅指作者或者著作权人；广义的著作权主体除了作者和著作权人外，还包括邻接权的主体。因此，正确理解著作权的主体，应把握以下三个概念：

1. 作者

作者，是指创作作品的人。我国《著作权法》规定，创作作品的公民是作者；由法人或者其他组织主持，代表法人或者其他组织意志创作，并由法人或者其他组织承担责任的作品，法人或者其他组织视为作者。

2. 著作权人

著作权人，是指依法享有作品人身权和财产权利的人。在法律上，著作权人与作者并非同义词。著作权人可以分为原始著作权人和继受著作权人。基于直接创作作品而取得著作权的人是原始著作权人，即作者；基于继承、赠与、合同等法律事实享有著作权的人是继受著作权人。

3. 邻接权主体

邻接权主体，是指在传播作品过程中享有权利义务的作品传播者。邻接权不是著作权，但与著作权相关。依照法律的规定，其主要包括：表演作品的表演者、音像制品的录制者、广播电视节目的广播者和出版图书报刊的出版者。

（二）著作权的原始归属

著作权属于作者是著作权的原始归属的基本原则。我国《著作权法》规定，著作权属于作者，本法另有规定的除外。针对某些特殊情况，著作权的归属以此原则难以准确判断。对此，我国《著作权法》作出了具体规定：

1. 关于演绎作品

演绎作品，是指改编、翻译、注释、整理原有作品而产生的作品。演绎作品是演绎人对现有作品进行了创造的新成果，具有新的创作成分，所以著作权归属于演绎人，即改编、翻译、注释、整理人享有。演绎人在行使著作权时不得侵犯原作品的著作权。

2. 关于合作作品

合作作品，是指两人以上在共同合作意思下通过合作行为所创作的作品。合作作品著作权归属于合作作者，即由合作作者共同享有。合作作品可以分割使用的，作者对各自创作的部分可以单独享有著作权，但行使著作权时不得侵犯合作作品整体的著作权。

3. 关于编辑作品

编辑作品，是指在不改变原有作品的情况下进行筛选、汇集、编排而产生的作品。比如报刊、期刊、百科全书、词典、论文集等都属于编辑作品。编辑作品由编辑人享有著作权。编辑人行使著作权时，不得侵犯原作品的著作权，编辑作品中可以单独使用的作品的作者有权行使其著作权。

4. 关于影视作品

影视作品，是对电影、电视、录像作品的统称。在影视作品的创作过程中，编剧、导演、摄影、演员、剪辑等都付出了创造性的劳动，他们的劳动成果在绝大多数情况下相互依存，不可分割，共同构成一部独立完整的影视作品。因此，影视作品的导演、编剧、作词、摄影等作者享有署名权，著作权的其他权利由制作影视作品的制片者享有；影视作品中剧本、音乐等可以单独使用的作品的作者有权单独行使其著作权。

5. 关于职务作品

职务作品，是指公民为完成单位工作任务而创作的作品。职务作品的著作权由作者享有的，法人或非法人单位有权在其业务范围内优先使用；作品完成两年内，未经单位同意，作者不得许可第三人以与单位使用的相同方式使用该作品。职务作品的著作权归属单位的，作者享有署名权，单位对创作作品的作者可以给予奖励。

6. 关于委托作品

委托作品，是指接受委托人的委托，受托人根据合同约定创作完成的作品。委托作品著作权的归属由委托人和受托人通过合同约定。合同未作明确约定或者没有订立此类合同的，著作权属于受托人。

【案例评析】 被告理由不成立。我国《著作权法》规定，两人以上在共同合作意思下通过合作行为所创作的作品，属于合作作品。合作作品著作权归属于合作作者，即由合作作者共同享有。本案中，原告与被告协商同意共同创作一部武打功夫电影剧本，并且双方分工为：原告负责搜集素材，构思成电影剧情并提供给被告，双方讨论后，由被告撰写剧本。事后，被告根据原告提供的素材和剧情完成了剧本创作。因此，双方既有共同创作的主观意愿，又有共同创作的客观行为。依据《著作权法》规定，本案中的作品属于合作作品。原告是本案作品的作者之一，依法对其享有著作权。

三、著作权的客体

【案例讨论】 2005 年 3 月，蓝天健身俱乐部（以下称被告）为了开辟市场，做了大量的广告宣传，不论在电视广告中还是在报刊的广告中，都有一个意味深长的隶书“健”。书法家王一多（以下称原告）发现被告广告中的“健”字取自于其书法作品集。在诉讼中，原告认为被告未经许可使用其作品，构成侵权并要求赔偿损失。被告承认其广告中的“健”字取自于原告的书法作品集，但认为该书法作品已从书店合法购买，而且隶书不是作品，因此不存在侵权。问：

1. 本案作品集中的隶书“健”是否是著作权法所保护的对象？

2. 被告行为是否违反了著作权法？

（一）著作权的客体

著作权的客体即著作权法所保护的对象。依据我国《著作权法》的规定，狭义的著作权的客体是作品。作品，是指在文学、艺术和科学领域内具有独创性和可复制性的智力创作成果。作品应当具以下属性：①独创性；②可复制性；③反映作者的思想情感。

《著作权法》保护的作品分为以下类型：①文字作品；②口述作品；③音乐、戏剧、曲艺、舞蹈、杂技艺术作品；④美术、建筑作品；⑤摄影作品；⑥电影作品和以类似摄制电影的方法创作的作品；⑦工程设计图、产品设计图、地图、示意图等图形作品和模型作品；⑧计算机软件；⑨法律、行政法规规定的其他作品，如民间文学艺术作品。除法律明确规定外，作品均受著作权法的保护。

《著作权法》规定保护对象的同时，也规定了排除保护的情形，主要包括：

（1）依法禁止出版、传播的作品。

（2）著作权法不适用于：①法律、法规，国家机关的决议、决定、命令和其他具有立法、行政、司法性质的文件，及其官方正式译文；②时事新闻；③历法、通用数表、通用表格和公式。

（二）邻接权的客体

著作权法所称的邻接权是指在传播作品过程中传播者所享有的权利。因此，邻接权的客体主要有：表演者的表演、录制者的录音录像、广播者的广播节目和出版者的出版刊物。邻接权的客体和著作权的作品之间的区别是：前者不必具备独创性，后者必须具备独创性。

【案例评析】本案作品集中的隶书“健”属于著作权法所保护的对象。本案中，隶书“健”是作者的智力创作成果，具有独创性、可复制性，也反映了作者的思想情感，属于著作权法规定的美术作品，且不属于著作权法排除保护的情形，是著作权法的保护对象。本案中，被告未经其著作权人即原告的许可，使用其作品从事商业活动，侵犯了著作权人的著作权，属于违法行为，应当承担相关的法律责任。

四、著作权的内容

【案例讨论】2005年初，上海某图片有限公司（以下称原告）发现其近期摄制的五幅风光、人物摄影作品被北京市一家旅行社（以下称被告）的网站使用。被告既未向原告支付报酬，也未注明摄影作者。双方协商未果，2005年8月原告以侵犯其著作权为由，将被告起诉到了法院，索赔10万元经济损失并要求被告停止侵权等。被告大呼冤枉，声称自己是委托重庆某信息开发有限公司建设的网站，网页上的照片都是信息公司提供的，自己并不知悉网站中照片的来源，因此不应当承担侵权责任。问：

1. 被告是否侵犯了原告的著作权？

2. 如果构成侵权，被告侵犯了原告哪些著作权利？

著作权的内容主要是指著作权人基于作品的创作、传播和使用所产生的权利。著作权法将著作权人享有的权利分为人身权和财产权两大类型。

（一）著作人身权

著作人身权是指著作权中与人身不可分离而没有直接经济内容的权利。著作权中的人身权是因为作者创作特定作品才形成的精神权利，所以又称为著作精神权。著作人身权主要有以下几种：

1. 发表权

发表权是指作者依法享有决定自己创作的作品是否公之于众和以何种方式公之于

众的权利。发表权是其他著作权的基础。法律对发表权做了限制规定：一是设定了保护期限；二是行使发表权的限制，即发表权为一次使用权，作品一经发表，即用尽发表权。

2. 署名权

署名权是指作者享有在作品上通过署名表明作者身份的权利。作者资格是署名的基础，只有作者才有资格在作品上署名。作者有权在自己创作的作品原件或复制品上决定是否署名，署真名、笔名、艺名、别名还是假名。

3. 修改权

修改权是指作者享有修改或者授权他人修改自己作品的权利。未经作者同意，他人不得修改作品。其中，所谓修改是指改动作品内容，进行增加或删改，不包括必要性的文字修改。

4. 保护作品完整权

保护作品完整权是指保护作品不受歪曲、篡改的权利。歪曲和篡改作品，不但破坏了作者思想内容的完整性，而且还会使作者的人格利益受到损害。保护作品完整权是修改权的延伸，其目的是禁止任何人随意篡改作者所表达的思想，以保证作品思想内容的完整。

（二）著作财产权

著作财产权即著作权中具有财产价值的权利内容。它能让著作权人通过某种权利的行使就能实现经济报酬，所以又称为著作经济权。我国《著作权法》明确规定著作财产权的内容主要有以下几种权利：

1. 复制权

复制权是指著作权人对自己创作的作品有权决定是否复制或是否许可他人复制。复制权是著作权中最基本最重要的经济权利。复制方式多种多样，有印刷、拓印、录音、录像、翻录、翻拍等。

2. 发行权

发行权是指著作权人以出售或者赠与方式向公众提供作品的原件或者复制件的权利。发行权的内容有：对作品及其复本的商业性销售权、出租权、出借权、作品复制品进出口权等。有些国家的著作权法中无单独的“发行权”，而是包括于出版权中或作为出版权的附属权并随出版权一起转移。

3. 出租权

出租权是指有偿许可他人临时使用电影作品、计算机软件的权利。出租权主要针对的是电影作品和计算机软件，因为这类作品的载体多为磁带、磁盘、光盘等光电磁介质，复制非常简单方便。

4. 表演权

表演权是指著作权人对作品的公开再现的控制权。表演的形式主要有：音乐作品的演奏、演唱；根据舞谱的舞蹈演出；文学作品的朗诵；电影、电视、录像作品的公开播映；戏剧、曲艺的演出等。《中华人民共和国著作权法实施条例》把朗诵权与表演权分开列，这与《保护文学作品伯尔尼公约》的规定一致。

5. 播放权

播放权是指著作权人享有通过无线电波、有线电视系统和互联网系统传播作品的权利。如音乐作品，只有经作者许可，商业乐团才能获得该作品的演奏权。播放与表演是两个不同的概念，播放是为了“传播作品”，表演是为了“再现作品”。

6. 展览权

展览权是指著作权人享有公开陈列美术作品、摄影作品的原件或者复制件的权利。除特别约定外，作品原件所有权的转移，不视为作品著作权的转移，但美术作品原件的展览权由原件所有人享有。

7. 摄制权

摄制权也称制片权，即著作权人享有的将版权作品拍成电影、电视、录像作品或类似作品的专有权。摄制与复制不同，前者记录下来的内容与原作内容基本相同，表达形式存在差异，如剧本是文字表达形式，而电影作品是用动作、画面和声音形式表达；后者只是重复原作的内容和表达形式，如对电影作品的复制即拷贝。

8. 演绎权

演绎权是指以作品原件为基础、对其再创作、具有独创性新作品的权利。演绎权包括对作品的改编权、翻译权、注释权和编辑权（汇编权）等。

9. 许可使用或转让权

许可使用或转让权是指著作权人享有许可他人行使著作财产权或转让著作财产权并实现经济利益的权利。

此外，与著作权有关的国际公约和一些国家的著作权法律还规定了其他类型的著作财产权，如追续权、公共借阅权、角色商品化权、收回权、收取录制和复印设备版税权、接触权、畅销书条款权等。

【案例评析】本案被告侵犯了原告的著作权。原告对本案中的五幅风光、人物摄影作品享有著作权。《著作权法》规定，使用他人作品应当同著作权人订立合同或者取得许可，本法规定可以不经许可的除外。未经原告许可，被告在其网站使用了原告的作品从事商业活动，属于侵权行为。在本案中，被告侵犯原告的著作权利主要有署名权、许可权和获取经济报酬权等。

五、著作权许可使用和转让合同

（一）著作权许可使用合同

著作权许可使用合同，是指著作权许可方与被许可方依法达成的，由著作权许可方许可被许可方使用其作品，被许可方向许可方支付报酬的协议。依据《著作权法》的规定，著作权许可使用合同在形式上不受限制。换言之，著作权许可使用合同可以采用书面形式，也可以采用口头形式，还可以采用其他形式。

著作权许可使用合同的内容，由当事人协商订立。一般情况下，其许可使用合同应包括下列主要内容：①许可使用作品的名称；②许可使用的权利种类即著作财产权中的具体权利；③许可使用的权利是专有使用权还是非专有使用权；④许可使用的地域范围、期间；⑤付酬标准和办法；⑥违约责任；⑦双方认为需要约定的其他内容。

（二）著作权转让合同

著作权转让合同，是指著作权的出让方与受让方依法达成的，出让方将著作财产权的一部分或全部转让给受让方，受让方向出让方支付价金的书面协议。依据《著作权法》的规定，著作权转让合同应当采用书面形式。

著作权转让合同的内容，由当事人协商订立。依据《著作权法》规定，著作权权利转让合同应包括下列主要内容：①作品的名称；②转让的权利种类、地域范围；③转让价金；④交付转让价金的日期和方式；⑤违约责任；⑥双方认为需要约定的其他内容。

（三）应注意的事项

在著作权许可使用和转让活动中，当事人依法应注意以下事项：

（1）许可使用合同和转让合同中著作权人未明确许可、转让的权利，未经著作权人同意，另一方当事人不得行使。

（2）当事人不得侵犯作者的署名权、修改权、保护作品完整权和获得报酬的权利。

（3）当事人应注意软件登记的重要性。虽然计算机软件可自动获得《著作权法》的保护，软件登记是非强制性的，但登记证明文件是软件著作权人有效或者登记申请文件中所述事实的初步证明。登记获准后，由管理机关向社会公告软件作品。凡已登记的软件发生转让活动时，受让方应当在转让合同正式签订后3个月内向软件登记管理机关备案，否则不能对抗第三人的侵权活动。

六、著作权的限制

【案例讨论】1993年4月1日，《中国青年报》报道：曹雪芹后裔申请《红楼梦》版权案。案情是曹雪芹第十六代孙曹某，根据一本流传民间的曹氏家谱，查明自己是曹雪芹的后裔，遂决定向国家版权机构申请拥有《红楼梦》版权，并要求《红楼梦》的出版商向其支付版权费。问：

根据《著作权法》的规定，曹某的版权请求是否合法？

（一）著作权的时间限制

著作权同其他知识产权一样具有时间性，即对著作权的法律保护有法定时间限制。超过法律保护时间，作品即进入公共领域，任何人都可不经许可并无偿地使用。根据《著作权法》规定，除作者的署名权、修改权、保护作品完整权的保护期限不受限制，对其他著作权利的保护都给予了时间限制。

1. 公民作品著作权的时间限制

对公民的作品的发表权和著作财产权的保护期为作者终生及其死亡后50年，截止于作者死亡后第50年的12月31日；如果是合作作品，截止于最后死亡的作者死亡后第50年的12月31日。

2. 法人或其他组织的作品、职务作品著作权的时间限制

对于法人或者其他组织的作品、著作权（署名权除外）由法人或者其他组织享有的职务作品，其发表权和著作财产权的保护期为50年，截止于作品首次发表后第50年的12月31日，但作品自创作完成后50年内未发表的，其著作权不再受保护。

3. 电影作品、摄影作品著作权的时间限制

对于电影作品和以类似摄制电影的方法创作的作品、摄影作品，其发表权和著作财产权的保护期为50年，截止于作品首次发表后第50年的12月31日，但作品自创作完成后50年内未发表的，著作权法不再保护。

（二）著作权的许可限制

为了防止著作权人滥用著作权而妨碍科技的进步和文化的繁荣，在对著作权进行

保护的同时，著作权法还对著作权人的许可使用权进行了必要的限制。对著作权人的许可使用权的限制，主要体现在法定许可使用和合理使用两方面。

1. 法定许可使用

法定许可使用，是指依据著作权法的规定，使用者可以不必征得著作权人的许可，只要注明作品的来源，尊重著作权人的其他权利，并向著作权人支付报酬，该行为即为合法行为。例如，我国《著作权法》规定，录音制作者使用他人已经合法录制为录音制品的音乐作品制作录音制品，可以不经著作权人许可，但应当按照规定支付报酬。

2. 合理使用

合理使用，是指依据著作权法的规定，使用者可以不必征得著作权人的同意，不必向著作权人支付报酬，只要注明作品的来源并尊重著作权人的其他权利，该行为即为合法行为。

根据《著作权法》的规定，合理使用的法定情形有：

（1）为个人学习、研究或者欣赏，使用他人已经发表的作品；

（2）为介绍、评论某一作品或者说明某一问题，在作品中适当引用他人已经发表的作品；

（3）为报道时事新闻，在报纸、期刊、广播电台、电视台等媒体中不可避免地再现或者引用已经发表的作品；

（4）报纸、期刊、广播电台、电视台等媒体刊登或者播放其他报纸、期刊、广播电台、电视台等媒体已经发表的关于政治、经济、宗教问题的时事性文章，但作者声明不许刊登、播放的除外；

（5）报纸、期刊、广播电台、电视台等媒体刊登或者播放在公众集会上发表的讲话，但作者声明不许刊登、播放的除外；

（6）为学校课堂教学或者科学研究，翻译或者少量复制已经发表的作品，供教学或者科研人员使用，但不得出版发行；

（7）国家机关为执行公务在合理范围内使用已经发表的作品；

（8）图书馆、档案馆、纪念馆、博物馆、美术馆等为陈列或者保存版本的需要，复制本馆收藏的作品；

（9）免费表演已经发表的作品，该表演未向公众收取费用，也未向表演者支付报酬；

（10）对设置或者陈列在室外公共场所的艺术作品进行临摹、绘画、摄影、录像；

（11）将中国公民、法人或者其他组织已经发表的以汉语言文字创作的作品翻译成少数民族语言文字作品在国内出版发行；

（12）将已经发表的作品改成盲文出版。

以上规定同样适用于对出版者、表演者、录音录像制作者、广播电台、电视台的权利的限制。

【案例评析】曹某关于支付版权费的请求不合法。因为我国《著作权法》规定，对公民的作品的发表权和著作财产权的保护期为作者终生及其死亡后50年，截止于作者死亡后第50年的12月31日；如果是合作作品，截止于最后死亡的作者死亡后第50年的12月31日。曹雪芹的《红楼梦》的著作财产权，到其第十六代孙曹某时已经超过法律保护期限，即曹雪芹第十六代孙曹某不再享有《红楼梦》的著作财产权。

七、侵犯著作权的行为与抗辩理由

【案例讨论】美国UT公司把享有本国版权的一种大型数据库系统管理软件卖给中国广州雅芳有限责任公司（简称被告），被告在中国对该软件进行了大规模的商业利用。在此之前，美国UT公司已经把该软件在中国的一切知识产权转让给了香港PU公司（以下称第一原告）。第一原告随后将软件部分权利——独家代理、经营、开发、汉化和销售的权利转让给了北京京延有限责任公司（以下称第二原告）。对于被告在中国对该软件大规模的商业利用行为，第一原告和第二原告都认为被告未经许可使用且未支付报酬即使用其享有著作权的软件，其行为属于侵权行为。被告则称其所使用的软件是从美国的著作权人UT公司合法购买的，不属于侵权行为。问：

1. 本著作权纠纷可以通过哪些方式进行解决？

2. 被告是否就其行为向第一原告、第二原告支付著作权使用费？为什么？

（一）侵犯著作权的行为

除了法律明确规定的有关著作权限制的情形，其他一切未经许可而使用他人作品的行为都属于侵权行为。对侵权行为，应依法承担民事责任、行政责任和刑事责任。

1. 应承担民事责任的侵权行为

（1）未经著作权人许可，发表其作品的；

（2）未经合作作者许可，将与他人合作创作的作品当作自己单独创作的作品发表的；

（3）没有参加创作，为谋取个人名利，在他人作品上署名的；

（4）歪曲、篡改他人作品的；

（5）剽窃他人作品的；

（6）未经著作权人许可，以展览、摄制电影和以类似摄制电影的方法使用作品，或者以改编、翻译、注释等方式使用作品的，《著作权法》另有规定的除外；

（7）使用他人作品，应当支付报酬而未支付的；

（8）未经电影作品和以类似摄制电影的方法创作的作品、计算机软件、录音录像制品的著作权人或者与著作权有关的权利人许可，出租其作品或者录音录像制品的，《著作权法》另有规定的除外；

（9）未经出版者许可，使用其出版的图书、期刊的版式设计的；

（10）未经表演者许可，从现场直播或者公开传送其现场表演，或者录制其表演的；

（11）其他侵犯著作权以及与著作权有关的权益的行为。

2. 应承担民事责任、行政责任或刑事责任的侵权行为

（1）未经著作权人许可，复制、发行、表演、放映、广播、汇编、通过信息网络向公众传播其作品的，《著作权法》另有规定的除外；

（2）出版他人享有专有出版权的图书的；

（3）未经表演者许可，复制、发行录有其表演的录音录像制品，或者通过信息网络向公众传播其表演的，《著作权法》另有规定的除外；

（4）未经录音录像制作者许可，复制、发行、通过信息网络向公众传播其制作的录音录像制品的，《著作权法》另有规定的除外；

（5）未经许可，播放或者复制广播、电视的，《著作权法》另有规定的除外；

（6）未经著作权人或者与著作权有关的权利人许可，故意避开或者破坏权利人为其作品、录音录像制品等采取的保护著作权或者与著作权有关的权利的技术措施的，法律、行政法规另有规定的除外；

（7）未经著作权人或者与著作权有关的权利人许可，故意删除或者改变作品、录音录像制品等的权利管理电子信息的，法律、行政法规另有规定的除外；

（8）制作、出售假冒他人署名的作品的。

（二）著作权纠纷中的抗辩理由

在侵犯著作权纠纷案件中，针对原告的侵权主张和索赔请求，被告可以免除或减轻法律责任的抗辩理由有：

（1）被告所诉的作品属于不受著作权法保护的作品或者不适用于著作权法的规定。

（2）被告使用的是自己独创的相同或相似的作品，因为著作权的取得方式决定著作权的效力不能排斥他人独立完成的相同作品的著作权。

（3）原告对著作财产权的请求超过著作权法保护期限的。

（4）被告的行为属于著作权法规定的法定许可或者合理使用情形之一的。

（5）被告是依据著作权许可使用合同或著作权转让合同所实施的行为。

（6）超过诉讼时效的。侵犯著作权的诉讼时效为 2 年，自原告知道或者应当知道侵权行为之日起计算。超过诉讼时效的，法院对原告的诉讼请求不予支持。

【案例评析】本案属于著作权侵权纠纷案件，依据著作权法规定，其解决方式可以是协商或调解。如果协商或调解不成的，当事人可以向人民法院提起诉讼；当事人也可不经协商或调解而直接向人民法院提起诉讼。

被告就其行为应当向第一原告、第二原告支付著作权使用费。因为著作权的法律保护存在地域特征。换言之，美国 UT 公司对大型数据库系统管理软件享有著作权，只是在美国受美国著作权法的保护。而在中国，该管理软件的著作权由本案中的原告享有。也就是说，在中国使用该管理软件从事商业活动应征得原告的同意并向其支付著作权使用费。

八、著作权纠纷的解决

著作权纠纷的解决包括著作权侵权纠纷的处理、对著作权侵权行为处罚不服的处理和著作权合同纠纷的处理。

（一）著作权侵权纠纷的处理

由于著作权属于民事权益，法律允许当事人依法采取协商或调解方式处理侵权纠纷。如果协商或调解不成的，当事人可以向人民法院起诉。当事人不愿协商或调解的，也可以直接向人民法院起诉。

（二）对著作权侵权行为处罚不服的处理

当事人对著作权侵权行为处罚不服的，可以在收到著作权行政管理部门行政处罚决定书 3 个月内向人民法院起诉，期满不起诉又不履行的，著作权行政管理部门可以申请人民法院执行。

（三）著作权合同纠纷的处理

在著作权合同纠纷中，当事人可以调解，也可以依据合同中的仲裁条款或者事后达成的书面仲裁协议，向著作权仲裁机构申请仲裁。

当事人没有在合同中订立仲裁条款，事后又没有书面仲裁协议的，可以直接向人民法院起诉。

第七章
金融法律制度

金融，即指货币资金的融通。金融以货币为对象，广泛存在于商品经济条件下的社会生活中，如货币的发行和流通，存款的吸收与支付，贷款的发放与收回，票据的承兑与贴现，金银和外汇的买卖，股票、债券的发行与交易，金融信托、金融租赁、保险等活动均属于金融的范畴。

金融业是一个范围较为广泛的行业，一般包括银行业、证券业、保险业、信托业。由以上四个行业构成了广义的金融业，而狭义的金融业则仅指银行业。

金融法是调整金融关系的法律规范的总称。作为金融法调整对象的金融关系，即货币融通和信用活动中所发生的社会关系，包括金融交易关系、金融调控关系和金融监管关系。广义的金融法是指金融业法，包括银行业法、票据法、证券法、保险法等。

本章主要介绍中央银行法、商业银行法、票据法和证券法的基本理论知识。

第一节　银行法律制度

一、银行法概述

银行法是指调整银行关系的法律规范的总称。作为银行法调整对象的银行关系，主要是银行业务关系和银行监督管理关系。银行法是我国金融法律制度的主要组成部分和核心内容。我国银行法律制度主要包括《中华人民共和国中国人民银行法》、《中华人民共和国商业银行法》、《中华人民共和国银行业监督管理法》（以下分别简称为《中国人民银行法》、《商业银行法》、《银行业监督管理法》）等。

二、银行机构体系

根据我国现行法律规定，银行机构由中央银行、政策性银行、中国银监会、商业银行四部分组成。

（一）中央银行

中央银行在银行体系中居于主导地位，是国家控制与调节货币流通和信用的中心机构。根据我国现行法律规定，中国人民银行是中华人民共和国的中央银行。中国人民银行在国务院领导下，制定和执行货币政策，防范和化解金融风险，维护金融稳定。

现代市场经济条件下的中央银行具有服务、监督和调控三大职能。

（二）政策性银行

政策性银行是政府设立的，专门从事政策性货币信用业务，不以盈利为目的的金融机构。建立政策性银行的目的是为了实现政策性金融与商业性金融的分离，以解决国有专业银行身兼两职的问题。政策性银行坚持自担风险、保本经营、不与商业银行竞争的原则。目前，我国政策性银行主要有国家开发银行、中国农业发展银行、中国进出口银行等。

（三）中国银监会

中国银监会是中国银行业监督和管理委员会的简称，是依法成立的国务院银行业监督管理机构。《银行业监督管理法》规定，中国银监会负责对全国银行业金融机构及其业务活动实施监督管理工作。其主要职责是：拟订有关银行业监管的政策法规，负责市场准入和运行监督，依法查处违法违规行为等。

（四）商业银行

商业银行是以盈利为目的，吸收存款、发放贷款、办理结算等业务的金融机构。与政策性银行不同的是，商业银行以追求利润最大化为目标，贯彻执行自主经营、自担风险、自负盈亏、自我约束的原则。

下面，我们将主要介绍中央银行法和商业银行法。

三、中央银行法

（一）中央银行法概述

中央银行法是关于中央银行的性质、职能、组织体系和业务范围等方面的法律规范。中央银行是代表国家制定和实施货币政策，对银行业实施宏观调控和监管并从事金融活动的特殊金融机构。中国人民银行是我国的中央银行。为了确立中国人民银行的地位，明确其职能，保证国家货币政策的正确制定和执行，1995 年 3 月 18 日中华人民共和国第八届全国人民代表大会第三次会议通过了《中国人民银行法》。

（二）中国人民银行的法律地位和组织机构

1. 中国人民银行的法律地位

中国人民银行在国务院领导下，制定和执行货币政策，维护金融市场的稳定。中国人民银行的法律地位具体体现在以下三个方面：

（1）中央银行是发行货币的银行。中央银行是我国人民币的唯一发行机构，其发行的货币是法定的流通和清偿货币。发行货币不仅是中央银行的一项重要职责，同时也是其行使其他职能的重要基础，只有垄断货币发行权，中央银行才能根据经济情况的变化调整货币供应量，保证货币政策的实施。

（2）中央银行是银行的银行。所谓“银行的银行”，是指中央银行可以向商业银行提供贷款。与商业银行不同，中央银行不与企业、个人发生直接的业务往来，它直接服务于政府和金融机构，因此被称为最后贷款人。

（3）中央银行是政府的银行。中央银行通过制定和执行货币政策，成为政府调节经济活动、干预经济生活的重要手段，成为政府不可缺少的一个职能部门。

2. 中国人民银行的组织机构

中国人民银行设行长 1 人，副行长若干人。中国人民银行行长由国务院总理提名，全国人民代表大会或常务委员会决定，由中华人民共和国主席任免，中国人民银行副行长由国务院总理任免。中国人民银行实行行长负责制，副行长协助行长工作。

中国人民银行可根据履行职责的需要设立分支机构。分支机构作为中央银行的派出机构，根据中央银行的授权维护本辖区的金融稳定，承办相关业务。

（三）中国人民银行的基本职责

（1）发布与履行与其职责有关的命令和规章；

（2）依法制定和执行货币政策，发行人民币，管理人民币流通；

（3）监督管理银行间同业拆借市场和银行间债券市场；

（4）实施外汇管理，监督管理银行间外汇市场；

（5）监督管理黄金市场；

（6）持有、管理、经营国家外汇储蓄、黄金储蓄；

（7）经理国库；

（8）维护支付、清算系统的正常运行；

（9）指导、部署金融业反洗钱工作，负责反洗钱的资金监测；

（10）负责金融业的统计、调查、讨论和预测；

（11）作为国家的中央银行，从事有关的国际金融活动；

（12）国务院规定的其他职责；

（13）为执行货币政策而从事法定金融业务活动。

（四）中国人民银行的基本业务

【案例讨论】中国人民银行甲分行近几年的业务一直较出色，在2005年的一次审计检查中，查明2005年1月至2005年12月31日的会计年度中，该行有以下几项业务：

1. 2005年3月15日，向甲市人民政府机械局贷款400万人民币，期限3年；

2. 2005年5月1日，向甲市某信托投资公司贷款500万人民币，期限1年；

3. 2005年5月18日，向建设银行A分行贷款200万人民币，期限1年；

4. 2005年9月，在公开市场上购入60万美元；

5. 2005年9月底，向在其行开户的工商银行A分行透支50万元；

6. 2005年10月3日，向建设银行再贴现人民币200万元。

本案中，中国人民银行甲分行的几项业务中有哪些是合法的？哪些是违法的？说明理由。

1. 要求银行业金融机构按照规定的比例交存存款准备金

法定存款准备金是指商业银行依法按收取的存款额的一定比例存交中央银行的存款。目的是影响和控制商业银行的信用创造能力，间接地控制社会货币的供应量。

2. 确定中央银行基准利率

基准利率是指利率体系中起主导作用的基础利率，它的水平和变动决定其他各种利率的水平和变化。中央银行通过确定和调整基准利率来实现紧缩或者放松银根的目的。

3. 为在中国人民银行开立账户的银行业金融机构办理再贴现

再贴现是在贴现基础上的融资行为。再贴现手段有两方面的调控作用：一是通过调整再贴现率，影响金融机构准备金和货币供求，达到调节货币供应量的目的；二是通过规定再贴现条件，对资金流向施加影响。

4. 向商业银行提供再贷款

再贷款是指中央银行对商业银行的贷款。通过再贷款控制和调节商业银行的信贷活动，从而控制和调节货币供应量和信用总量。

5. 在公开市场上买卖国债、其他政府债券和金融债券及外汇

中央银行买入证券或外汇，意味着向金融体系注入基础货币，相当于增加了货币投放，放松了银根；反之，中央银行卖出有价证券，则意味着基础货币从金融体系流回中央银行，增加货币回笼，银根收紧，货币供应量减少。

6. 国务院确定的其他货币政策工具

除以上业务外，中国人民银行不得向地方政府、各级政府部门提供贷款，不得向非银行金融机构以及其他单位和个人提供贷款（国务院决定中国人民银行可以向特定的非银行金融机构提供贷款的除外），不得向任何单位和个人提供担保。

【案例评析】根据《中国人民银行法》的有关规定，上述业务中，第3、4、6三笔业务符合法律规定，是合法业务。同时该法律明确规定，中国人民银行不得向非银行金融机构以及其他单位和个人提供贷款，更不允许向商业银行透支，所以，上述业务中，第1、2、5三笔业务不符合法律规定，是违法业务。

（五）法律责任

1. 违反中国人民银行法的法律行为

根据《中国人民银行法》的有关规定，违反《中国人民银行法》的行为主要有：

（1）伪造人民币，出售伪造的人民币或者明知是伪造的人民币而运输的；

（2）变造人民币，出售变造的人民币或者明知是变造的人民币而运输的；

（3）购买伪造、变造的人民币或者明知是伪造、变造的人民币而持有、使用的；

（4）在宣传品、出版物或者其他商品上非法使用人民币图样的；

（5）印制、发售代币票券，以代替人民币在市场上流通的；

（6）违反法律、行政法规有关金融监督管理规定的；

（7）中国人民银行有违反有关业务规定行为的；

（8）地方政府、各级政府部门、社会团体和个人强令中国人民银行及其工作人员违反有关规定提供贷款或者担保的；

（9）中国人民银行的工作人员泄露国家秘密的；

（10）中国人民银行的工作人员贪污受贿、徇私舞弊、滥用职权、玩忽职守的。

2. 违反中国人民银行法的法律责任

对于违反《中国人民银行法》的单位，中国人民银行应当责令停止、改正违法行为，给予相应的行政处罚，没收违法所得，并处以罚款，造成损失的，应当承担赔偿责任。

对于违反《中国人民银行法》的行为负有直接责任的人员，情节轻微的，依法给予行政处分；造成损失的，应当承担赔偿责任；构成犯罪的，依法追究刑事责任。

四、商业银行法

（一）商业银行的概述

商业银行是以盈利为目的，吸收公众存款，发放贷款，办理结算等业务的金融机

构。商业银行是我国金融系统的重要组成部分，具体分为国有独资商业银行和股份制商业银行。

商业银行法是指调整商业银行的组织管理关系与业务经营关系的法律规范的总称。《商业银行法》于1995年5月10日第八届全国人民代表大会常务委员会会议通过，同年7月1日起施行。2003年12月27日于第十届全国人民代表大会常务委员会第六次会议通过修改决定，修订后的《商业银行法》于2004年2月1日起施行。

（二）商业银行法的法律地位及组织机构

1. 商业银行的法律地位

我国的商业银行是平等的民事主体，是具有权利能力和行为能力，依法自主经营、自负盈亏、对外独立承担民事责任的企业法人。各商业银行是独立的法人，但其各自设立的分支机构则不是法人，实行全行一级的法人制。

商业银行作为企业法人，是独立参与市场竞争的主体，与其他主体居于平等地位，合法权益也同样受到法律的保护。同时，其业务的开展，也应遵守公平竞争的原则，不能从事不正当竞争。

2. 商业银行的组织机构

商业银行根据业务需要，经中国银监会审查批准，可以设立分支机构，由中国银监会颁发经营许可证，并凭此证办理工商登记，领取营业执照，商业银行的分支机构不具有法人资格，但可在总行的授权范围内依法开展业务，其民事责任由总行承担。

商业银行及其分支机构自取得营业执照之日起，无正当理由超过6个月未开业或开业后自行停业连续6个月以上的，由中国银监会吊销其经营许可证，并予以公告。

（三）商业银行的基本业务及管理规定

【案例分析】2005年，某市新成立一家城市合作商业银行甲，成立伊始即开展了两笔业务，一笔是经批准购买政府债券500万元人民币，另一笔是向该市新客隆超市投资100万元。问：

1. 甲银行的两笔业务属于商业银行的何种业务？

2. 甲银行的两笔业务是否符合商业银行法的规定，如果不符合，则对甲银行应该如何处理？

1. 商业银行负债业务及管理规定

（1）商业银行办理个人储蓄存款业务，遵循存款自愿、取款自由、存款有息、为存款人保密的原则。

（2）对单位存款，商业银行有权拒绝任何单位或者个人查询，但法律、行政法规另有规定的除外；有权拒绝任何单位和个人冻结、扣划，但法律另有规定的除外。

（3）商业银行应当按照中国人民银行规定的存款利率的上下限确定存款利率，并予以公告。

（4）商业银行应当按照中国人民银行的规定，向中国人民银行交存存款准备金，留足备付金。

（5）商业银行应当保证存款本金和利息的支付，不得拖延、拒绝支付存款本金和利息。

（6）商业银行发行金融债券或者到境外借款，应当按照法律行政法规规定报经批准。

（7）商业银行的同业拆借，应当遵守中国人民银行规定的期限和用途，即：拆借的期限最长不得超过4个月；禁止利用拆入资金发放固定资产贷款或者用于投资，拆出资金限于交足存款准备金、留足备付金和归还中国人民银行到期贷款之后的闲置资金；拆入资金用于弥补票据结算、联行汇差头寸的不足和解决临时性周转资金的需要。

2. 商业银行贷款业务及管理规定

（1）商业银行根据国民经济和社会发展的需要，在国家政策指导下开展贷款业务。

（2）商业银行贷款，应当对借款人的借款用途、偿还能力、还款方式等情况进行严格审查。

（3）商业银行贷款，借款人应当提供担保。

（4）商业银行贷款，应当与借款人订立书面合同，合同应当约定贷款种类、用途、金额、利率、还款期限、还款方式、违约责任和双方认为需要约定的其他事项。

（5）商业银行应当按照中国人民银行规定的贷款利率的上下限确定贷款利率。

（6）商业银行贷款，应当遵循《商业银行法》对资产负债比例管理的规定。

（7）商业银行不得向关系人发放信用贷款；向关系人发放担保贷款的条件不得优于其他借款人同类贷款的条件。

（8）任何单位和个人不得强令商业银行发放贷款或者提供担保。

（9）借款人应当按期归还贷款的本金和利息。

3. 商业银行其他业务及其管理

商业银行其他业务的规定包括：银行结算业务的规定；存贷款利率的禁止性规定；银行账户管理和禁止“公款私存”的规定；关于营业时间的规定；关于业务手续费的规定；关于业务资料保存的规定；关于商业银行工作人员行为规范的规定等。

（四）法律责任

1. 侵犯存款人利益应承担的法律责任

商业银行有下列情形之一，对存款人或者其他客户造成财产损害的，应当承担支付延迟履行的利息等民事责任和其他行政责任。

（1）无故拖延、拒绝支付存款本金和利息的；

（2）违反票据承兑等结算业务规定，不予兑现，不予收付入账，压单、压票或者违反规定退票的；

（3）非法查询、冻结、扣划个人储蓄存款和单位存款的；

（4）违反《商业银行法》的规定，对存款人或者其他客户造成损害的其他行为。

2. 违反中央银行和中国银监会的监管规定应承担的法律责任

商业银行有下列情形之一，由国务院银行业监督管理机构责令改正，有违法所得的，没收违法所得，违法所得50万元以上的，并处违法所得1倍以上5倍以下罚款；没有违法所得或者违法所得不足50万元的，处50万元以上200万元以下罚款；情节特别严重或者逾期不改正的，可以责令停业整顿或者吊销其经营许可证；构成犯罪的，依法追究刑事责任。

（1）未经批准设立分支机构的；

（2）未经批准分立、合并或者违反规定对变更事项不报批的；

（3）违反规定提高或者降低利率以及采用其他不正当手段吸收存款、发放贷款的；

（4）出租、出借经营许可证的；

(5) 未经批准买卖、代理买卖外汇的；

(6) 未经批准买卖政府债券或者发行、买卖金融债券的；

(7) 违反国家规定从事信托投资和证券经营业务，向非自用不动产投资或者向非银行金融机构和企业投资的；

(8) 向关系人发放信用贷款或者发放担保贷款的条件优于其他借款人同类贷款的条件的。

商业银行有下列情形之一，由国务院银行业监督管理机构责令改正，并处20万元以上50万元以下罚款；情节特别严重或者逾期不改正的，可以责令停业整顿或者吊销其经营许可证；构成犯罪的，依法追究刑事责任。

(1) 拒绝或者阻碍国务院银行业监督管理机构检查监督的；

(2) 提供虚假的或者隐瞒重要事实的财务会计报告、报表和统计报表的；

(3) 未遵守资本充足率、存贷比例、资产流动性比例、同一借款人贷款比例和国务院银行业监督管理机构有关资产负债比例管理的其他规定的。

商业银行有下列情形之一，由中国人民银行责令改正，有违法所得的，没收违法所得，违法所得50万元以上的，并处违法所得1倍以上5倍以下罚款；没有违法所得或者违法所得不足50万元的，处50万元以上200万元以下罚款；情节特别严重或者逾期不改正的，中国人民银行可以建议国务院银行业监督管理机构责令停业整顿或者吊销其经营许可证；构成犯罪的，依法追究刑事责任。

(1) 未经批准办理结汇、售汇的；

(2) 未经批准在银行间债券市场发行、买卖金融债券或者到境外借款的；

(3) 违反规定同业拆借的。

商业银行有下列情形之一，由中国人民银行责令改正，并处20万元以上50万元以下罚款；情节特别严重或者逾期不改正的，中国人民银行可以建议国务院银行业监督管理机构责令停业整顿或者吊销其经营许可证；构成犯罪的，依法追究刑事责任。

(1) 拒绝或者阻碍中国人民银行检查监督的；

(2) 提供虚假的或者隐瞒重要事实的财务会计报告、报表和统计报表的；

(3) 未按照中国人民银行规定的比例交存存款准备金的。

3. 侵犯商业银行权利应承担的法律责任

有下列行为之一，情节或后果严重的，将被依法追究刑事责任：

(1) 未经中国人民银行批准，擅自设立商业银行，或者非法吸收公众存款、变相吸收公众存款的；

(2) 伪造、变造、转让商业银行经营许可证的；

(3) 借款人采取欺诈手段骗取贷款，构成犯罪的；

(4) 商业银行的工作人员利用职务上的便利，索取、收受贿赂、贪污、挪用、侵占本行资金或客户资金，构成犯罪的；

(5) 商业银行工作人员玩忽职守，构成犯罪的；

(6) 商业银行工作人员泄漏国家秘密和商业秘密，构成犯罪的。

【案例评析】 甲银行的两笔业务属于商业银行的买卖政府债券以及向企业投资业务。甲银行的第一笔业务符合《商业银行法》的规定，第二笔业务则不符合。对于第二笔不合法的业务，根据《商业银行法》的规定，由国务院银行业监督管理机构责令改正，有违法所得的，没收违法所得，违法所得50万元以上的，并处违法所得1倍以上5倍以下罚款；没有违法所得或者违法所得不足50万元的，处50万元以上200万元以下罚款；情节特别严重或者逾期不改正的，可以责令停业整顿或者吊销其经营许可证；构成犯罪的，依法追究刑事责任。

第二节　票据法

一、票据及票据法概述

（一）票据的概念、特征及作用

1. 票据的概念

票据是出票人依法签发的，约定自己或委托付款人在见票时，或以指定的日期向收款人或持票人无条件支付票面金额并可转让的有价证券。

票据有广义和狭义之分，广义上的票据是指各种具有财产价值，体现民事权利的凭证，包括钞票、发票、提货单、仓单、股票、债券、汇票、本票、支票等，狭义的票据则指票据法上规定的票据，即汇票、本票和支票。它是按照规定的格式和程序，约定自己或者是委托他人在见票时无条件支付一定金额给收款人的一种有价证券。

2. 票据的法律特征

（1）票据是有价证券。票据以金钱作为给付标的，故能代替现金作为支付工具和流通工具。

（2）票据是无因证券。票据依法作成，票据权利义务即告成立，并与票据的发行原因、持票人如何取得相分离。

（3）票据是要式证券。票据的作成、流通、转让、付款等，必须按法定的格式方式进行，否则会影响票据效力。

（4）票据是文义证券。票据上的权利义务必须严格按照票据上的文义而定，该文义以外任何理由、事项均不得作为认定依据。

（5）票据是流通证券。票据到期前，持票人可以通过背书或交付的方式自由转让其权利。

3. 票据的作用

在商品经济日趋发达的今天，票据制度在其中起着重要的促进和催化作用，具体而言，票据有以下主要作用：

（1）支付功能。票据代替现金起支付手段的作用，特别是在异地支付方面，票据可以克服空间距离带来的不便。

（2）信用功能。经济交往要延期付款的，可以使用远期票据，票据在到期前可以以背书或贴现方式流通，这就使票据起到了信用工具的作用。

（3）结算功能。互有债务的当事人可用票据互相抵消债务，这体现了票据的结算功能。

（4）汇兑功能。票据的使用首先在于解决现金支付在空间上的障碍，这是票据最基本的功能。由于商品交易常在异地或国际贸易中进行，携带现金不方便且有很大风险，同时也存在因货币种类不同而产生的兑换及国际间货币流通的限制等问题。为了解决这些问题，票据便应运而生。商品交易当事人通过汇款业务和货币兑换业务的经营者在甲地将现金转换为票据，再持票据到乙地转换为现金，从而使异地和国际间的贸易得以安全、顺利地进行。

（二）票据法

票据法是调整票据关系的法律规范的总称。票据法以票据关系为调整对象，票据关系是主体之间因收授票据而发生的财产关系。

随着商品经济的发展，票据制度已成为世界各国乃至国际间经济往来的一项基本制度。商业信用的票据化和结算手段的票据化，已成为市场经济高度发展的重要标志之一。我国确立社会主义市场经济体制后，商业活动中票据的使用越来越广泛，为建立票据制度，规范票据行为，保障交易安全、迅速，1995 年 5 月 10 日，第八届全国人民代表大会常务委员会第十三次会议通过了《中华人民共和国票据法》（以下简称《票据法》），该法从 1996 年 1 月 1 日起施行。

二、票据当事人

票据当事人是指享有票据权利，承担票据义务的主体。票据当事人可以分为基本当事人与非基本当事人。票据当事人在不同的票据行为中有不同的名称。因此，票据当事人可以有两个名称或双重身份。比如，当事人可以按承担的权利和义务关系分为票据债权人和票据债务人，按在票据行为中的相互位置关系分为前手和后手。

（一）基本当事人与非基本当事人

基本当事人是指票据发行时即已存在的当事人，包括出票人、收款人、付款人等。基本当事人是票据法律关系的必要主体。

非基本当事人是指票据设立后，因多种票据行为而加入票据关系的当事人，包括背书人、被背书人、保证人等。

（二）票据债权人和票据债务人

票据债权人是最后持票人和后手，前者行使的是付款请求权，后者行使的是追索权。

票据债务人是指因实施一定的票据行为而在票据上签名的人，如为承兑行为而在票据上签名的承兑人。

（三）前手和后手

前手是指票据签章人或者持票人之前签章的其他票据债务人。后手是指票据签章人之后签章的其他票据债务人。比如，甲将票据交付给收款人乙，乙转让给丙，丙转让给丁，其中，甲是乙、丙、丁的前手，丙是甲、乙的后手，以次类推。

三、票据的种类及应记载事项

《票据法》中的票据主要包括汇票、本票和支票。

（一）汇票

【案例讨论】2005 年 8 月 25 日，甲公司为缓解资金短缺的困难，在无货可供的情况下，与乙供销社签订了一份铝锭购销合同。合同规定：由甲供应给乙优质铝锭 150 吨，总价款 150 万元，交货期 4 个月。乙供销社交付银行承兑汇票，实行延期付款，汇票付款期为 180 天。合同签订后，乙持购销合同向开户银行 G 申请办理了银行承兑汇票。G银行审查了合同文本，没有发现问题，即开出并承兑了150万元的银行承兑汇票，付款日期为2006年2月25日。甲服务公司见到乙供销社开出的银行承兑汇票后，为了及早用款，在根本无货供应的情况下，开出了已发货150吨的发票，持发票和银行承兑汇票向开户银行N申请贴现120万元。N银行发电报向G银行查询该承兑汇票是否真实，G银行复电承兑有效。N银行即进行汇票贴现120万元。

4个月过去了，甲公司始终未交货。乙供销社知道银行承兑汇票临近付款期，在派人催货时，才发现甲公司根本无货可供。G银行得知后，以承兑行的名义发出紧急通知，宣布该承兑汇票终止付款，形成票据纠纷。N银行以G银行为第一被告、乙供销社为第二被告，以甲公司为诉讼关系人向法院起诉，要求两被告承担连带赔偿责任。问：

法院应如何处理？

1. 汇票的概念

汇票是出票人签发的，委托付款人在见票时或指定的到期日，向持有票据的人无条件支付确定金额的票据。汇票一般有三个基本当事人，其中签发票据的是出票人，受委托支付票据的是付款人，接受支付的是收款人或持票人。汇票可分为银行汇票和商业汇票，商业汇票又可分为商业承兑汇票和银行承兑汇票两种。

汇票是一种基本的票据，是一种支付命令，汇票经付款人承兑后，付款人成为票据的第一债务人，承担付款责任。

票据应记载的事项是由《票据法》明文规定的，出票人必须合法地记载这些事项，欠缺其中任何一项事项，或其中任何事项记载不合法，不但该事项无效，而且整个票据也是无效的。票据上也可以记载票据法规定事项的其他出票事项，但该记载事项不具有汇票上的效力。

2. 汇票应记载的事项

汇票必须记载下列事项：

（1）表明“汇票”的字样；

（2）无条件支付的委托；

（3）确定的金额；

（4）付款人的名称；

（5）收款人的名称；

（6）出票的日期；

（7）出票人的签章。

汇票相对应记载的事项：

（1）付款日期；

（2）付款地；

（3）出票地。

（二）本票

1. 本票的概念

本票是出票人签发的，承诺自己在见票时无条件支付确定金额给收款人或持票人的票据。我国《票据法》所称的本票是指银行本票。本票只有两个基本当事人，即出票人和收款人，本票的出票人就是付款人。

2. 本票应记载的事项

本票必须记载下列事项：

（1）表明“本票”的字样；

（2）无条件支付的承诺；

（3）确定的金额；

（4）收款人的名称；

（5）出票的日期；

（6）出票人的签章。

（三）支票

【案例链接】 2005年4月9日，某市S公司同意退还该市Y公司78万元投资款，并将退款转账支票交给Y公司。当日，Y公司将支票交其开户银行B银行。4月10日，该支票被S公司的开户行A银行以“支票空头、存款不足”为理由退票，但S公司当日的账户存款余额为88万元，足以支付。4月12日，Y公司得知退票，从其开户银行领取了退回的转账支票和退票理由书，于当日下午持退票凭证要求S公司付款。4月15日，S公司的账户存款额达82万元时，A银行办理了款项划拨。在转账过程结算中，Y公司自信78万元退款可及时收款入账，在不知道转账支票已退票的情况下，曾于4月10日上午和4月12日上午分别签发了34万和17万元的转账支票各一张。但Y公司存款余额仅有11万元，不足以支付所签发的转账支票款，其上述两张转账支票相继于4月12日和4月13日被退票，并被其开户银行罚款25 500元。

1. 支票的概念

支票是出票人签发的，委托办理存款业务的银行或其他金融机构在见票时无条件支付确定金额给收款人或持票人的票据。支票有三个基本当事人：出票人、付款人、收款人。

支票分为普通支票、现金支票和转账支票。

2. 支票应记载的事项

支票必须记载下列事项：

（1）表明“支票”的字样；

（2）无条件支付的承诺；

（3）确定的金额；

（4）付款人的名称；

（5）出票的日期；

（6）出票人的签章。

另外，法律禁止签发空头支票或远期支票。

四、票据行为

票据行为是指设立、变更或消灭票据法律关系的行为。票据行为包括出票、背书、承兑、保证、付款等。出票是主要票据行为，在出票行为的基础上产生背书、承兑、参加承兑和保证等票据行为。

（一）出票

出票也称为签发票据，是指出票人按照法定形式制作成票据并交付给收款人的行为，包括创设票据与交付票据。签发时应将法定内容记载于票据上，交付后，票据上的权利和义务便产生。

（二）背书

背书是指背书人在票据背面记载有关事项，表明将该票据转让于他人并签章的票据行为，一般包括背书的签发与交付两项内容。签名转让的为背书人，接受该背书票据的为被背书人，背书人与被背书人之间产生票据法律关系，背书人是债务人，被背书人是债权人。

1. 背书的形式

背书由背书人签章并记载背书日期。其中，背书人签章是绝对记载事项，否则背书无效；背书日期为相对记载事项，未记载的，视为在票据到期日前背书。背书转让还必须记载被背书人名称，即被背书人名称也是背书的绝对应记载事项。

背书不得记载的内容如下：

（1）附条件的背书。背书时附有条件的，所附条件不具有票据上的效力，但背书行为仍然有效。

（2）部分背书。将票据金额的一部分或者将票据金额分别转让给两人以上的背书无效。

2. 禁止背书

出票人的禁止背书应记载在票据的正面，其后手再背书转让，出票人和承兑人对受让人不承担票据责任。背书人的禁止背书应记载在票据的背面，其后手再背书转让的，原背书人对后手的被背书人不承担保证责任。

3. 背书的效力

（1）转让。将票据上的一切权利转让给背书人。

（2）担保。背书人对包括被背书人在内的一切后手保证该票据会被承兑付款。

（3）证明。保证在背书时签发人及前手背书人的签名是真实、合法、有效的。

（三）承兑

承兑是商业汇票特有的制度，是指汇票的付款人承诺在汇票到期日支付汇票金额的票据行为。这里的付款人是指记载于汇票之上并根据出票人的指令承担支付汇票款项的责任的行为人。见票即付的汇票无须承兑。承兑前出票人是主债务人，经付款人签字承兑后，付款人（承兑人）成为负绝对付款责任的汇票主债务人。

付款人承兑汇票的，应当在汇票正面记载“承兑”字样和承兑日期并签章；见票后定期付款的汇票，应当在承兑时记载付款日期。付款人承兑汇票后，应当承担到期付款的责任。我国《票据法》第43条规定，付款人承兑汇票，不得附有条件；承兑附有条件的，视为拒绝承兑。

【案例评析】该银行承兑汇票150万元是用于支付购进铝锭的货款，由乙供销社开出，并由G银行承兑，票据要素齐全，手续完备，G银行必须承担无条件付款责任。故法院判决：① G银行无条件向N银行支付150万元；② 其他当事人之间的纠纷另案处理。

（四）保证

保证是指票据债务人以外的第三人为担保票据债务的履行所做的一种附属票据行为。保证人与被保证人对持票人承担连带责任。

（五）付款

付款是指票据的承兑人（付款人）向持票人支付票据金额，以消灭票据权利和义务的行为。持票人应按下列期限提示付款：

（1）见票即付的票据，自出票日期起1个月内。

（2）定期付款，出票后定期付款或见票后定期付款的票据，自到期日起10日内。

（3）持票人未在上述法定期限内提示付款的，丧失对其前手的追索权，但对于承兑人并不发生失权的效果，即承兑人仍应负责。如果承兑人或付款人对逾期提示付款的持票人付款的，与按照规定的期限付款具有同样的法律效力。

持票人按规定提示付款的，付款人必须在当日足额付款。票据获得付款时，应当由持票人在票据上签收，并将票据交给付款人。持票人委托银行收款的，托收银行将代收的票据金额转入持票人账户，视同签收。付款人或代理人付款时，应当审查票据背书的连续，并审查提示付款人的合法身份证明或有效证件，付款人或代理人恶意或者有重大过失付款的，应当自行承担责任。

五、法律责任

违反《票据法》的法律责任包括刑事责任、行政责任和民事责任。

有下列票据欺诈行为之一的，依法追究刑事责任，情节轻微，不构成犯罪的，依照国家有关规定给予行政处罚：

（1）伪造、变造票据的；

（2）故意使用伪造、变造票据的；

（3）签发空头支票骗取钱财的；

（4）签发无可靠资金来源的汇票、本票，骗取资金的；

（5）汇票、本票的出票人在出票时做虚假记载，骗取钱财的；

（6）冒用他人的票据，或者故意使用过期或者作废的票据，骗取钱财的；

（7）付款人同出票人、持票人恶意串通，实施上述行为之一的。

金融机构工作人员在票据业务中玩忽职守，对违反票据法规定的票据予以承兑付款或者保证的，给予处分；造成重大损失，构成犯罪的，依法追究刑事责任。因上述行为给当事人造成损失的，由金融机构或直接责任人员依法承担赔偿责任。

票据的付款人对见票即付或者到期的票据，故意压票，拖延支付的，由金融机构管理部门处以罚款，对直接责任人员给予处分。因上述行为给持票人造成损失的，依法承担赔偿责任。

【案例评析】A银行在退票时，S公司开户银行账户中存款余额为88万元，足以支付78万元票款，A银行退票理由不当，由此造成Y公司签发支票出现空头而被罚款，对此，A银行应负主要责任。Y公司在未确知票款是否收齐的情况下，签发支票而造成支票空头，也应承担部分责任。

第三节　证券法

一、证券及证券法概述

（一）证券的概念、种类及特征

1. 证券的概念

证券是发行人为了证明或者设立财产权利，依照法定的程序以书面或电子记账的形式付给权利人的凭证。广义上的证券包括货币证券、商品证券和资本证券。

货币证券是证明持有人享有一定数额货币请求权的证券，如汇票、支票和本票；商品证券是证明持有人享有一定数量商品请求权的证券，如提货单、货运单等；资本证券是证明持有人享有资本的所有权与收益权的证券，如股票、债券等。

证券法上所指的证券仅为资本证券。

2. 证券的种类

我国目前在证券市场上发行和流通的证券主要有以下几类：

（1）股票。股票是股份有限公司签发的证明股东所持股份的凭证。

（2）债券。债券是政府、金融机构、公司企业等单位依照法定程序发行的，约定在一定期限还本付息的有价证券。

（3）认股权证。认股权证是股份公司给予持证人在一定期限内，以确定价格购买一定数量普通股份的权利凭证。

（4）基金受益凭证。基金受益凭证是证券投资基金发给投资者，用以记载投资者所持基金单位数的凭证。投资者按其所持基金受益凭证在基金中所占比例来分享基金盈利，分担基金亏损。

3. 证券的特征

（1）证券是一种投资凭证。证券是投资者权利的载体，投资者根据证券面额及证券记载来获取收益、承担风险。

（2）证券是一种权益凭证。证券记载一定的权益事项，代表投资者的一定权利，如股票体现的是股权，而债券则体现为债权。

（3）证券是一种可转让的权利凭证。证券既有流通性和变现性，其持有者可以在法定范围内将证券转让出售，以实现自身权利。

（二）证券法的概念及适用范围

1. 证券法的概念

证券法是调整证券发行、交易等活动中，以及国家在管理证券的发行、交易活动的过程中所发生的社会关系的法律规范的总称。证券法所调整的社会关系，既有证券发行人、证券投资人和证券商之间平等的发行、交易、服务关系，又有证券监督管理部门对证券市场参与者进行组织、协调、监督等活动过程中发生的监督关系，是两者的统一体。1998 年 12 月 29 日，第九届全国人民代表大会常务委员会第六次会议通过了《中华人民共和国证券法》（以下简称《证券法》），并于 1999 年 7 月 10 日起实施，该法于 2004 年 8 月 28 日和 2005 年 10 月 27 日进行了两次修订。

2. 证券法的适用范围

《证券法》第 2 条规定了其适用范围：

（1）在中华人民共和国境内，股票、公司债券和国务院依法认定的其他证券的发行和交易适用本法；本法未规定的适用《中华人民共和国公司法》和其他法律、行政法规的规定。

（2）政府债券、证券投资基金份额的上市交易，适用本法；其他法律、行政法规另有规定的，适用其规定。

（3）证券衍生品种的发行、交易的管理办法，由国务院依照本法的原则规定。

二、证券市场及证券机构

（一）证券市场

证券市场包括证券发行市场和证券流通市场。

1. 证券发行市场

证券发行市场是指证券首次进入资金筹集的场所，又称为证券一级市场，其表现为股票和公司债券的包销、认购或拍卖招标方式的交易。发行市场主要由证券发行人、认购人和中介人组成。

2. 证券流通市场

证券流通市场指已发行的证券进行买卖、转让和流通的市场，也称为证券二级市场。其交易形式主要有两种，即证券交易所和场外交易活动。

（二）证券机构

证券机构包括证券交易所和证券公司。

1. 证券交易所

证券交易所是为证券集中交易提供场所和设施，组织和监督证券交易，实行自律管理的法人。证券交易所的设立和解散，由国务院决定。证券交易所可以自行支配的各项费用收入，应当首先用于保证其证券交易场所和设施的正常运行并逐步改善，实行会员制的证券交易所的财产积累归会员所有，其权益由会员共同享有，在其存续期间，不得将其财产积累分配给会员。

目前，我国只有两家证券交易所，即上海证券交易所和深圳证券交易所。证券交易所设总经理一人，由国务院证券监督管理机构任免。证券交易所具有以下职能：

（1）保障证券交易正常进行。证券交易所应当为组织公平的集中交易提供保障，及时公布交易行情，并按交易日制作证券市场行情表，并予以公布。

（2）办理证券的暂停上市、恢复上市或者终止上市。

（3）技术性停牌和临时停市。证券交易所可以在发生突发性事件影响证券交易正常进行时采取技术停牌的措施，也可以在发生不可抗力时或者为了维护证券交易的正常秩序采取临时停市的措施。

（4）对证券交易实时监控。证券交易所对证券交易实行实时监控，并按照国务院证券监督管理机构的要求，对异常交易情况提出报告。

（5）对信息披露进行监督。证券交易所应当对上市公司及相关信息披露义务人披露的信息进行监督，督促其及时、准确地披露信息。

（6）依照证券法律、行政法规制定上市规则、交易规则、会员管理规则和其他有关规则，并报国务院证券监督管理机构批准。

（7）对违反证券交易有关规则的证券交易的人员给予纪律处分；对情节严重的，撤销其资格，禁止其入场进行证券交易。

2. 证券公司

证券公司是指依照《公司法》和《证券法》的规定设立的经营证券业务的有限公司或者股份有限公司。

证券公司的设立由《公司法》和《证券法》来规范。证券公司的设立实行特许审批制度。设立证券公司，必须符合法定的条件，经国务院证券监督管理机构审查批准。未经国务院证券监督管理机构批准，任何单位和个人不得经营证券业务。

（1）证券公司的业务范围。

经国务院证券监督管理机构批准，证券公司可以经营下列部分或者全部业务：①证券经纪；②证券投资咨询；③与证券交易、证券投资活动有关的财务顾问；④证券承销与保荐；⑤证券自营；⑥证券资产管理；⑦其他证券业务。

证券公司经营证券经纪，证券投资咨询，与证券交易、证券投资活动有关的财务顾问业务的，注册资金最低限额为人民币5000万元；证券公司经营业务证券承销与保荐、证券自营、证券资产管理或其他证券业务的其中一项的，注册资本最低限额为人民币1亿元；经营两项以上的，注册资本最低限额为人民币5亿元。证券公司的注册资金应当是实缴金额。国务院证券监督管理机构根据审慎监管原则和各项业务的风险程度，可以调整注册资本最低限额，但不得少于前款规定的限额。

（2）对证券公司的监管。

对证券公司的监管包括：

第一，准入监管。也就是对证券公司设立条件的限制性规定。

第二，资产负债监管。证券公司持有证券的市值总额不得超过公司资本金的80%；同一证券持有不得超过公司资本金的30%；同一公司股票数额不得超过该公司股份总额的5%和本公司资金的10%。

第三，保护基金监管。国家设立证券投资者保护基金，证券投资者保护基金由证券公司缴纳的资金及其他依法筹集的资金组成，其筹集、管理和使用的具体办法由国务院规定。

第四，准备金监管。证券公司应每年从其税后利润中提取交易风险准备金，其比例由证监会规定，其用途只能用作填补交易损失。

第五，内部控制制度监管。证券公司应当建立健全的内部控制制度，采取有效隔离措施，防范公司与客户之间、不同客户之间的利益冲突。必须将其证券经纪业务、证券承销业务、证券自营业务和证券资产管理业务分开办理，不得混合操作。证券公司的自营业务必须使用自有资金和依法筹集的资金，以自己的名义进行，不得假借他人名义或以个人名义进行，不得将其自营账户借给他人使用。

第六，代理业务限制。证券公司办理经纪业务，不得接受客户全权委托，不得以任何方式对客户证券买卖的收益或者赔偿证券买卖的损失作出承诺，不得未经过其依法设立的营业场所私下接受客户委托买卖证券。

第七，结算资金监管。证券公司客户交易结算资金应当存放在商业银行，以每个客户的名义单独立户管理，不得将客户的交易结算资金和证券归入其自有财产。禁止任何单位或者个人以任何形式挪用客户的交易结算资金和证券。证券公司破产或者清算时，客户的交易结算和证券不属于其破产财产或者清算财产。非因客户本身的债务或者法律规定的其他情形，不得查封、冻结、扣划或者强制执行客户的交易结算资金和证券。

三、证券的发行及证券交易

（一）证券的发行

证券发行是指向不特定的或特定的对象销售证券的活动。发行市场也称为“一级市场”。申请证券上市交易，应当向证券交易所提出申请，由证券交易所审核同意，并由双方签订上市协议。但政府债券上市交易由国务院授权的部门决定。申请股票、可转换为股票的公司债券或者法律、行政法规规定实行保荐制度的其他证券上市交易，应当聘请具有保荐资格的机构担任保荐人。

1. 证券的发行方法

证券的发行采用公开发行方法的，公开发行证券，必须符合法律、行政法规规定的条件，并依法报经国务院证券监督机构或者国务院授权的部门核准，任何单位和个人不得公开发行证券。

有下列情形之一的，为公开发行证券：

（1）向不特定对象发行证券；

（2）向特定对象发行证券累计超过200人的；

（3）法律、行政法规规定的其他发行行为。

非公开发行证券，不得采用广告、公开劝诱和变相公开方式。

2. 证券的承销

根据证券法的规定，向不特定对象发行的证券，法律、行政法规规定应当由证券公司承销的，发行人应当同证券公司签订承销协议。证券承销业务采取代销或者包销方式。

证券代销是指证券公司代发行人发售证券，在承销期结束时，将未出售的证券全部退还发行人的销售方式。

证券包销是指证券公司将发行的证券按照协议全部购入或在承销期结束时将售后剩余证券全部自行购入的销售方式。《证券法》规定，证券的代销、包销最长销售期不得超过90日。

证券公司在代销、包销期限内，对所代销、包销的证券应当保证先行出售给认购人，证券公司不得为本公司事先预留代销的证券和预先购入并留存所包销的证券。

根据《证券法》的规定，向不特定对象发行的证券票面总值超过人民币5000万元的，应当由承销团承销。所谓承销团，是指由两个或两个以上的证券公司组成的销售主体。对于巨额证券销售采取承销团的形式是为了分散风险和稳定证券市场。发行人有自主选择承销商的权利，证券公司也有接受或不接受承销委托的权利。证券承销可分为证券代销和证券包销。

股票发行采取溢价发行的，其发行价格由发行人与承销的证券公司协商确定。

证券公司承销证券，应当对公开发行募集文件的真实性、准确性、完整性进行核查。发现含有虚假记载、误导性陈述或重大遗漏的，不得进行销售活动；已经销售的，必须立即停止销售活动，并采取纠正措施。

3. 证券上市

（1）股票的上市。

股份有限公司申请股票上市，应当向证券交易所提出申请，由证券交易所依法审核同意，并由双方签订上市协议。股票上市应符合下列条件：①股票经国务院证券监督管理机构核准已向社会公开发行；②公司股本总额不少于人民币3000万元；③公开发行的股份达到公司股份总数的25%以上；④公司股本总额超过人民币4亿元的，公开发行股份的比例为10%以上；⑤公司最近3年无重大违法行为，财务会计报表无虚假记载。证券交易所可以规定高于前款规定的上市条件，并报国务院证券监督管理机构批准。

上市公司有下列情形之一的，由证券交易所决定暂停其股票上市交易：①公司股本总额、股权分布等发生变化，不再具备上市条件；②公司不按照规定公开其财务状况，或者对财务会计报告作虚假记载，可能误导投资者；③公司有重大违法行为；④公司最近3年连续亏损；⑤证券交易所上市规则规定的其他情形。

上市公司有下列情形之一的，由证券交易所决定终止其股票上市交易：①公司股本总额、股份分布等发生变化，不再具备上市条件，在证券交易所规定的期限内仍不能达到上市条件；②公司不按照规定公开其财务状况，或者对财务会计报告作虚假记载，且拒绝纠正；③公司最近3年连续亏损，在其后一个年度内未能恢复盈利；④公司解散或者被宣告破产；⑤证券交易所上市规则规定的其他情形。

（2）债券的上市。

公司申请公司债券上市交易，应当符合下列条件：①公司债券的期限为1年以上；②公司债券实际发行额不少于人民币5000万元；③公司申请债券上市时仍符合法定的公司债券发行条件。

公司债券上市交易后，公司有下列情形之一的，由证券交易所决定暂停其公司债券上市交易：①公司有重大违法行为；②公司情况发生重大变化，不符合公司债券上市条件；③公司债券所募集的资金不按照核准的用途使用；④未按照公司债券募集办法履行义务；⑤公司最近两年连续亏损。

公司有重大违法行为或未按照公司债券募集办法履行义务，经查实后果严重的，由证券交易所决定终止其公司债券上市交易。出现公司情况发生重大变化不符合公司债券上市条件、公司债券所募集资金不按照核准的用途使用或公司最近两年连续亏损的情形，在限期内未能消除的，由证券交易所决定终止其公司债券上市交易。公司解散或者被宣告破产的，由证券交易所终止其公司债券上市交易。

（二）证券交易

【案例链接】2005年6月2日，S市某公司职员李某与江某协商转让T公司股票，李某欲将2000股该种股票转让给江某，以6月2日沪市证券交易所挂牌交易的平均价每股10元作为股价。当日江某将两万元交给李某，李某给江某出具了一张收条。收条上写明：收到江某人民币两万元，买入股票2000股，由本人代为保管，在江某认为要进行交易时，本人提供方便。6月30日，该种股票的股价大幅度上涨。江某欲抛售股票，但李某拒绝提供股票。双方发生纠纷，江某起诉到法院，要求法院判令李某返还股票。

1. 证券交易的概念及交易方式

证券交易是指证券的合法持有人依法将自己持有的证券全部或部分转让给其他投资者的行为。证券交易是证券变现，同时实现投资者收益或减少损失的重要途径。证券交易的方式主要有现货交易、期货交易、期权交易和信用交易。

现货交易是指交易双方在成交后及时清算交割证券价款的证券交易方式。我国《证券法》只允许证券进行现货交易，他是证券交易最基本的形式，在目前的场内交易和场外交易中被广泛采用。

期货交易是指证券交易双方在签订的证券期货和约中约定，在规定的日期以约定的价格进行清算交割的证券交易方式，与证券现货交易相比，证券期货交易容易诱发市场过度投机，增加市场的不稳定因素，不利于证券主管机关的监管。我国目前除国债期货交易被依法暂停外，其他上市证券的交易均不允许以期货交易的方式进行。

期权交易是指证券交易当事人为获得证券市场价格波动带来的利益，由期权买方向期权卖方支付期权费后，约定在一定时间内，以特定价格买进或卖出指定证券，或者放弃买进或卖出指定证券的交易。

信用交易是指证券投资者在买卖证券时，只向证券商支付一定数额的保证金或部分证券，其应付证券价款或应付证券不足时，由证券商垫付的证券交易方式。

2. 证券交易程序

通过集中市场进行的证券交易，除证券经营机构自营买卖外，都须委托经营机构代理买卖。

委托人（投资人）首先应进行名册登记和开户（包括证券账户和资金账户），这是委托交易的前提，然后，投资人可选择一个证券商与之订立证券买或卖的委托合同，约定买卖证券种类、数量、价格和委托期限。受委托的证券商即通过现场交易员根据委托指令参与竞价，根据价格优先、时间优先的原则，在买卖双方价格一致时即成交。证券商之间在证交所清算部门办理清算交割之后，再与委托人办理交割，买入记名证券的投资还应办理过户，交易完成后，证券经纪商按规定收取佣金。

发起人持有的本公司股份，自公司成立之日起一年内不得转让。公司公开发行股份前已发行的股份，自公司股票在证券交易所上市之日起一年内不得转让。公司董事、监事、高级管理人员应当向公司申报所持有的本公司的股份及其变动情况，在任职期间每年转让的股份不得超过其所有持有本公司股份总数的25%；所持本公司股份自公司股票上市交易之日起一年内不得转让。上述人员离职后半年内，不得转让其所持有的本公司股份，公司章程可以对公司董事、监事、高级管理人员转让其所持有的本公司股票作出其他限制性规定。公司除减少公司注册资本、与持有本公司股份的其他公司合并、将股份奖励给本公司职工的以外，不得收购本公司股份；股东因对股东大会作出的公司合并、分立决议持异议，要求公司收购其股份的以外，不得收购本公司股份。公司将股份奖励给本公司职工而收购的本公司股份，不得超过本公司已发行股份总额的5%；用于收购的资金应当从税后利润中支出，所收购的股份应当在一年内转让给职工。

四、证券交易的一般原则

（一）依法买卖原则

所谓“合法”，包含四个方面的内容：

（1）证券交易当事人依法买卖的证券，必须是依法发行并交付的证券。非法发行的证券，不得买卖。依法发行的股票、公司债券及其他证券，法律对其转让期限有限制性规定的，在限定期限内，不得买卖。

（2）证券交易地点必须合法。经依法核准的上市交易的股票、公司债券及其他证券，应当在证券交易所挂牌交易。

（3）证券交易时间必须合法。

（4）证券交易的当事人必须合法。

【案例评析】李某与江某在6月2日私自转让股票的行为，违反了法律规定，为无效民事法律行为，双方应返还财产。故判决李某转让给江某2000股T公司股票的行为无效，李某应返还江某人民币2万元。

（二）竞价交易原则

根据证券法规定，证券在证券交易所挂牌交易，应当采用公开的集中竞价的交易方式。证券交易的集中竞价实行价格优先、时间优先的原则。证券交易是以电脑竞价成交的，该原则也不例外。

（三）信息公开原则

信息公开是指证券发行上市公司按照要求将自身财务、经营等情况向证券监督管理部门报告，并向投资者公告的活动。证券发行的信息公开称为初次公开或发行公开；证券上市及上市期间的信息公开称为持续公开或继续公开。上市公司应当在每一会计年度的上半年结束后两个月内向证监会和证交所提交中期报告；在每一次会计年度结束之日起四个月内提交年度报告。

公司公开的信息中存在虚假记载、误导性陈述或者有重大遗漏，致使投资者在证券交易中遭受损失，发行人、承销人应当承担赔偿责任，发行人、承销人的董事、监事、高级管理人员应当承担连带赔偿责任。

五、上市公司收购规则

上市公司收购包括要约收购和协议收购两种形式。一般来说，国家股和社会法人股的收购是通过协议方式实现的。

要约收购程序如下：

（1）通过证券交易所的证券交易，投资者持有或者通过协议、其他安排与他人共同持有一个上市公司已发行的股份5%时，应该在该事实发生之日起3日内，向国务院证券监督管理机构、证券交易所作出书面报告，通知该上市公司，并予以公告；在上述规定的期间内，不得再行买卖上市公司的股票。

（2）投资者持有或者通过协议、其他安排与他人共同持有一个上市公司已发行的股份达到5%后，通过证券交易所的证券交易，其所持该上市公司已发行的股份比例每增加或减少5%，应当依照前述办法进行报告和公告。在报告期限内作出报告、公告后两日内，不得再行买卖该上市公司的股票。

(3) 通过证券交易所的证券交易，投资者持有或者通过协议、其他安排与他人共同持有一个上市公司已发行的股份达到30%时，继续进行收购的，应当依法向该上市公司所有股东发出收购上市公司全部或者部分股份的要约。收购上市公司部分股份的收购要约应当约定，被收购公司的股东承诺出售的股份数额超过预定收购的股份数额的，收购人按比例进行收购。采取要约收购方式的，收购人在收购期限内，不得卖出被收购公司的股票，也不得采取要约规定以外的形式和超出要约的条件买入被收购公司的股票。

(4) 收购人在报送上市公司收购报告书之日起15日后，公告其收购要约。收购要约的期限不得少于30日，并不得超过60日，在公告前不得履行收购协议。采取要约收购方式的，收购人在收购期限内，不得卖出被收购公司的股票，也不得采取要约规定以外的形式超出要约条件买入被收购公司的股票。

(5) 收购要约期满之后，收购人持有的被收购公司的股份数达到该公司已发行的股份总数的75%以上的，该公司的股票应当在证券交易所终止交易。当收购人持有的被收购公司的股份数达到该公司已发行的股份总数的90%以上时，其余股东有权向收购公司以收购要约的同等条件出售其股票，收购人应当收购。收购行为完成后，被收购公司不再具备股份有限公司条件的，应当依法变更企业形式。

(6) 在上市公司收购中，收购人对持有的被收购的上市公司的股票，在收购行为完成后的12个月内不得转让。

收购上市公司中由国家授权投资的机构持有的股份，应当按照国务院的规定，经有关主管部门批准。

采取协议收购方式的，收购人收购或者通过协议、其他安排与他人共同收购的一个上市公司已发行的股份达到30%时，继续进行收购，应当向该上市公司所有股东发出收购上市公司全部或部分股份的要约，但是，经国务院证券监督管理机构免除发出要约的除外。

六、证券交易的禁止性行为及违法责任

【案例链接】 张某为某证券公司公关部负责人，由于工作关系，经常掌握一些股票价格涨落的情况。按照公司业务规则，工作人员掌握的信息不得向外泄露或为自己牟利。一次偶然的机会，张某获悉了公司证券讨论师对飞乐股份的走势预测。张某将预测结果告诉其丈夫何某。何某按图索骥，购买了4000股飞乐股。数月后，飞乐股大幅度上扬，何某卖出股票，得到股利6000余元。不久，此事东窗事发，张某受到审查。经主管机关调查后，认为张某的行为已构成内幕交易行为，应没收非法所得并罚款。

根据我国证券法规定，下列四种行为是证券交易的禁止性行为：

(一) 内幕交易

内幕交易是指单位和个人以获取利益或减少损失为目的，利用内幕信息进行证券发行交易的行为，包括内幕人员自己利用内幕信息向他人泄露信息，或者非信息内幕人员利用不正当手段获得内幕信息而从事证券交易等行为。

内幕信息是指可能对上市公司股票交易价格产生较大影响而投资者尚未得知的重大事件。

1. 内幕信息

内幕信息主要包括：

（1）公司分配股利或者增资的计划；

（2）公司股权结构的重大变化；

（3）公司债务担保的重大变更；

（4）公司的董事、监事、经理、副经理或者其他高级管理人员的行为可能依法承担重大损害赔偿责任；

（5）上市公司收购的有关方案；

（6）国务院证券监督管理机构认定的对证券交易价格有显著影响的其他重要信息。

2. 内幕人员

内幕人员包括：

（1）发行人的董事、监事、高级管理人员；

（2）持有公司5%以上的股份及其股东、监事、高级管理人员，公司的实际控制人及其董事、监事、高级管理人员；

（3）发行人控股的公司及其董事、监事、高级管理人员；

（4）由于所任公司职务可以获取公司有关内幕信息的人员；

（5）证券监督管理机构工作人员以及由于法定职责对证券的发行、交易进行管理的其他人员；

（6）保荐人、承销的证券公司、证券交易所、证券登记结算机构、证券服务机构的有关人员；

（7）国务院证券监督管理机构规定的其他人员。

3. 内幕交易的法律责任

内幕交易的法律责任有：

（1）内幕交易行为给投资者造成损失的，行为人应当依法承担赔偿责任。

（2）证券交易内幕信息的知情人或者非法获取内幕信息的人，在涉及证券的发行、交易或者其他对证券的价格有重大影响的信息公开前，买卖该证券，或者泄露该信息，或者建议他人买卖该证券的，责令依法处理非法持有的证券，没收违法所得，并处以违法所得1倍以上5倍以下的罚款。单位从事内幕所得或者违法所得不足3万元，处以3万元以上60万元以下的罚款。单位从事内幕交易的，还应当对直接负责的主管人员和其他直接责任人给予警告，并处以3万元以上30万元以下的罚款。证券监督管理机构工作人员进行内幕交易的，从重处罚。

【案例评析】张某利用其作为证券公司公关部负责人的便利条件，掌握了证券市场变化情况后，利用这一内幕信息，与何某相勾结，牟取不当利益，已经构成内幕交易行为。主管机关对其处以罚款和没收非法所得，符合法律的规定。

（二）操纵市场

操纵市场是指单位或者个人以获取利润或者以减少损失为目的，利用其资金、信息等优势或者滥用职权操纵市场，影响证券市场价格，制造证券市场假象，诱导或者导致投资者在不了解事实真相的情况下作出证券投资的行为。

1. 操纵市场的行为

操纵市场的行为包括：

（1）通过单独或者合谋，集中资金优势、持股优势联合或者连续买卖证券，操纵证券交易价格或者证券交易量；

（2）与他人串通，以事先约定的时间、价格和方式相互进行证券交易或者相互买卖并不持有的证券，影响证券交易价格或者证券交易量；

（3）在自己实际控制的账户之间进行证券交易，影响证券交易价格或者证券交易量；

（4）以其他方法操纵证券交易价格。

2. 操纵市场的法律责任

操纵证券市场行为给投资者造成损失的，行为人应当依法承担赔偿责任。操纵证券交易价格，或者制造证券交易的虚假价格或者证券交易量，获得不正当利益或者转嫁风险的，没收违法所得，并处以违法所得1倍以上5倍以下的罚款，没有违法所得或者违法所得不足30万元的，处以30万元以上300万元以下的罚款。单位操纵证券市场的，还应当对直接负责的主管人员和其他直接责任人员给予警告，并处以10万元以上60万元以下的罚款。

（三）欺诈客户

欺诈客户是指单位或者个人在证券发行、交易及其相关活动中欺诈客户的行为。

1. 欺诈客户的行为

欺诈客户的行为主要有：

（1）违反客户的委托为客户买卖证券；

（2）不在规定时间内向客户提供交易的书面确认文件；

（3）挪用客户所委托买卖的证券或者假借客户的名义买卖证券；

（4）未经客户的委托，擅自为客户买卖证券，或假借客户的名义买卖证券；

（5）为牟取佣金收入，诱使客户进行不必要的证券买卖；

（6）利用传播媒介或者通过其他方式提供、传播虚假或者误导投资者的信息；

（7）其他违背客户真实意思表示，损害客户利益的行为。

2. 欺诈客户的法律责任

证券公司违背客户的委托买卖证券，办理交易事项，以及其他违背客户真实意思表示，办理交易以外的其他事项，给客户造成损失的，依法承担赔偿责任，并处以1万元以上10万元以下的罚款。证券公司证券登记结算机构挪用客户的资金或者证券，或者未经客户的委托，擅自为客户买卖证券的，责令改正，没收违法所得，并处以违法所得1倍以上5倍以下的罚款；对直接负责的主管人员和其他直接责任人给予警告、撤销任职资格或者撤销证券从业资格，并处以3万元以上30万元以下的罚款。

（四）虚假陈述

虚假陈述是指单位和个人对证券发行、交易及其相关活动的事实、性质、前景、法律等事项作出不实、严重误导或者含有重大遗漏的任何形式的虚假陈述或者诱导，致使投资者在不了解事实真相的情况下作出证券投资决策的行为，包括发行人、证券经营机构、律师事务所、会计事务所、资产评估机构、证券业协会、证券自律性组织等在与证券交易相关的活动中提供虚假陈述的行为。

发行人、上市公司或者其他信息披露义务人未按照规定披露信息，或者所披露的信息有虚假记载、误导性陈述或者重大遗漏的，由证券监督管理机构责令改正，给予警告，处以30万元以上60万元以下的罚款。对直接负责的主管人员和其他责任人员给予警告，并处以3万元以上30万元以下的罚款。发行人、上市公司或者其他信息披露义务人未按照规定报送有关报告，或者报送的报告有虚假记载、误导性陈述或者重大遗漏的，由证券监督管理机构责令改正，并处以30万元以上60万元以下的罚款。对直接负责的主管人员和其他直接负责的人员给予警告，并处以3万元以上30万元以下的罚款。发行人、上市公司或者其他信息披露义务人的控股股东、实际控制人指使从事前两款违法行为的，依照前两款的规定处罚。

保荐人出具有虚假记载、误导性陈述或者重大遗漏的保荐书，或者不履行其他法定职责的，责令改正，给予警告，没收业务收入，并处以业务收入1倍以上5倍以下的罚款；情节严重的，暂停或者撤销相关业务许可。对直接负责的主管人员和其他责任人员给予警告，并处以3万元以上30万元以下的罚款；情节严重的，撤销任职资格或者证券从业资格。

证券公司承销证券进行虚假或者误导投资者的广告或者其他宣传推介活动的，责令改正，给予警告，没收违法所得，可以并处30万元以上60万元以下的罚款；情节严重的，暂停或者撤销相关业务许可。给其他证券承销机构或者投资者造成损失的，依法承担赔偿责任。对直接负责的主管人员和其他直接负责的人员给予警告，可以并处3万元以上30万元以下的罚款；情节严重的，撤销任职资格或者证券从业资格。

第八章 会计法律制度

【知识链接】 假账常见手法曝光。

近二十年来，我国经济建设的步伐在不断加快，在经济高速运转的同时，经济犯罪也层出不穷。在诸多经济犯罪案例中，做假账是作案方法中最老到也最常使用的一种手法。如1999年轰动全国的东方锅炉（集团）股份有限公司的特大经济案件中，便是以何允明、江仲生等人为首的领导班子利用职务之便并借助假账的掩护，鲸吞国家财产近千万元之巨。

假账一直被人们视同“洪水猛兽”，它犹如一只隐形的手，有化腐朽为神奇的力量，小到“皮包公司”的设立，大到上市公司的包装出炉，使许多不法分子巧取豪夺、中饱私囊。假账一般是指会计人员不按照《中华人民共和国会计法》（以下简称《会计法》）和相关财会制度等法律、法规的规定进行会计核算，实行会计监督，提供虚假的会计信息的产物，是伴随着会计工作的产生、发展而产生和发展变化的。近年来，做假账的手法不断翻新，越来越趋向于复杂化和隐蔽化。

假账主要有假凭证、假账簿、假报表等形式，做假的常见手法主要有真账假做、假账真做、偷桃换李、电脑作弊等形式。

由此可见，加强对会计法规的学习，不仅有助于提高会计从业人员的法律意识，也有助于推动我国会计工作的规范化和制度化。

第一节 会计法概述

一、会计及会计法的概念

（一）会计的概念

会计是指以货币为主要计量单位，以会计凭证和会计账簿作为主要形式，对企业、事业等单位的经济活动进行真实地、准确地、全面地核算和监督，以提高经济效益为目的的一种管理活动。

会计是随着生产的产生而产生，并随着生产的发展而发展的。人类要生存就必须进行生产，这是人类生存和发展的基本前提。在生产过程中，人们总是力求以尽量少的耗费创造出尽可能多的满足社会需要的产品。此时，人们越来越重视对生产过程的管理，追求最大的经济效益，这就要求对生产过程的各种耗费和成果进行计算和记录，并将其进行比较分析，以获得管理生产所需要的各种信息。

（二）会计法的概念

会计法是指调整会计机构、会计人员在办理会计事务过程中，以及国家在管理会计工作过程中所产生的会计关系的法律规范的总称。

我国的会计立法起步于新中国成立之后，主要以制定国家统一的会计制度为起点，逐步建立以规范会计工作秩序为主要内容的会计法规体系。《会计法》的制订和实施，是我国社会主义会计立法取得的重大成果，标志着我国的会计工作进入了社会主义法制化的新时期。

《会计法》共7章52条，规定了总则、会计核算、公司、企业会计核算的特别规定、会计监督、会计机构和会计人员、法律责任等内容。《会计法》实施以来，在加强会计工作，维护国家财产纪律，改善经营管理和提高经济效益，加强会计工作的法制建设等方面都起到了重要作用。

二、会计规范体系

会计具有技术性和经济后果。技术性是指会计具有一整套专门的程序与方法；而经济后果是指会计所提供的经济信息会影响利益相关人的经济利益，从而影响到经济资源的有效配置。会计所采用的会计程序与方法不同，则生成的会计信息不同，所产生的经济后果也不同。所以，会计信息必须依据一定标准或规范加以报告。目前，我国会计规范体系由三部分组成：会计法、会计准则、会计制度。

（一）会计法

《会计法》由全国人民代表大会制定，它是一部规范我国会计工作的基本法规。

我国现行的《会计法》是1985年由全国人民代表大会常务委员会通过并颁布的，并在1993年和1999年两次修订。

《会计法》是会计工作的基本法，是制定其他一切会计法规、制度、办法等的法律依据，它涉及会计核算、会计监督、会计机构和会计人员以及法律责任等各个方面。

（二）会计准则

会计准则由国务院暨财政部制定，是国家规范会计确认、计量、报告的会计标准，它包括基本会计准则和具体会计准则两大类。

1. 基本会计准则

基本会计准则规定了会计核算的基本假设、一般原则、会计要素、各主要项目核算原则、财务报告的基本要求等。

2. 具体会计准则

具体会计准则是有关会计核算具体要求的准则。它为某些特定的会计事项进行账务处理提供了规范。2006年以后，已发布和修订的具体会计准则有32个。

（三）会计制度

会计制度由财政部制定，它对会计事项如何进行账务处理做出了统一规定，是企事业单位进行会计核算的依据。

我国现行的会计制度包括《企业会计制度》、《小企业会计制度》、《金融企业会计制度》和非营利组织会计制度（《事业单位会计制度》、《行政单位会计制度》、《财政总预算会计制度》以及《民间非营利组织会计制度》)。

三、会计法的原则及适用范围

(一) 会计法的原则

会计法原则指在会计工作过程中必须遵守的基本准则。我国会计法的原则有:

1. 真实性原则

真实性原则又称"客观性原则"。它是指会计核算必须以实际发生的经济业务及证明经济业务发生的合法凭证为依据,如实反映财务状况和经营成果,做到内容真实、数字准确、资料可靠。真实性是对会计核算工作和会计信息的基本质量要求。

2. 合法性原则

合法性原则指所有的会计工作,包括会计核算、会计监督、会计机构、会计人员、会计档案管理等工作都必须符合国家法律和规章制度。

3. 统一性原则

根据《会计法》规定,我国会计工作实行"统一领导、分级管理"的原则,我国会计工作实行统一的会计制度,国家统一的会计制度由国务院财政部门根据《会计法》制定并公布。

(二) 会计法的适用范围

根据会计法的规定,国家机关、社会团体、公司、企业、事业单位和其他组织办理会计事务,都要遵守《会计法》的规定。个体工商户设置会计账簿,进行会计核算,由国务院财政部门依据会计法的原则另行规定。

第二节 会计工作管理体制的法律规定

会计工作管理体制是划分管理会计工作职责权限关系的制度,包括会计工作的主管部门、会计制度的制定、单位内部的会计工作管理等。

一、会计工作的主管部门

会计工作的主管部门,是指代表国家对会计工作行使管理职能的政府部门。根据《会计法》的规定,我国会计工作的管理体制实行"统一领导、分级管理"的原则,即:由国务院财政部内设置的会计事务管理司主管全国的会计工作;由各省、市、自治区、地、县财政厅(局)设置的会计事务管理处、科、股来主管本地区的会计工作;各基层单位设置的财务会计处、科、股主要负责本单位的会计核算工作。

二、会计制度的制定

《会计法》规定,国家实行统一的会计制度。国家统一的会计制度由国务院财政部门根据《会计法》制定并公布。国务院有关部门可以依照会计法和国家统一的会计制度,制定对会计核算和会计监督有特殊要求的行业实施国家统一的会计制度的具体办法或者补充规定,报国务院财政部门审核批准。

中国人民解放军总后勤部可以依据会计法和国家统一的会计制度制定军队实施国

家统一的会计制度的具体方法，报国务院财政部门备案。

三、单位内部的会计工作管理

单位内部的会计工作管理主要包括对会计人员的管理规定和对单位负责人的管理规定两个方面。

【案例讨论】某胶粘剂厂原厂长刘某某为达到偷税目的，指使会计设立两套账，采取少列或不列收入的方法，记录虚假的经营销售情况用于向税务机关申报纳税。刘某某被区人民检察院依法提起公诉。检察机关在起诉中指控称，2000 年 8 月，该胶粘剂厂组建成立，该企业为合伙制企业，被告人刘某某系负责人。为达到不缴或少缴税款的目的，被告人刘某某指使手下会计人员采取设立两套账簿以及凭证的方法偷逃应纳增值税。一套记录真实的销售情况，另一套采取少列或不列收入的手段，记录虚假的经营销售情况，向税务机关进行虚假申报纳税。自 2000 年 9 月至 2003 年 10 月，共隐匿销售数额 1380.2 万元，其进项税已在税务机关申报抵扣完毕，共偷逃增值税 234.6 万元，这期间仅缴纳增值税 9.03 万元，偷税额占应纳税款数额的 96.29%。请问：

1. 单位负责人能否指使会计做假账？

2. 谁该对单位会计资料不真实负责？

1. 对会计人员的管理规定

会计人员的管理主要包括对会计人员的业务管理和人事管理。根据《会计法》和有关法规的规定，财政部门负责会计人员的业务管理，包括会计从业资格管理、会计专业技术资格（职务）的管理、岗位会计人员评优表彰以及会计人员继续教育的管理等。

2. 对单位负责人的管理规定

单位负责人负责单位内部的会计工作管理，应当保证会计机构、会计人员依法履行职责，不得授意、指使、强令会计机构、会计人员违法办理会计事务。《会计法》规定，单位负责人对本单位的会计工作和会计资料的真实性、完整性负责。

【案例评析】根据会计法的规定，单位负责人负责单位内部的会计工作管理，应当对本单位的会计工作和会计资料的真实性、完整性负责，不得授意、指使、强令会计人员违法办理会计事务。在该案中，被告人刘某某作为单位负责人，应该对该单位的会计工作负责，其指使手下会计人员采取设立两套账簿以及凭证的方法偷逃应纳增值税，且数额巨大，属于严重违法行为，理应受到法律的严惩。

第三节　会计机构和会计人员的法律规定

【案例讨论】2004 年 10 月，某市财政局派出检查组对市属某企业的会计工作进行检查，发现 2003 年 10 月，该企业新厂长李某到任后，将原会计科科长赵某调到计划科任科长，提拔会计钱某任科长，并将副厂长孙某战友的女儿李某调入该厂会计科任出纳，兼管会计档案保管工作。李某没有会计从业资格证。2003 年 11 月，会计周某申请调离该厂，厂人事部门在其没有办清交接手续的情况下，即为其办理了调动手续。问：

这些做法中哪些是合法的，哪些是违法的？

一、会计机构和会计人员的设置

《会计法》第36条规定，各单位应当根据会计业务的需要，设置会计机构或者在有关机构中设置会计人员，并指定会计主管人员。一个单位是否单独设置会计机构，往往取决于以下几个因素：一是单位规模大小；二是经济业务和财务收支的繁简；三是经营管理的要求。根据以上要求，一般来说，大中型企业和具有一定规模的行政事业单位，以及财务收支数额较大、会计业务较多的社会团体和其他经济组织应单独设置会计机构，以便及时组织本单位各项经济活动和财务收支的核算，实行有效的会计监督。对于不具备设置条件的，应当委托经批准设立从事会计代理记账业务的中介机构代理记账。

二、会计机构、会计人员的职责

会计机构和会计人员的主要职责表现在以下五个方面：

（1）依法进行会计核算。《会计法》第9条规定，各单位必须根据实际发生的经济业务事项进行会计核算，填制会计凭证，登记会计账簿，编制财务会计报告。任何单位不得以虚假的经济业务事项或者资料进行会计核算。

（2）依法进行会计监督。《会计法》第27条规定，建立、健全内部会计监督制度是各单位的法定义务。各单位的会计机构、会计人员对本单位的经济活动进行会计监督。监督的对象是本单位的经济活动。

（3）制定本单位办理会计事务的具体办法。各单位要做好会计核算和会计监督工作，就需要根据国家统一的会计制度和本单位的实际，制定和完善本单位办理会计事务的具体办法，如制定和完善各种财产物资的定期或不定期的清查盘点制度。

（4）参与拟定经济计划、业务计划，考核、分析预算、财务计划的执行情况。虽然会计人员并非单位的决策人员，但由于会计工作涵盖了单位经济活动的全过程，他们的参与将有助于决策的科学性和有效性。

（5）办理其他会计事务。

三、会计机构负责人和会计人员的任职资格

《会计法》规定，从事会计工作的人员，必须取得会计从业人员资格证书。担任单位会计机构负责人（会计主管人员）的，除取得会计从业资格证书外，还必须具备会计师以上专业技术职务或从事会计工作3年以上经历。

因提供虚假财务会计报告，做假账，隐匿或者故意销毁会计凭证、会计账簿、财务会计报告，贪污，挪用公款，职务侵占等与会计职务有关的违法犯罪行为被追究刑事责任的人员，不得取得或者重新取得会计从业资格证书。

因违法违纪行为被吊销会计从业资格证书的人员，自被吊销会计从业资格证书之日起5年内，不得重新取得会计从业资格证书。

四、会计工作岗位的设置

会计工作岗位，是指一个单位会计机构内部根据业务分工而设置的职能岗位。在会计机构内部设置会计工作岗位，有利于明确分工和确定岗位职责，建立岗位责任制；

有利于会计人员钻研业务，提高工作效率和质量；有利于会计工作的程序化和规范化，加强会计基础工作；有利于强化会计管理职能，提高会计工作。对于会计工作岗位的设置，一般要求是：

1. 根据本单位会计业务的需要设置会计工作岗位

通常情况下，业务活动规模大、业务过程复杂、经济业务量大和管理严格的单位，会计机构会相应比较大，会计人员相应较多，会计机构内部岗位职责分工也相应较细；相反，业务活动规模小、业务过程简单、经济业务量少和管理要求不高的单位，会计机构会相应比较小，会计人员相应较少，会计机构内部岗位职责分工也相应较粗。

会计工作岗位可以一人一岗、一人多岗或一岗多人。通常在小型企业中，“一岗一人”和“一人多岗”的现象较多；而在大中型企业中，“一岗多人”的现象较多。

2. 符合内部牵制制度的要求

单位内部牵制制度是为了提高会计信息质量、保护资产的安全与完整，确保有关法律法规、规章制度的贯彻执行。

《会计法》第37条规定，会计机构内部应当建立稽核制度。出纳人员不得兼任稽核、会计档案保管和收入、支出、费用、债权债务账目的登记工作。

会计人员的工作岗位要有计划地进行轮岗，以促进会计人员全面熟悉业务和不断提高业务素质。

五、会计人员的回避

回避制度是指为了保证执法或者执业的公正性，对可能影响其公正性的执法或者执业人员实行职务回避和业务回避的一种制度。从会计工作的特殊性出发，《会计基础工作规范》第16条规定国家机关、国有企业、事业单位任用会计人员应当实行回避制度：单位负责人的直系亲属不得担任本单位的会计机构负责人、会计主管人员；会计机构负责人、会计主管人员的直系亲属不得在本单位会计机构中担任出纳工作。

六、会计人员的任免、交接

会计人员调动工作或者离职，必须与接管人员办清交接手续。一般会计人员办理交接手续，由会计机构负责人（会计主管人员）监督交接；会计机构负责人（会计主管人员）办理交接手续，由单位负责人监督交接，必要时主管单位可以派人会同监督交接。

【案例评析】在该案中，根据《会计法》的有关规定，副厂长孙某战友的女儿李某虽然无须回避出纳工作岗位，但由于其没有会计从业人员资格证，所以不能担任出纳和会计档案保管工作，而且出纳也不能兼会计档案保管工作。会计周某申请调离该厂，厂人事部门在其没有办清交接手续的情况下即为其办理调动手续的行为也是违反会计法的。

另外，会计钱某只有取得了会计从业人员资格证书，具备会计师以上专业技术职业资格或者从事会计工作3年以上，才可以担任会计科科长的职务。

第四节　违反会计法律制度应承担的法律责任

一、法律责任及会计法律责任

（一）法律责任的概念

法律责任是指违反法律规定的行为应当承担的法律后果，也就是对违法者的制裁。

（二）会计法律责任的概念

会计法律责任是指违反会计法关于会计核算、会计监督、会计机构、会计人员的有关规定，应当承担的法律责任。

（三）会计法律责任的种类

（1）责令限期改正。所谓责令限期改正，是指要求违法行为人在一定期限内停止违法行为，并将其违法行为恢复到合法状态。比如，私设会计账簿的单位应当取消私设的账簿，并根据实际发生的经济业务将在私设的会计账簿上登记的事项转移到依法设置的账簿上，统一进行登记、核算。

（2）罚款。县级以上人民政府财政部门根据上述所列行为的性质、情节及危害程度，在责令限期改正的同时，可以对单位并处3000元以上5000元以下的罚款，对其直接负责的主管人员和其他直接责任人员可以处以2000元以上2万元以下的罚款。

（3）给予行政处分。对直接负责的主管人员和其他直接责任中的国家工作人员，视其情节轻重，还应当由其所在地单位或者其上级单位或者行政监察部门给予警告、记过、记大过、降级或降职处分。

（4）吊销会计从业人员资格证书。会计人员有违反会计法律规范的行为，情节严重的，由县级以上人民政府财政部门吊销会计从业人员资格证书。

（5）依法追究刑事责任。

二、违反会计法律制度规定行为应承担的法律责任

（一）违反国家统一的会计制度规定行为应承担的法律责任

根据《会计法》的规定，违反《会计法》和国家统一的会计制度规定，有下列行为之一的，由县级以上人民政府财政部门责令限期改正，可以对单位并处3000元以上5万元以下的罚款；对直接负责的主管人员和其他直接责任人员，可处2000元以上2万元以下的罚款；属于国家工作人员的，还应当由其所在单位或者有关单位依法给予行政处分；构成犯罪的，依法追究刑事责任：①不依法设置会计账簿的；②私设会计账簿的；③未按照规定填制、取得原始凭证或者填制、取得的原始凭证不符合规定的；④以未经审核的会计凭证为依据登记会计账簿或者登记会计账簿不符合规定的；⑤随意变更会计处理方法的；⑥向不同的会计资料使用者提供的财务会计报告编制依据不一致的；⑦未按照规定使用会计记录文字或者记账本位币的；⑧未按照规定保管会计资料，致使会计资料毁损、灭失的；⑨未按照规定建立并实施单位内部会计监督制度或者拒绝依法实施监督或者不如实提供有关会计资料及有关情况的；⑩任用会计人员不符合《会计法》规定的。

会计人员有上述所列行为之一，情节严重的，由县级以上人民政府财政部门吊销

其会计从业资格证书；有关法律对上述所列行为的处罚另有规定的，依照有关法律的规定办理。

（二）其他违反会计法律制度规定行为应承担的法律责任

1. 伪造、变造会计凭证、会计账簿，编制虚假财务会计报告行为应承担的法律责任

【案例讨论】宁夏回族自治区石嘴山市法院对石嘴山市检察院提起公诉的上市公司宁夏吴忠仪表股份有限公司涉嫌提供虚假财会报告案进行了公开审理。1998年6月至2003年12月，被告吴忠仪表股份有限公司在项目投资及利润指标均未达到上市公司配股条件的情况下，虚增利润4500多万元，误导投资者，募集资金27 000多万元。同时该公司采取虚列再建工程、长期股权投资等形式套现1.9亿元违规投入股市进行炒股，对此该公司未在相应年度财务报告中如实披露，严重损害了股东和普通股民的利益。问：

该公司违反了什么规定？应受什么处罚？

根据《会计法》的规定，对于伪造、变造会计凭证、会计账簿或者编制虚假财务会计报告的行为，构成犯罪的，依法追究刑事责任；尚不构成犯罪的，由县级以上人民政府财政部门予以通报批评；可以对单位并处5000元以上10万元以下的罚款，对其直接负责的主管人员和其他直接责任人员，可以处3000元以上5万元以下的罚款；属于国家工作人员的，还应当由其所在单位或者有关单位给予撤职直至开除的行政处分；对其中的会计人员，并由县级以上人民政府财政部门吊销会计从业资格证书。

【案例评析】根据《会计法》规定，企业必须如实提供财务会计报告，包括不得隐瞒重大事项和不得伪造财务会计报告。在该案中，吴忠仪表股份有限公司采取虚增利润的手法达到上市募集资金的目的，属于伪造财务会计报告的行为；而对投入巨资炒股不如实披露属于隐瞒重大财务行为。以上均属违法行为，且数额巨大。根据《会计法》及有关规定，该公司及主要责任人员除将要面对罚款、处分等处罚外，还将面对刑事处罚。

2. 隐匿或者故意销毁依法应当保存的会计凭证、会计账簿、财务会计报告行为应承担的法律责任

根据《会计法》的规定，隐匿或者故意销毁依法应当保存的会计凭证、会计账簿、财务会计报告，构成犯罪的，依法追究刑事责任。

根据《中华人民共和国刑法》第162条第2款的规定，隐匿或者故意销毁依法应当保存的会计凭证、会计账簿、财务会计报告，情节严重的，处5年以下有期徒刑或者拘役，并处或者单处2万元以上20万元以下罚金。单位犯罪的，对单位判处罚金，并对其直接负责的主管人员和其他直接责任人员，依照规定处罚。

隐匿或者故意销毁依法应当保存的会计凭证、会计账簿、财务会计报告，尚不构成犯罪的，由县级以上人民政府财政部门予以通报，可以对单位并处5000元以上10万元以下的罚款；对其直接负责的主管人员和其他直接责任人员，可以处3000元以上5万元以下的罚款；属于国家工作人员，还应当由其所在单位或者有关单位依法给予撤职直至开除的行政处分；对其中的会计人员，并由县级以上人民政府财政部门吊销会计从业资格证书。

3. 授意、指使、强令会计机构、会计人员及其他人员伪造、变造会计资料应承担的法律责任

根据《中华人民共和国会计法》的规定，授意、指使、强令会计机构、会计人员及其他人员伪造、变造会计凭证、会计账簿，编制虚假财务会计报告或者隐匿、故意销毁依法应当保存的会计凭证、会计账簿、财务会计报告的行为，构成犯罪的，依法追究刑事责任；尚不构成犯罪的，可以处5000元以上5万元以下的罚款；属于国家工作人员的，还应当由其所在单位或者有关单位依法给予降级、撤职或开除的行政处分。

4. 对会计人员依法履行职责进行打击报复应承担的法律责任

根据《会计法》的规定，单位负责人对依法履行职责、抵制违反《会计法》规定行为的会计人员以降级、撤职、调离工作岗位、解聘或者开除等方式实行打击报复，构成犯罪的，依法追究刑事责任。

根据《中华人民共和国刑法》第255条规定，公司、企业、事业单位、机关、团体领导人，对依法履行职责、抵制违反会计规定行为的会计人员实行打击报复，情节恶劣的，处3年以下有期徒刑或者拘役。

单位负责人对依法履行职责、抵制违反《会计法》规定行为的会计人员实行打击报复，尚不构成犯罪的，由其所在单位或者有关单位依法给予行政处分。对受打击报复的会计人员，应当恢复其名誉和原有职务、级别。

第九章
劳动法律制度

第一节　劳动法概述

一、劳动法的概念和调整对象

（一）劳动法的概念

劳动法是调整劳动关系以及与劳动关系密切联系的其他社会关系的法律规范的总和。劳动法是以劳动者权益保护为宗旨，融实体法与程序法为一体的独立的法律部门。

我国劳动法的渊源有：宪法中有关劳动领域事务的规定，全国人民代表大会及其常务委员会制定的劳动法律如《中华人民共和国劳动法》（以下简称《劳动法》）、《中华人民共和国劳动合同法》（以下简称《劳动合同法》）、《中华人民共和国劳动争议调解仲裁法》，国务院制定的劳动行政法规，国务院所属各部委制定的劳动规章，地方性劳动法规和劳动规章，我国批准的国际劳工公约，其他规范性或准规范性文件（如中华全国总工会制定的《工会参与劳动争议处理试行办法》）。

（二）劳动法的调整对象

劳动法调整的对象是劳动关系，即是劳动者与用人单位之间在实现劳动过程中发生的社会关系。其特征是：

（1）劳动关系的当事人是特定的劳动法所调整的劳动关系的当事人，一方是劳动者，另一方是用人单位。

（2）劳动关系是在实现劳动过程中发生的社会关系。在我国，劳动法所调整的劳动关系产生于职业劳动、集体劳动、工业劳动过程中，非单位的个人雇佣关系和农业劳动关系、家庭成员的共同劳动关系不由劳动法调整。

（3）劳动关系具有人身关系、财产关系的属性劳动者向用人单位提供劳动力，就是将其人身在一定限度内交给用人单位支配，因而劳动关系具有人身属性。劳动者有偿提供劳动力，用人单位向劳动者支付劳动报酬，所以劳动关系又具有财产关系的属性。

（4）劳动关系具有平等、从属关系的属性。在市场经济条件下，双方当事人在建立、变更或终止劳动关系时，是依照平等、自愿、协商原则进行的，因而劳动关系具有平等关系的属性。同时，劳动关系具有从属性，劳动关系一经确立，劳动者成为用人单位的职工，与用人单位存在身份、组织和经济上的从属关系，用人单位控制和管理劳动者，双方形成管理与被管理、支配与被支配的关系。

另外，劳动法还调整与劳动关系密切联系的其他社会关系，包括：管理劳动力方面的社会关系，社会保险方面的社会关系，工会组织与用人单位之间发生的关系，处理劳动争议方面的关系，监督劳动法执行方面的关系。

二、我国劳动法的适用范围

《劳动法》第2条规定，在中华人民共和国境内的企业、个体经济组织（以下统称用人单位）和与之形成劳动关系的劳动者，适用本法。国家机关、事业组织、社会团体和与之建立劳动合同关系的劳动者，依照本法执行。根据这一规定及有关劳动行政法规和劳动规章的规定，劳动法对人的适用范围具体为：

（1）在我国境内的企业、个体经济组织和与之形成劳动关系的劳动者。

（2）个体经济组织和与之形成劳动关系的劳动者。

（3）国家机关、事业组织、社会团体实行劳动合同制度的以及按规定应实行劳动合同制度的工勤人员。工勤人员，即是我国传统人事体制中“工人”编制的人员，如机关车队、食堂、文印打字、卫生保洁、保安值勤、附属招待所宾馆的人员等。

（4）实行企业化管理的事业组织的人员。

（5）其他通过劳动合同与国家机关、事业组织、社会团体建立劳动关系的劳动者。

公务员以及比照公务员制度的事业组织和社会团体的工作人员、农村劳动者（乡镇企业职工和进城务工、经商的农民除外）、现役军人、家庭保姆、在我国境内享有外交特权和豁免权的外国人等不适用我国劳动法。

三、劳动法律关系

劳动法律关系是劳动者与用人单位依据劳动法律规范，在实现劳动过程中形成的权利义务关系。它是受国家劳动法律规范、调整和保护的劳动关系，是国家干预劳动关系的结果。

（一）劳动者

1. 劳动者的定义和最低就业年龄

劳动者是具有劳动能力，以从事劳动获取合法劳动报酬的自然人。自然人要成为劳动者，必须具备主体资格，即必须具有劳动权利能力和劳动行为能力。所谓劳动权利能力是指自然人能够依法享有劳动权利和承担劳动义务的资格或能力；所谓劳动行为能力是指自然人能够以自己的行为依法行使劳动权利和履行劳动义务的能力。

依我国劳动法的规定，凡年满16周岁、有劳动能力的公民是具有劳动权利能力和劳动行为能力的人。即劳动者的法定最低就业年龄为16周岁，除法律另有规定外，任何单位不得与未满16周岁的未成年人发生劳动法律关系。对有可能危害未成年人健康、安全或道德的职业或工作，最低就业年龄不应低于18周岁，用人单位不得招用已满16周岁不满18周岁的公民从事过重、有毒、有害的劳动或者危险作业。

2. 劳动者的权利和义务

劳动者的基本权利有：平等就业和选择职业的权利，取得劳动报酬的权利，休息休假的权利，接受职业技能培训的权利，享受社会保险和福利的权利，依法参加工会和职工民主管理的权利，提请劳动争议处理的权利以及法律规定的其他劳动权利。

劳动者的主要义务有：应按时完成劳动任务，提高职业技能，执行劳动安全卫生规程，遵守劳动纪律和职业道德，爱护和保卫公共财产，保守国家秘密和用人单位商业秘密等。

（二）用人单位

用人单位是指依法使用和管理劳动者并付给其劳动报酬的单位。在我国，用人单位包括依法成立的企事业单位、国家机关、社会团体和个体经济组织。

用人单位的权利主要有：

（1）招工权。招工权是用人单位根据本单位的需要招用职工的权利。

（2）用人权。用人权是用人单位依照法律和合同的规定，使用和管理劳动者的权利。

（3）奖惩权。奖惩权是用人单位依照法律和本单位的劳动纪律，决定对职工奖惩的权利。

（4）分配权。分配权是用人单位在法律和合同规定的范围内，决定劳动报酬分配方面的权利。

第二节　劳动合同

一、劳动合同的概念和种类

（一）劳动合同的概念

【案例讨论】2001 年 2 月罗某到某医院打扫卫生，双方签订了卫生保洁合同，协议期限约定为 1 年，协议中要求罗某每日早晚各打扫卫生 1 次，每月由医院支付罗某报酬 300 元，以后卫生保洁合同一年一签。罗某与医院均按保洁合同履行了相应义务。在协议履行期间，罗某从未参加过医院组织的任何活动。2008 年 2 月，医院通知罗某不再为医院打扫卫生。罗某即向当地劳动争议仲裁委员会申请仲裁，要求医院支付解除劳动合同的经济补偿金。劳动争议仲裁委员会以不属于受理范围而驳回了罗某的申请。罗某不服，又于 2008 年 12 月初以某医院为被告诉至法院，要求被告支付经济补偿金 2100 元及额外经济补偿金 1050 元。问：

法院会支持罗某的诉讼请求吗？

劳动合同是劳动者和用人单位之间依法确立劳动关系，明确双方权利和义务的书面协议。其特点是：

（1）主体特定。一方是劳动者，另一方是用人单位。

（2）劳动合同具有从属性。劳动者在身份、组织、经济上从属于用人单位。

（3）有较强的法定性，强行性规范较多。法律虽然允许双方当事人协商签订劳动合同，但协商的内容不得违反或排斥强行性规范，否则无效。

劳动合同与劳务合同不同，主要表现在：

（1）合同双方当事人关系不同。劳务合同中双方当事人可以是自然人，也可以是法人，没有身份、组织、经济上的从属性；劳动合同双方当事人主体特定，一方是劳动者，另一方是用人单位，劳动者从属于用人单位。

(2) 劳动支配权和劳动风险责任承担不同。劳务合同中劳动支配权在提供劳务者，劳动风险责任亦由提供劳务者自行承担；劳动合同中劳动支配权在用人单位，劳动风险由社会、用人单位、劳动者三方承担。

(3) 报酬性质和支付方式不同。劳务报酬根据劳务市场价格确定，由双方当事人约定，国家无强制性规定，支付方式一般为一次性支付或分批支付；劳动报酬根据劳动的数量和质量确定，由双方当事人约定，但须遵守国家最低工资等强制性规定。

(4) 法律调整不同。劳务合同关系由民法调整，劳动合同关系由劳动法调整。实践中，我国实行市场经济后，由于用工形式多样化，如小时工、非全时工、劳务派遣工、承包承揽工等，劳务合同与劳动合同难以区别。

【案例评析】法院最终判决驳回原告罗某的诉讼请求。罗某与医院签订的卫生保洁协议书仅规定罗某为医院提供一定的劳务活动，其性质为劳务合同，医院从未将被告录用为职工，也未组织管理过被告，因此双方之间是劳务关系，而不是劳动关系，应按民法有关规定处理。原告要求解除劳动合同的经济补救赔偿金于法无据。

(二) 劳动合同的种类

1. 有固定期限的劳动合同

有固定期限的劳动合同是双方当事人明确约定合同有效的起始日期和终止日期的劳动合同。期限届满，劳动合同终止。双方当事人可以根据生产、工作的需要确定劳动合同的期限。为保护劳动者的身体健康，劳动法规定从事矿山井下以及其他有害身体健康的工种、岗位工作的农民工，实行定期轮换制度，合同期限最长不得超过8年。

2. 无固定期限的劳动合同

无固定期限的劳动合同是双方当事人只约定合同的起始日期，不约定合同的终止日期的劳动合同。根据我国《劳动合同法》规定，用人单位与劳动者协商一致，可以订立无固定期限劳动合同。有下列情形之一，劳动者提出或者同意续订、订立劳动合同的，除劳动者提出订立固定期限劳动合同外，应当订立无固定期限劳动合同：

(1) 劳动者在该用人单位连续工作满10年的；

(2) 用人单位初次实行劳动合同制度或者国有企业改制重新订立劳动合同时，劳动者在该用人单位连续工作满10年且距法定退休年龄不足10年的。

(3) 连续订立二次固定期限劳动合同，且劳动者没有《劳动合同法》第39条和第40条第一项、第二项规定的情形，续订劳动合同的。

除此以外，《劳动合同法》还规定，用人单位自用工之日起满一年不与劳动者订立书面劳动合同的，视为用人单位与劳动者已订立无固定期限劳动合同。

3. 以完成一定工作为期限的劳动合同

以完成一定工作为期限的劳动合同是指用人单位与劳动者约定以某项工作的完成为合同期限的劳动合同，一般适用于建筑业、临时性、季节性的工作或由于其工作性质可以采取此种合同期限的工作岗位。

二、劳动合同的订立

(一) 劳动合同的订立形式

建立劳动关系，应当订立书面劳动合同。

已建立劳动关系，未同时订立书面劳动合同的，应当自用工之日起一个月内订立书面劳动合同。用人单位与劳动者在用工前订立劳动合同的，劳动关系自用工之日起建立。

用人单位自用工之日起超过一个月不满一年未与劳动者订立书面劳动合同的，应当向劳动者每月支付二倍的工资。用人单位自用工之日起满一年不与劳动者订立书面劳动合同的，视为用人单位与劳动者已订立无固定期限劳动合同。

用人单位未在用工的同时订立书面劳动合同，与劳动者约定的劳动报酬不明确的，新招用的劳动者的劳动报酬按照集体合同规定的标准执行；没有集体合同或者集体合同未规定的，实行同工同酬。

（二）劳动合同的订立原则

《劳动合同法》第3条规定，订立劳动合同，应当遵循合法、公平、平等自愿、协商一致、诚实信用的原则。

1. 合法原则

【案例讨论】40多岁的王某是一家电容器厂的职工，至今已有近20年的工龄。几年前，该电容器厂为加强内部职工管理，制定了一系列的规章制度。其中一条规定，厂里的在职职工，平时在厂内不许打架斗殴，否则，将被开除出厂，终止一切待遇。2005年2月，在工厂一直表现不错的王某，在单位食堂用餐时，因为一件小事，与同事发生矛盾。争吵中，他先打了同事一拳。在周围其他同事的竭力劝阻下，事态很快平息。几天后，已将此事忘到脑后的王某，突然被工厂人事部门找去谈话。该人事部一位负责人称，王某打人事件虽然很快得到平息，也没有产生多大负面影响，但为严肃厂纪，经厂领导研究决定，还是要对其作开除处理。随即，他们就让王某在一份处分决定书上签字，约定从此王某与该厂不再有任何关系。王某对厂里的决定不能接受。3月21日，王某便以厂里规定的“厂规”没有经过职工代表大会通过，不合法，不能作为解决劳动纠纷的依据为由，将该电容器厂告上法院。经法院两次开庭审理查明，该电容器厂制定的厂规，仅是厂里几位领导私下拟定后公布实施的，未经过厂里的职工代表大会审议通过，它在程序上是不合法的，不具备任何法律效力。另外，庭审中，王某的代理人还当庭出示了该厂30多名职工的联名信。联名信中写道，厂里草率开除一个工作能力和平时表现都还不错的老职工，不合情理。问：

法院会支持王某的诉讼请求吗？

劳动合同必须依法订立，不得违反法律、行政法规的规定。合法原则的具体要求如下：

（1）主体合法。主体合法即劳动合同的当事人必须具备合法资格。

（2）内容合法。劳动合同的内容是对劳动合同双方当事人劳动权利和义务的具体约定，必须符合国家法律、行政法规的规定。

（3）程序合法。劳动合同订立的程序必须是平等自愿、协商一致的过程。

（4）形式合法。劳动合同应当采用书面形式。书面形式有主件、附件之分。劳动合同书是主件；附件一般是指作为劳动合同书补充内容的书面文件，如岗位协议书、专项劳动协议、用人单位依法制定的劳动规章制度等。主件与附件一同对双方当事人的权利和义务作出明确约定，并具有同等的法律效力。根据《劳动合同法》第4条的规定，用人单位根据劳动法的规定，通过民主程序制定的规章制度，不违反国家法律、行政法规及政策规定，并已向劳动者公示的，可以作为人民法院审理劳动争议案件的依据。

【案例评析】法院判决支持了王某的诉讼请求。在我国，企业依法制定的劳动规章制度具有特殊的地位和作用，作为劳动合同的附件可以作为处理劳动争议案件的依据。但并不是所有规章制度均可以作为处理依据，规章制度能否作为处理劳动争议案件的依据须由人民法院认定。法院认定的要素有三点：一是规章制度依法制定；二是规章制度通过民主程序制定；三是已向劳动者公示。本案中，该厂的厂规没有经过职工代表大会或工会讨论，也没有职工民主参与，未履行相应的民主程序，故法院判定该规章制度不能作为处理该案的依据。

2. 公平原则

企业应当根据公平的原则确定双方的权利义务关系。《劳动合同法》上的公平原则，是针对劳动合同订立过程提出的要求，是劳动者和企业缔结劳动关系，尤其是确定劳动合同内容时应遵循的指导性原则，其目的是在劳动者和企业之间形成利害关系的大体平衡。企业与劳动者签订劳动合同，应遵守这一原则，确定双方的权利和义务时要兼顾劳动者的权益，不能使双方的权利严重失衡。

3. 平等自愿原则

订立劳动合同应当平等对待劳动者并基于双方自愿。在劳动合同的订立过程中，企业和劳动者都是以劳动关系主体资格出现的，是平等主体之间的关系。法律赋予劳动者和企业在法律上处于平等的地位，平等地决定是否签订合同，平等地决定如何签订劳动合同。自愿，要求劳动合同的订立必须由当事人自己的意愿独立完成意思表示，他人不得强迫。根据自愿原则，双方当事人对于劳动合同的订立不得享有任何特权，当事人订立劳动合同只能出于其内心意愿。

4. 协商一致原则

企业与劳动者订立劳动合同应当协商一致。协商一致，是指劳动合同的内容、条款，在法律、法规允许的范围内，由双方当事人共同讨论、协商，在取得完全一致的意思表示后确定。只有双方当事人就合同的主要条款达成一致意见后，合同才成立和生效。

5. 诚实信用原则

签订劳动合同应当遵守诚实信用原则。在《劳动合同法》中确立诚实信用原则目的明确：一是可以通过将基本道德的要求转化为法律规范，强化国家对劳动合同关系的干预，弥补劳动者一方的弱势地位；二是可以弥补法律漏洞与劳动合同漏洞；三是可以在劳动关系双方当事人的内心中强化诚信理念，不论是在签订还是履行劳动合同，都要诚实守信，使劳动关系双方当事人自觉遵守劳动法律法规，维护劳动关系的和谐与稳定，从而有利于建立真正平等、信任和互惠的劳动关系。

（三）劳动合同的条款

劳动合同的内容具体表现为劳动合同的条款，一般分为必备条款和可备条款。

1. 必备条款

必备条款是法律规定的生效劳动合同必须具备的条款。根据《劳动合同法》的规定，劳动合同应当具备以下条款：①用人单位的名称、住所和法定代表人或者主要负责人；②劳动者的姓名、住址和居民身份证或者其他有效身份证件号码；③劳动合同期限；④工作内容和工作地点；⑤工作时间和休息休假；⑥劳动报酬；⑦社会保险；

⑧劳动保护、劳动条件和职业危害防护；⑨法律、法规规定应当纳入劳动合同的其他事项。

2. 可备条款

可备条款是法律规定的生效合同可以具备的条款。劳动合同必备条款外，用人单位与劳动者可以约定试用期、培训、保守秘密、补充保险和福利待遇等其他事项。缺少可备条款不影响劳动合同的成立。

（1）试用期条款。劳动合同可以约定试用期，但不得约定违反法律规定的内容。劳动合同期限3个月以上不满1年的，试用期不得超过1个月；劳动合同期限1年以上不满3年的，试用期不得超过2个月；3年以上固定期限和无固定期限的劳动合同，试用期不得超过6个月。试用期包含在劳动合同期限内。劳动合同仅约定试用期的，试用期不成立，该期限为劳动合同期限。

同一用人单位与同一劳动者只能约定一次试用期。以完成一定工作任务为期限的劳动合同或者劳动合同期限不满三个月的，不得约定试用期。

劳动者在试用期的工资不得低于本单位相同岗位最低档工资或者劳动合同约定工资的80%，并不得低于用人单位所在地的最低工资标准。

（2）出资培训服务期条款。用人单位为劳动者提供专项培训费用，对其进行专业技术培训的，可以与该劳动者订立协议，约定服务期。劳动者违反服务期约定的，应当按照约定向用人单位支付违约金。违约金的数额不得超过用人单位提供的培训费用。用人单位要求劳动者支付的违约金不得超过服务期尚未履行部分所应分摊的培训费用。用人单位与劳动者约定服务期的，不影响按照正常的工资调整机制提高劳动者在服务期期间的劳动报酬。

保守商业秘密和专有技术秘密条款。双方当事人可以在劳动合同中约定在劳动关系存续期间劳动者负有保守用人单位商业秘密和专有技术秘密的义务，一般还可以约定在终止劳动关系后的一年以内劳动者继续承担保守原用人单位商业秘密和专有技术秘密的义务。

（3）保密义务与竞业限制禁止同业竞争条款。用人单位与劳动者可以在劳动合同中约定保守用人单位的商业秘密和与知识产权相关的保密事项。

对负有保密义务的劳动者，用人单位可以在劳动合同或者保密协议中与劳动者约定竞业限制条款，并约定在解除或者终止劳动合同后，在竞业限制期限内按月给予劳动者经济补偿。劳动者违反竞业限制约定的，应当按照约定向用人单位支付违约金。

竞业限制的人员限于用人单位的高级管理人员、高级技术人员和其他负有保密义务的人员。竞业限制的范围、地域、期限由用人单位与劳动者约定，竞业限制的约定不得违反法律、法规的规定。在解除或者终止劳动合同后，负有保密义务的人员到与本单位生产或者经营同类产品、从事同类业务的有竞争关系的其他用人单位，或者自己开业生产或者经营同类产品、从事同类业务的竞业限制期限，不得超过二年。

（4）违约金条款。劳动合同一般不得约定劳动者承担违约金。两个例外情形：劳动者违反服务期的违约金和违反竞业限制的违约金。

除以上必备条款和可备条款外，我国劳动法还规定了禁止双方当事人约定的条款，即用人单位招用劳动者，不得扣押劳动者的居民身份证和其他证件，不得要求劳动者提供担保或者以其他名义向劳动者收取财物。

三、劳动合同的效力

（一）劳动合同的生效

劳动合同由用人单位与劳动者协商一致，并经用人单位与劳动者在劳动合同文本上签字或者盖章生效。

（二）劳动合同的无效

【案例讨论】2007 年 3 月初，柳某看到当地某日报刊登某大型药品公司招聘驻上海市办事处业务员的广告，考虑到自己爱人在上海工作，柳某于 3 月 27 日应聘，并在招聘登记时讲明妻子在上海，希望留在上海工作，不愿接受工作地调剂的情况。人事部经办人亦在招聘登记上如实登记。第二天双方签订劳动合同时明确岗位在上海办事处，但刘某应将人事档案转总公司所在地云南昆明。开始，总公司总经理马某以筹建暂借用为由，迟迟不安排刘某赴沪上岗，并于 5 月 24 日正式通知，上海办事处已有人选，柳某只能去驻兰州办事处，柳某当即拒绝服从。柳某事后得知，所谓上海办事处早因非法经营被撤销。问：

该医药公司与劳动者订立的劳动合同是否有效？

1. 劳动合同无效的情形

劳动合同无效的情形包括：

（1）订立劳动合同的主体不合法，即合同双方当事人不具备法律规定的主体资格。

（2）订立劳动合同的程序或形式不合法。

（3）以欺诈、胁迫的手段或者乘人之危，使对方在违背真实意思的情况下订立或者变更劳动合同的。

（4）用人单位免除自己的法定责任、排除劳动者权利的。

（5）违反法律、行政法规强制性规定的。

无效劳动合同，从订立时起就没有法律约束力。确认劳动合同部分无效的，如果不影响其余部分的效力，其余部分仍然有效。

2. 劳动合同无效的确认

劳动合同的无效由劳动仲裁委员会或者人民法院确认。

3. 劳动合同无效的法律后果

劳动合同被确认无效，劳动者已付出劳动的，用人单位应当向劳动者支付劳动报酬。劳动报酬的数额，参照本单位相同或者相近岗位劳动者的劳动报酬确定。

对导致劳动合同无效无过错的一方当事人可选择解除或存续。因用人单位过错导致劳动合同无效的，劳动者可以即时辞职，并获得经济补偿；因劳动者过错导致用人单位意思表示不真实而使劳动合同无效的，用人单位可即时辞退。

因用人单位过错导致劳动合同无效，劳动者如果不辞职，或者因劳动者过错导致用人单位意思表示不真实而使劳动合同无效，用人单位如果不辞退，事实劳动关系将可存续。在此情况下，由于无效劳动合同已不是确定劳动权利义务的依据，就需要通过依法变更劳动合同，以纠正原劳动合同中的无效条款；或重新依法订立劳动合同，以替代原劳动合同；或者用劳动基准、集体合同、劳动规章制度中的相应规定替代原劳动合同中的无效条款。

劳动合同被确认无效，给对方造成损害的，有过错的一方应当承担赔偿责任。

【案例评析】 该医药公司以工作地为幌子，与劳动者订立以上海办事处为工作地的劳动合同，但实际上，上海办事处在劳动合同签订之前就不存在，医药公司在劳动合同的订立中，有欺诈的行为，该劳动合同无效。

四、劳动合同的解除与终止

【案例讨论】 南方某股份公司为了提高公司的生产效益，增强企业职工的上进心，建设独特企业生产文化，2007 年4 月，该公司决定推行“末位淘汰制”，授权部门经理在年底时对下属员工进行一次全面的考核、打分、排名次；然后，再按部门考核后排好的名次排序，辞退名次排在末位的两名员工。1 个月后，根据“末位淘汰制”的规定，各部门经理对自己下属的每一名员工都进行了考核，根据考核成绩，公司通过解除劳动合同的方式辞退了一批考核名次排在末尾的员工。被辞退的职工不服，集体联合向劳动部门上访，并向劳动争议仲裁机构提起了仲裁申请。问：

“末位淘汰制”辞退员工合法吗?

（一）劳动合同的解除

劳动合同的解除是指劳动合同当事人在劳动合同期限届满之前，依法提前终止劳动合同关系的法律行为。劳动合同的解除可分为协商解除、用人单位单方解除以及劳动者单方解除。

1. 双方协商解除劳动合同

根据《劳动合同法》第 36 条的规定，用人单位与劳动者协商一致，可以解除劳动合同。

2. 劳动者解除劳动合同

劳动者解除劳动合同有两种情况：

（1）预告解除。根据《劳动合同法》第 37 条的规定，劳动者提前 30 日以书面形式通知用人单位，可以解除劳动合同。劳动者在试用期内提前 3 日通知用人单位，可以解除劳动合同。

（2）随时通知解除。根据《劳动合同法》第 38 条的规定，用人单位有下列情形之一的，劳动者均可以解除劳动合同，并可取得经济补偿：①未按照劳动合同约定提供劳动保护或者劳动条件的；②未及时足额支付劳动报酬的；③未依法为劳动者缴纳社会保险费的；④用人单位的规章制度违反法律、法规的规定，损害劳动者权益的；⑤因《劳动合同法》第 26 条第一款规定的情形致使劳动合同无效的；⑥法律、行政法规规定劳动者可以解除劳动合同的其他情形。

（3）无需通知解除。用人单位以暴力、威胁或者非法限制人身自由的手段强迫劳动者劳动的，或者用人单位违章指挥、强令冒险作业危及劳动者人身安全的，劳动者可以立即解除劳动合同，不需事先告知用人单位。

3. 用人单位单方解除劳动合同

用人单位单方解除劳动合同有三种情况：

（1）即时解除。根据《劳动合同法》第 39 条的规定，劳动者有下列情形之一的，用人单位可以解除劳动合同：①在试用期间被证明不符合录用条件的；②严重违反用人单位的规章制度的；严重失职，营私舞弊，给用人单位造成重大损害的；③劳动者同时与其他用人单位建立劳动关系，对完成本单位的工作任务造成严重影响，或者经用人单位提出，拒不改正的；④因本法第26条第一款第一项规定的情形致使劳动合同无效的；⑤被依法追究刑事责任的。

（2）预告解除。根据《劳动合同法》第40条的规定，有下列情形之一的，用人单位提前30日以书面形式通知劳动者本人或者额外支付劳动者一个月工资后，可以解除劳动合同：①劳动者患病或者非因工负伤，在规定的医疗期满后不能从事原工作，也不能从事由用人单位另行安排的工作的；②劳动者不能胜任工作，经过培训或者调整工作岗位，仍不能胜任工作的；③劳动合同订立时所依据的客观情况发生重大变化，致使劳动合同无法履行，经用人单位与劳动者协商，未能就变更劳动合同内容达成协议的。

（3）裁员。根据《劳动合同法》第41条的规定，有下列情形之一，需要裁减人员20人以上或者裁减不足20人但占企业职工总数10%以上的，用人单位提前30日向工会或者全体职工说明情况，听取工会或者职工的意见后，裁减人员方案经向劳动行政部门报告，可以裁减人员：①依照企业破产法规定进行重整的；②生产经营发生严重困难的；③企业转产、重大技术革新或者经营方式调整，经变更劳动合同后，仍需裁减人员的；④其他因劳动合同订立时所依据的客观经济情况发生重大变化，致使劳动合同无法履行的。

裁减人员时，应当优先留用下列人员：与本单位订立较长期限的固定期限劳动合同的；与本单位订立无固定期限劳动合同的；家庭无其他就业人员，有需要扶养的老人或者未成年人的。用人单位依照上述规定裁减人员，在6个月内重新招用人员的，应当通知被裁减的人员，并在同等条件下优先招用被裁减的人员。

应当注意的是，为保护劳动者的合法权益，防止用人单位滥用单方解除权，《劳动合同法》从两个方面限制用人单位的单方解除权：

一方面，规定了工会的权利。用人单位单方解除劳动合同，应当事先将理由通知工会。用人单位违反法律、行政法规规定或者劳动合同约定的，工会有权要求用人单位纠正。用人单位应当研究工会的意见，并将处理结果书面通知工会。

另一方面，规定了禁止解除劳动合同的条件。劳动者有下列情形之一的，用人单位不得依照本法第40条、第41条的规定解除劳动合同：①从事接触职业病危害作业的劳动者未进行离岗前职业健康检查，或者疑似职业病病人在诊断或者医学观察期间的；②在本单位患职业病或者因工负伤并被确认丧失或者部分丧失劳动能力的；③患病或者非因工负伤，在规定的医疗期内的；④女职工在孕期、产期、哺乳期的；⑤在本单位连续工作满15年，且距法定退休年龄不足5年的；⑥法律、行政法规规定的其他情形。

【案例评析】根据《劳动合同法》第40条的规定，劳动者不能胜任工作，经过培训或者调整工作岗位，仍不能胜任工作的，用人单位在提前30日以书面形式通知劳动者本人或者额外支付劳动者1个月工资后，可以解除劳动合同。该公司没有对排在末位的员工进行培训或调整工作岗位，就解除劳动合同，是违法的。

（二）劳动合同的终止

有下列情形之一的，劳动合同终止：

（1）劳动合同期满的；

（2）劳动者开始依法享受基本养老保险待遇的；

（3）劳动者死亡，或者被人民法院宣告死亡或者宣告失踪的；

（4）用人单位被依法宣告破产的；

（5）用人单位被吊销营业执照、责令关闭、撤销或者用人单位决定提前解散的；

（6）法律、行政法规规定的其他情形。

（三）解除、终止劳动合同的经济补偿

【案例讨论】胡松在某网络公司做技术工作，劳动合同到期后，公司既没有续签劳动合同、也没有终止劳动合同，而是让他继续上班。合同到期两个月后，公司新总裁上任，即决定大幅裁员。胡松跟其他一些员工一样，收到了公司发出的终止劳动合同通知书。胡松办完离职手续后，找到人力资源部，要求公司向自己支付经济补偿金，没想到却遭到了人事经理的拒绝，理由是双方劳动合同到期后形成的是事实劳动关系，依法不应补偿。问：

对于事实劳动关系，用人单位可以不支付经济补偿金吗？

解除、终止劳动合同的经济补偿，是指因解除、终止劳动合同而由用人单位给予劳动者的一次性经济补偿。经济补偿的目的在于从经济方面制约用人单位的解除、终止劳动合同的行为，并对失去工作的劳动者给予经济上的补偿。

1. 用人单位应当向劳动者支付经济补偿的法定情形

根据《劳动合同法》第46条的规定，有下列情形之一的，用人单位应当向劳动者支付经济补偿：

（1）劳动者依照本法第38条规定解除劳动合同的；

（2）用人单位依照本法第36条规定向劳动者提出解除劳动合同并与劳动者协商一致解除劳动合同的；

（3）用人单位依照本法第40条规定解除劳动合同的；

（4）用人单位依照本法第41条第一款规定解除劳动合同的；

（5）除用人单位维持或者提高劳动合同约定条件续订劳动合同，劳动者不同意续订的情形外，依照本法第44条第一项规定终止固定期限劳动合同的；

（6）依照本法第44条第四项、第五项规定终止劳动合同的；

（7）法律、行政法规规定的其他情形。

2. 经济补偿的计算方式

根据《劳动合同法》第47条的规定，经济补偿按劳动者在本单位工作的年限，每满一年支付一个月工资的标准向劳动者支付。六个月以上不满一年的，按一年计算；不满六个月的，向劳动者支付半个月工资的经济补偿。

劳动者月工资高于用人单位所在直辖市、设区的市级人民政府公布的本地区上年度职工月平均工资三倍的，向其支付经济补偿的标准按职工月平均工资三倍的数额支付，向其支付经济补偿的年限最高不超过12年。

所谓月工资是指劳动者在劳动合同解除或者终止前12个月的平均工资。

【案例评析】根据我国法律规定，没有签订劳动合同，用人单位与劳动者协商一致解除事实劳动关系时，用人单位同样应该支付一次性经济补偿金。另外，《劳动合同法》第82条规定，用人单位自用工之日起超过一个月但不满一年未与劳动者订立书面劳动合同的，应当向劳动者每月支付两倍的月工资，因此，网络公司还应支付胡松两个月以来2倍的工资。

五、违反劳动合同的赔偿责任

违反劳动合同的赔偿责任，是指当事人由于自己的过错造成劳动合同的不履行或不适当履行，由此所应承担的相应的赔偿责任。

（一）用人单位应承担的赔偿责任

1. 用人单位违法解除或者终止劳动合同应承担的赔偿责任

用人单位违反《劳动合同法》规定解除或者终止劳动合同的，应当依照本法第47条规定的经济补偿标准的两倍向劳动者支付赔偿金。

2. 因用人单位原因造成劳动合同无效及用人单位违法或违约应承担的赔偿责任

根据劳动人事部1995年发布的《违反〈劳动法〉有关劳动合同规定的赔偿办法》的规定，因用人单位原因造成劳动合同无效及用人单位违法或违约应承担的赔偿责任的具体情形包括：①用人单位故意拖延不订立劳动合同，即招用后故意不按规定订立劳动合同以及劳动合同到期后故意不及时续订劳动合同的；②由于用人单位的原因订立无效或部分无效劳动合同的；③用人单位违反规定或违反劳动合同的约定侵害女职工或未成年工合法权益的；④用人单位违反规定或违反劳动合同的约定解除劳动合同的。

用人单位有上述情形之一，对劳动者造成损害的，按下列规定予以赔偿：①造成劳动者工资收入损失的，按劳动者本人应得工资收入支付给劳动者，并加付应得工资收入25%的赔偿费用；②劳动合同被确认为无效后，用人单位对劳动者付出的劳动，一般可参照本单位同期、同工种、同岗位的工资标准支付劳动报酬；由于用人单位的原因订立的无效合同，给劳动者造成损害的，应当比照违反和解除劳动合同经济补偿金的支付标准，赔偿劳动者因合同无效所造成的经济损失；③造成劳动者劳动保护待遇损失的，应按国家规定补足劳动者的劳动保护津贴和用品；④造成劳动者工伤或医疗待遇损失的，除按国家规定为劳动者提供工伤、医疗待遇外，还应支付劳动者相当于医疗费用25%的赔偿费用；⑤造成女职工和未成年工身体健康损害的，除按国家规定提供治疗期间的医疗待遇外，还应支付相当于医疗费用25%的赔偿费用；⑥劳动合同约定的其他赔偿费用。

3. 用人单位有下列情形之一的，由劳动行政部门责令限期支付劳动报酬、加班费或者经济补偿

劳动报酬低于当地最低工资标准的，应当支付其差额部分；逾期不支付的，责令用人单位按应付金额50%以上100%以下的标准向劳动者加付赔偿金：未按照劳动合同的约定或者国家规定及时足额支付劳动者劳动报酬的；低于当地最低工资标准支付劳动者工资的；安排加班不支付加班费的；解除或者终止劳动合同，未依照本法规定向劳动者支付经济补偿的。

（二）劳动者应承担的赔偿责任

根据《劳动合同法》第90条的规定，劳动者违反本法规定解除劳动合同，或者违反劳动合同中约定的保密义务或者竞业限制，给用人单位造成损失的，应当承担赔偿责任。

又根据《违反〈劳动法〉有关劳动合同规定的赔偿办法》的规定，劳动者违反规定或劳动合同的约定解除劳动合同，对用人单位造成损失的，劳动者应赔偿用人单位

下列损失：用人单位招收录用其所支付的费用；用人单位为其支付的培训费用，双方另有约定的按约定办理；对生产、经营和工作造成的直接经济损失；劳动合同约定的其他赔偿费用。劳动者违反劳动合同中约定的保密事项，对用人单位造成经济损失的，按《反不正当竞争法》第20条的规定支付用人单位赔偿费用。

（三）连带赔偿责任

用人单位招用未解除劳动合同的劳动者，给原用人单位造成经济损失的，除该劳动者承担直接赔偿责任外，该用人单位应当承担连带赔偿责任。其连带赔偿的份额应不低于对原用人单位造成经济损失总额的70%。用人单位应向原用人单位赔偿下列损失：①对生产、经营和工作造成的直接经济损失；②因获取商业秘密给用人单位造成的经济损失。赔偿因获取商业秘密给原用人单位造成的经济损失，按《反不正当竞争法》第20条的规定执行。

六、集体合同

【案例讨论】天天乐商场的集体合同中有这样一条规定：在周末与节假日的商场经营活动中，员工需要延长一个小时工作时间，商场向员工支付加班费。职工程勒以自己没有签署集体合同，星期天要上进修班为理由，拒绝公司的安排。问：

职工没有签合同，可以不受集体合同的约束吗？

（一）集体合同的概念

集体合同，是指用人单位与本单位职工根据法律、法规、规章的规定，就劳动报酬、工作时间、休息休假、劳动安全卫生、保险福利等事项，通过集体协商签订的书面协议。集体合同是协调劳动关系、保护劳动者权益、建立现代企业管理制度的重要手段。劳动合同与集体合同的关系体现在：

（1）劳动合同规定的劳动者的个人劳动条件和劳动标准不得低于集体合同的规定，否则无效。

（2）劳动合同约定不明时，适用集体合同的规定。

（3）未订立书面劳动合同的，有集体合同适用集体合同的规定。

（二）集体合同的订立

（1）集体合同的订立，是指工会或职工代表与企业单位之间，为规定用人单位和全体职工的权利义务而依法就集体合同条款经过协商一致，确立集体合同关系的法律行为。

在我国，集体合同主要是由代表劳动者的工会或职工代表与企业签订。尚未建立工会的用人单位，由上级工会指导劳动者推举的代表与用人单位订立。在县级以下区域内，建筑业、采矿业、餐饮服务业等行业可以由工会与企业方面代表订立行业性集体合同，或者订立区域性集体合同。企业职工一方与用人单位可以订立劳动安全卫生、女职工权益保护、工资调整机制等专项集体合同。

（2）集体合同订立程序：①讨论集体合同草案或专项集体合同草案。经双方代表协商一致的集体合同草案或专项集体合同草案应提交职工代表大会或者全体职工讨论。②通过草案。全体职工代表半数以上或者全体职工半数以上同意，集体合同草案或专项集体合同草案方获通过。③集体协商双方首席代表签字。

（3）集体合同的生效。劳动合同的生效不同，法律对集体合同的生效规定了特殊程序：集体合同订立后，应当报送劳动行政部门；劳动行政部门自收到集体合同文本之日起 15 日内未提出异议的，集体合同即行生效。依法订立的集体合同对用人单位和劳动者具有约束力。行业性、区域性集体合同对当地本行业、本区域的用人单位和劳动者具有约束力。

（三）集体合同争议处理

用人单位违反集体合同，侵犯职工劳动权益的，工会可以依法要求用人单位承担责任；

因履行集体合同发生争议，经协商解决不成的，工会可以依法申请仲裁、提起诉讼。

1. 因集体协商发生争议的处理

集体协商过程中发生争议，双方当事人协商解决，协商不成可由劳动保障行政部门协调处理。当事人一方或双方可向劳动保障行政部门的劳动争议协调处理机构提出协调处理的书面申请；未提出申请的，劳动保障行政部门认为必要时可视情况协调处理。劳动保障行政部门应当组织同级工会和企业组织等三方面的人员，共同协调处理集体协商争议。劳动保障行政部门处理因集体协商发生的争议，应自决定受理之日起 30 日内结束。期满未结束的，可适当延长协调期限，但延长期限不得超过 15 日。

2. 因履行集体合同而发生争议的处理

因履行集体合同发生的争议可以通过协商、仲裁和诉讼解决。《劳动法》第 84 条第二款规定，因履行集体合同发生争议，当事人协商解决不成的，可以向劳动争议仲裁委员会申请仲裁；对仲裁裁决不服的，可以自收到仲裁裁决书之日起 15 日内向人民法院提起诉讼。

【案例评析】 程勒的主张是错误的。集体合同一旦签订，对全体职工具有约束力。程勒错误的认为集体合同不是自己签订的，就对自己无效，这是不正确的。根据我国法律规定，依法签订的集体合同对于用人单位和劳动者都具有约束力，任何一方当事人违反集体合同规定的，都要承担相应的法律责任。

七、劳务派遣

劳务派遣，是指劳务派遣单位与劳动者订立劳动合同后，由派遣单位与实际用工单位通过签订劳务派遣协议，将劳动者派遣到要派单位工作，要派单位实际使用劳动者，要派单位向劳务派遣单位支付管理费而形成的关系。劳务派遣是典型的“有关系无劳动，有劳动无关系”，即劳务派遣单位与劳动者建立劳动关系，但劳动者却不为劳务派遣单位提供劳动，劳动者为要派单位提供劳动，但却没有劳动关系，造成了劳动力的雇用和劳动力的使用分离。

（一）劳务派遣单位

1. 劳务派遣单位的定义

劳务派遣单位是指将劳动者派遣到实际用工单位的企业法人。为规范劳务派遣关系，保护被派遣的劳动者的合法权益，法律为劳务派遣公司设立了“门槛”：规定劳务派遣单位应当依照公司法的有关规定设立，注册资本不得少于 50 万元。

2. 劳务派遣单位的义务

（1）《劳动合同法》明确劳务派遣单位就是用人单位，应当履行用人单位对劳动者的义务，遵守劳动法的相关规定，与被派遣的劳动者订立书面劳动合同。其劳动合同应符合如下要求：劳务派遣单位应当与被派遣劳动者订立 2 年以上的固定期限劳动合同，保障劳务派遣者的工作权；在劳动合同中除应当载明劳动合同的必备条款外，还应当载明被派遣劳动者的用工单位以及派遣期限、工作岗位等情况。

（2）为保障被派遣劳动者的劳动报酬权，《劳动合同法》规定应按月支付劳动者劳动报酬；被派遣劳动者在无工作期间，劳务派遣单位应当按照所在地人民政府规定的最低工资标准，向其按月支付报酬；劳务派遣单位不得克扣用工单位按照劳务派遣协议支付给被派遣劳动者的劳动报酬；劳务派遣单位跨地区派遣劳动者的，被派遣劳动者享有的劳动报酬和劳动条件，按照用工单位所在地的标准执行。

（3）劳务派遣单位和用工单位不得向被派遣劳动者收取费用。同时劳务派遣单位有权依照《劳动合同法》有关规定，可以与劳动者解除劳动合同。

（二）劳务派遣协议

劳务派遣协议是劳务派遣单位与实际用工单位就劳务派遣事项签订的书面协议。劳务派遣单位派遣劳动者应当与接受以劳务派遣形式用工的单位订立劳务派遣协议。

（1）劳务派遣协议应当约定派遣岗位和人员数量、派遣期限、劳动报酬和社会保险费的数额与支付方式以及违反协议的责任。

（2）劳务派遣一般在临时性、辅助性或者替代性的工作岗位上实施。

（3）用工单位应当根据工作岗位的实际需要与劳务派遣单位确定派遣期限，不得将连续用工期限分割订立数个短期劳务派遣协议。

（4）劳务派遣单位应当将劳务派遣协议的内容告知被派遣劳动者；被派遣劳动者有知情权。

（三）被派遣劳动者的权利

（1）赋予被派遣劳动者参加和组织工会的权利。被派遣劳动者有权在劳务派遣单位或者用工单位依法参加或者组织工会，维护自身的合法权益。

（2）赋予被派遣劳动者解除劳动合同的权利。被派遣劳动者可以依照《劳动合同法》与用人单位协商一致解除劳动合同，在用人单位有违法、违约情形时，被派遣劳动者有权与劳务派遣单位单方解除劳动合同。

（3）享有与用工单位的劳动者同工同酬的权利。用工单位无同类岗位劳动者的，参照用工单位所在地相同或者相近岗位劳动者的劳动报酬确定。

八、非全日制用工

非全日制用工，是指以小时计酬为主，劳动者在同一用人单位一般平均每日工作时间不超过 4 小时，每周工作时间累计不超过 24 小时的用工形式。

非全日制用工是灵活用工的一种形式，非全日制用工可以不订立书面劳动合同，双方当事人可以订立口头协议；法律允许非全日制用工建立双重或多重劳动关系，从事非全日制用工的劳动者可以与一个或者一个以上用人单位订立劳动合同；但是，后订立的劳动合同不得影响先订立的劳动合同的履行；非全日制用工双方当事人任何一方都可以随时通知对方终止用工。终止用工，用人单位不向劳动者支付经济补偿。

为保障非全日制用工劳动者的劳动权利，《劳动合同法》规定：非全日制用工双方当事人不得约定试用期；非全日制用工小时计酬标准不得低于用人单位所在地人民政府规定的最低小时工资标准；非全日制用工劳动报酬结算支付周期最长不得超过 15 日。

第三节　劳动基准法

劳动基准法，就是在劳动法中规定和确认一系列劳动标准，要求用人单位必须遵守，要求用人单位向劳动者提供的劳动条件只能等于或优于劳动基准，劳动合同和集体合同中约定的劳动条件不得低于劳动基准，以保证劳动者权益的实现。劳动基准法主要是由规定劳动标准的各项法律制度所构成，包括工时标准、最低工资标准、劳动保护标准等。

一、工作时间和休息休假

（一）工作时间的概念和种类

工作时间又称劳动时间，是指法律规定的劳动者在一昼夜和一周内从事劳动的时间。工作时间包括每日工作的小时数，每周工作的天数和小时数。

工作时间的种类包括标准工作时间、缩短工作时间、延长工作时间、定时工作时间和综合计算工作时间。

1. 标准工作时间

标准工作时间又称标准工时，是指法律规定的在一般情况下都普遍适用的，按照正常作息办法安排的工作日和工作周的工时制度。我国的标准工时为：劳动者每日工作8小时，每周工作40小时，在一周（7日）内工作5天。实行计件工作的劳动者，用人单位应当根据每日工作8小时、每周工作40小时的工时制度，合理确定其劳动定额和计件报酬标准。

2. 缩短工作时间

缩短工作时间是指法律规定的在特殊情况下劳动者的工作时间长度少于标准工作时间的工时制度，即每日工作少于8小时。缩短工作日适用于：①从事矿山井下、高山、有毒有害、特别繁重或过度紧张等作业的劳动者；②从事夜班工作的劳动者；③哺乳期内的女职工。

3. 延长工作时间

延长工作时间是指超过标准工作日的工作时间，即日工作时间超过8小时，每周工作时间超过40小时。延长工作时间必须符合法律、法规的规定。

4. 不定时工作时间和综合计算工作时间

不定时工作时间，又称不定时工作制，是指无固定工作时数限制的工时制度，适用于工作性质和职责范围不受固定工作时间限制的劳动者，如企业中的高级管理人员、外勤人员、推销人员、部分值班人员，从事交通运输的工作人员以及其他因生产特点、工作特殊需要或职责范围的关系，适合实行不定时工作制的职工等。

综合计算工作时间，又称综合计算工时工作制，是指以一定时间为周期，集中安排并综合计算工作时间和休息时间的工时制度。即分别以周、月、季、年为周期综合计算工作时间，但其平均日工作时间和平均周工作时间应与法定标准工作时间基本相同。

对符合下列条件之一的职工，可以实行综合计算工作日：①交通、铁路、邮电、水运、航空、渔业等行业中因工作性质特殊，需连续作业的职工；②地质及资源勘探、建筑、制盐、制糖、旅游等受季节和自然条件限制的行业的部分职工；③其他适合实行综合计算工时工作制的职工。实行不定时工作制和综合计算工时工作制的企业，应根据劳动法的有关规定，履行审批手续，在保障职工身体健康并充分听取职工意见的基础上，采用集中工作、集中休息、轮流调休、弹性工作时间等适当方式，确保职工的休息休假权利和生产、工作任务的完成。

（二）休息休假的概念和种类

1. 休息休假的概念

休息休假是指劳动者为行使休息权在国家规定的法定工作时间以外，不从事生产或工作而自行支配的时间。

2. 休息时间的种类

（1）工作日内的间歇时间。它是指在工作日内给予劳动者休息和用膳的时间，一般为 1 至 2 小时，最短不得少于半小时。

（2）工作日间的休息时间。它是指两个临近工作日之间的休息时间，一般不少于 16 小时。

（3）公休假日，又称周休息日，是劳动者在 1 周（7 日）内享有的休息日，公休假日一般为每周 2 日，一般安排在周六和周日休息。不能实行国家标准工时制度的企业和事业组织，可根据实际情况灵活安排周休息日，应当保证劳动者每周至少休息 1 日。

3. 休假的种类

休假的种类包括：

（1）法定节假日。法定节假日是指法律规定用于开展纪念、庆祝活动的休息时间。根据《国务院关于修改〈全国年节及纪念日放假办法〉的决定》，我国新出台的法定节假日共 11 日，包括：元旦 1 天、清明 1 天、劳动节 1 天、端午节 1 天、中秋节 1 天、国庆节 3 天、春节 3。

（2）探亲假。它是指劳动者享有保留工资、工作岗位而同分居两地的父母或配偶团聚的假期。探亲假适用于在国家机关、人民团体、全民所有制企业、事业单位工作满 1 年的固定职工。

（3）年休假。它是指职工工作满一定年限，每年可享有的带薪连续休息的时间。《劳动法》第 45 条规定，国家实行带薪年休假制度。劳动者连续工作 1 年以上的，享有带薪年休假。具体办法由国务院规定。

（三）加班加点的主要法律规定

加班是指劳动者在法定节假日或公休假日从事生产或工作。加点是指劳动者在标准工作日以外延长工作的时间。加班加点又统称为延长工作时间。为保证劳动者休息权的实现，劳动法规定任何单位和个人不得擅自延长职工工作时间。

1. 一般情况下加班加点的法律规定

《劳动法》第 41 条规定，用人单位由于生产经营需要，经与工会和劳动者协商后可以延长工作时间，一般每日不得超过 1 小时；因特殊原因需要延长工作时间的，在保障劳动者身体健康的条件下延长工作时间每日不得超过 3 小时，但是每月不得超过 36 小时。

2. 特殊情况下加班加点的法律规定

特殊情况下，延长工作时间不受《劳动法》第 41 条的限制。劳动法规定在下述特殊情况下，延长工作时间不受《劳动法》第 41 条的限制：

（1）发生自然灾害、事故或者因其他原因，威胁劳动者生命健康和财产安全，或使人民的安全健康和国家资产遭到严重威胁，需要紧急处理的；

（2）生产设备、交通运输线路、公共设施发生故障，影响生产和公共利益，必须及时抢修的；

（3）在法定节假日和公休假日内工作不能间断，必须连续生产、运输或营业的；

（4）必须利用法定节假日或公休假日的停产期间进行设备检修、保养的；

（5）为了完成国防紧急生产任务，或者完成上级在国家计划外安排的其他紧急生产任务以及商业、供销企业在旺季完成收购、运输、加工农副产品紧急任务的；

（6）法律、行政法规规定的其他情形。

3. 加班加点的工资标准

《劳动法》对加班加点的工资标准的规定有：

（1）安排劳动者延长工作时间的，支付不低于工资的 150% 的工资报酬；

（2）休息日安排劳动者工作又不能安排补休的，支付不低于工资的 200% 的工资报酬；

（3）法定休假日安排劳动者工作的，支付不低于工资的 300% 的工资报酬。

4. 监督检查措施

县级以上各级人民政府劳动保障行政部门对本行政区域内的用人单位组织劳动者加班加点的情况依法监督检查，分别不同情况，予以行政处罚。

（1）用人单位未与工会或劳动者协商，强迫劳动者延长工作时间的，给予警告，责令改正，并可按每名劳动者延长工作时间每小时罚款 100 元以下的标准处罚；

（2）用人单位每日延长劳动者工作时间超过 3 小时或每月延长工作时间超过 36 小时的，给予警告，责令改正，并可按每名劳动者每超过工作时间 1 小时罚款 100 元以下的标准处罚。

二、工资法律制度

（一）工资的概念和特征

工资是指用人单位依据国家有关规定和集体合同、劳动合同约定的标准，根据劳动者提供劳动的数量和质量，以货币形式支付给劳动者的劳动报酬。

（二）工资形式

我国的工资形式主要有：

（1）计时工资。计时工资是按单位时间工资标准和劳动者实际工作时间计付劳动报酬的工资形式。我国常见的有小时工资、日工资、月工资。

（2）计件工资。计件工资是按照劳动者生产合格产品的数量或作业量以及预先规定的计件单价支付劳动报酬的一种工资形式。计件工资是计时工资的转化形式。

（3）奖金。奖金是给予劳动者的超额劳动报酬和增收节支的物质奖励。它包括：月奖、季度奖和年度奖；经常性奖金和一次性奖金；综合奖和单项奖等。

（4）津贴。津贴是对劳动者在特殊条件下的额外劳动消耗或额外费用支出给予物质补偿的一种工资形式。津贴主要有：岗位津贴、保健性津贴、技术性津贴等。

（5）补贴。补贴是为了保障劳动者的生活水平不受特殊因素的影响而支付给劳动者的工资形式。它与劳动者的劳动没有直接联系，其发放根据主要是国家有关政策规定，如物价补贴、边远地区生活补贴等。

（6）特殊情况下的工资。特殊情况下的工资是对非正常工作情况下的劳动者依法支付工资的一种工资形式。特殊情况的工资主要有：加班加点工资，事假、病假、婚假、探亲假等工资以及履行国家和社会义务期间的工资等。

（三）工资支付保障

工资支付保障是为保障劳动者劳动报酬权的实现，防止用人单位滥用工资分配权而制定的有关工资支付的一系列规则，主要包括以下内容：

（1）工资应以法定货币支付，不得以实物及有价证券代替货币支付。

（2）工资应在用人单位与劳动者约定的日期支付。工资一般按月支付，至少每月支付一次。实行周、日、小时工资制的，可按周、日、小时支付。

（3）劳动者依法享受年休假、探亲假、婚假、丧假期间以及依法参加社会活动期间，用人单位应按劳动合同规定的标准支付工资。

（4）工资应支付给劳动者本人，也可由劳动者家属或委托他人代领，用人单位可委托银行代发工资。

（5）工资应依法足额支付，除法定或约定允许扣除工资的情况外，严禁非法克扣或无故拖欠劳动者工资。

（6）对代扣工资的限制。用人单位不得非法克扣劳动者工资，有下列情况之一的，用人单位可以代扣劳动者工资：①用人单位代扣代缴的个人所得税。②用人单位代扣代缴的应由劳动者个人负担的社会保险费用。③用人单位依审判机关判决、裁定扣除劳动者工资。依照人民法院判决、裁定，用人单位可以从应负法律责任的劳动者工资中扣除其应负担的抚养费、赡养费和损害赔偿等款项。④法律、法规规定可以从劳动者工资中扣除的其他费用。

（7）对扣除工资金额的限制。①因劳动者本人原因给用人单位造成经济损失的，用人单位可以按照劳动合同的约定要求劳动者赔偿其经济损失。经济损失的赔偿，可以从劳动者本人的工资中扣除，但每月扣除金额不得超过劳动者月工资的20%；若扣除后的余额低于当地月最低工资标准的，则应按最低工资标准支付。②用人单位对劳动者违纪罚款，一般不得超过本人月工资标准的20%。

（8）破产时的工资支付。用人单位依法破产时，劳动者有权获得其工资。在破产清偿顺序中，用人单位应按企业破产法规定的清偿顺序，首先支付本单位劳动者的工资。

（四）最低工资保障

【案例讨论】2001年9月，某造纸厂从农村招收了一批工人（共35人），并签订了为期2年的劳动合同。合同约定月工资250元。2002年1月，工人们得知该地区最低工资标准为280元，要求企业增加工资。企业认为，工人每月的工资加上加班工资和伙食补贴超过了450元，已经超过了当地最低工资标准。于是，造纸厂拒绝了工人们的要求。工人们为此向当地劳动争议仲裁委员会提出申诉。问：

1. 企业支付的工资是否符合国家规定？为什么？

2. 本案应如何处理？

我国最低工资保障制度是国家通过立法，强制规定用人单位支付给劳动者的工资不得低于国家规定的最低工资标准，以保障劳动者能够满足其自身及其家庭成员基本生活需要的法律制度。

最低工资是指劳动者在法定工作时间内提供了正常劳动的前提下，其所在用人单位应支付的最低劳动报酬。最低工资的支付以劳动者在法定工作时间内提供了正常劳动为条件。劳动者因探亲、结婚、直系亲属死亡按照规定休假期间以及依法参加国家和社会活动，视为提供了正常劳动，用人单位支付给劳动者的工资不得低于其适用的最低工资标准。劳动者与用人单位形成或建立劳动关系后，试用、熟练、见习期间，在法定工作时间内提供了正常劳动，其所在的用人单位应当支付不得低于最低工资标准的工资。

最低工资不包括下列各项：

（1）加班加点的工资；

（2）中班、夜班、高温、低温、井下、有毒有害等特殊工作环境条件下的津贴；

（3）国家法律、法规和政策规定的劳动者保险、福利待遇；

（4）用人单位通过贴补伙食、住房等支付给劳动者的非货币性收入。

《劳动法》明确规定：用人单位支付给劳动者的工资不得低于当地最低工资标准。最低工资应以法定货币支付。用人单位支付给劳动者的工资低于最低工资标准的，由当地人民政府劳动保障行政部门责令其限期改正，逾期未改正的，由劳动保障行政部门对用人单位和责任者给予经济处罚，并视其欠付工资时间的长短向劳动者支付赔偿金。

【案例评析】本案中，企业支付的工资不符合国家的规定。因为工人的月工资低于当地的最低工资标准。与最低工资标准比较时，工人的加班工资、伙食补贴不应计算在内；本案应由当地人民政府劳动保障行政部门责令其限期改正，逾期未改正的，由劳动保障行政部门对用人单位和责任者给予经济处罚，并视其欠付工资时间的长短向劳动者支付赔偿金。

三、劳动保护法

（一）劳动安全卫生工作的方针和制度

劳动安全卫生工作方针是：安全第一，预防为主。

劳动安全卫生制度包括：

（1）安全生产责任制度；

（2）安全技术措施计划制度；

（3）劳动安全卫生教育制度；

（4）劳动安全卫生检查制度；

（5）劳动安全卫生监督制度；

（6）伤亡事故和职业病统计报告处理制度。

（二）女职工的特殊劳动保护

女职工特殊劳动保护是指根据女职工生理特点和抚育子女的需要，对其在劳动过程中的安全健康所采取的有别于男子的特殊保护。这包括禁止或限制女职工从事某些作业、女职工“四期保护”等特殊保护。

1. 禁忌

劳动法律规定禁止安排女职工从事矿山井下作业、国家规定的第四级体力劳动强度的劳动和其他禁忌从事的劳动。

2. 女职工“四期”保护

（1）月经期保护。不得安排女职工在经期从事高处、高温、低温、冷水作业和国家规定的第三级体力劳工强度的劳动。

（2）怀孕期保护。不得安排女职工在怀孕期间从事国家规定的第三级体力劳动强度的劳动；对怀孕 7 个月以上的女职工，不得安排其延长工作时间和夜班劳动。

（3）生育期保护。女职工生育享受不少于 90 天的产假。

（4）哺乳期保护。不得安排女职工在哺乳未满 1 周岁的婴儿期间从事国家规定的第三级体力劳动强度的劳动和哺乳期禁忌从事的其他劳动，不得安排其延长工作时间和夜班劳动。

（三）未成年工的特殊劳动保护

未成年工是指年满 16 周岁未满 18 周岁的劳动者。

对未成年工特殊劳动保护的措施主要有：

（1）上岗前培训未成年工上岗，用人单位应对其进行有关的职业安全卫生教育、培训。

（2）禁止安排未成年工从事有害健康的工作，用人单位不得安排未成年工从事矿山井下、有毒有害、国家规定的第四级体力劳动强度和其他禁忌从事的劳动。

（3）提供适合未成年工身体发育的生产工具等。

（4）对未成年工定期进行健康检查。

第四节　劳动争议

一、劳动争议的范围

劳动争议的范围包括：

（1）因确认劳动关系发生的争议；

（2）因订立、履行、变更、解除和终止劳动合同发生的争议；

（3）因除名、辞退和辞职、离职发生的争议；

（4）因工作时间、休息休假、社会保险、福利、培训以及劳动保护发生的争议；

（5）因劳动报酬、工伤医疗费、经济补偿或者赔偿金等发生争议；

（6）法律、法规规定的其他劳动争议。

二、劳动争议的处理机构

劳动争议的处理机构有：劳动争议调解委员会、劳动争议仲裁委员会和人民法院。

（一）劳动争议调解组织

劳动争议调解组织包括企业劳动争议调解委员会、依法设立的基层人民调解组织以及乡镇、街道设立的具有劳动争议调解职能的组织。

企业劳动争议调解委员会是用人单位内部设立的，调解本单位发生的劳动争议的群众性组织。它由职工代表和企业代表组成。职工代表由工会成员担任或者由全体职工推举产生，企业代表由企业负责人指定。企业劳动争议调解委员会主任由工会成员或者双方推举的人员担任。

（二）劳动争议仲裁委员会

劳动争议仲裁委员会是国家授权、依法独立地对劳动争议案件进行专门仲裁的机构。劳动争议仲裁委员会由劳动行政部门代表、同级工会代表、用人单位方面的代表组成，上述三方代表人数相等，仲裁委员会的总人数为单数，其主任由劳动行政部门代表担任。

（三）人民法院

我国尚未设立劳动法院或劳动法庭，由各级人民法院的民事审判庭审理劳动争议案件。

三、劳动争议的处理程序

【案例讨论】北京多利食品加工厂（以下简称多利厂）一直存在经营管理不善的问题。2007 年 3 月，多利厂生产经营发生严重困难，无法在约定的工资支付期内支付劳动者工资，于是该厂就此情况以书面形式向工会征求延期给付工资。该厂工会同意了多利厂延迟 2 个月向职工支付工资，但到了 5 月 30 日，多利厂仍未发放全厂人员 3 月工资，直到 6 月 30 日，仍然没有支付 3、4 月份的工资。关于多利厂拖欠工资的情况，多利厂部分职工想直接找法院处理，问：

法院应否受理此案？

《劳动法》第 77 条规定，用人单位与劳动者发生劳动争议，当事人可以依法申请调解、仲裁、提起诉讼，也可以协商解决。据此，我国处理劳动争议有四种方式：协商、调解、仲裁和诉讼。

发生劳动争议，劳动者可以与用人单位协商，也可以请工会或者第三方共同与用人单位协商，达成和解协议。发生劳动争议，当事人不愿协商、协商不成或者达成和解协议后不履行的，可以向调解组织申请调解；不愿调解、调解不成或者达成调解协议后不履行的，可以向劳动争议仲裁委员会申请仲裁；对仲裁裁决不服的，除本法另有规定的外，可以向人民法院提起诉讼。

（一）协商

劳动争议发生后，当事人应当协商解决，协商一致后，双方可达成和解协议，但和解协议无必须履行的法律效力，而是由双方当事人自觉履行。协商不是处理劳动争议的必经程序，当事人不愿协商或协商不成的，可以申请调解或仲裁。

（二）调解

劳动争议发生后，当事人双方愿意调解的，可以书面或口头形式向调解委员会申请调解。调解委员会接到调解申请后，依据合法、自愿的原则调解。

经调解达成协议的，制作调解协议书。调解协议书由双方当事人签名或者盖章，经调解员签名并加盖调解组织印章后生效，对双方当事人具有约束力，当事人应当履行。自劳动争议调解组织收到调解申请之日起 15 日内未达成调解协议的，当事人可以依法申请仲裁。

因支付拖欠劳动报酬、工伤医疗费、经济补偿或者赔偿金事项达成调解协议，用人单位在协议约定期限内不履行的，劳动者可以持调解协议书依法向人民法院申请支付令。

（三）仲裁

仲裁是诉讼的前置程序，未经仲裁的劳动争议不得向人民法院提起诉讼。

（1）仲裁的时效期间：劳动争议申请仲裁的时效期间为一年。仲裁时效期间从当事人知道或者应当知道其权利被侵害之日起计算。

前款规定的仲裁时效，因当事人一方向对方当事人主张权利，或者向有关部门请求权利救济，或者对方当事人同意履行义务而中断。从中断时起，仲裁时效期间重新计算。

因不可抗力或者有其他正当理由，当事人不能在本条第一款规定的仲裁时效期间申请仲裁的，仲裁时效中止。从中止时效的原因消除之日起，仲裁时效期间继续计算。

劳动关系存续期间因拖欠劳动报酬发生争议的，劳动者申请仲裁不受本条第一款规定的仲裁时效期间的限制；但是，劳动关系终止的，应当自劳动关系终止之日起一年内提出。

（2）仲裁中的调解：仲裁应贯彻先调解的原则，经调解达成协议的，应制作调解书。仲裁调解书具有法律效力，自送达之日起具有法律约束力，当事人必须自觉履行，一方当事人不履行的，另一方当事人可向人民法院申请强制执行。

（3）仲裁审理期限：仲裁庭裁决劳动争议案件，应当自劳动争议仲裁委员会受理仲裁申请之日起 45 日内结束。案情复杂需要延期的，经劳动争议仲裁委员会主任批准，可以延期并书面通知当事人，但是延长期限不得超过 15 日。逾期未作出仲裁裁决的，当事人可以就该劳动争议事项向人民法院提起诉讼。

（4）仲裁裁决的效力：一般情况下，当事人对本法第 47 条规定以外的其他劳动争议案件的仲裁裁决不服的，可以自收到仲裁裁决书之日起 15 日内向人民法院提起诉讼；期满不起诉的，裁决书发生法律效力。

例外情况：下列劳动争议，就用人单位而言，仲裁裁决为终局裁决，裁决书自作出之日起发生法律效力，即使用人单位对仲裁裁决不服，也不得向人民法院提起诉讼。

（1）追索劳动报酬、工伤医疗费、经济补偿或者赔偿金，不超过当地月最低工资标准 12 个月金额的争议；

（2）因执行国家的劳动标准在工作时间、休息休假、社会保险等方面发生的争议。

但是，用人单位有证据证明以上的仲裁裁决有下列情形之一，可以自收到仲裁裁决书之日起 30 日内向劳动争议仲裁委员会所在地的中级人民法院申请撤销裁决：

（1）适用法律、法规确有错误的；

（2）劳动争议仲裁委员会无管辖权的；

（3）违反法定程序的；

（4）裁决所根据的证据是伪造的；

（5）对方当事人隐瞒了足以影响公正裁决的证据的；

（6）仲裁员在仲裁该案时有索贿受贿、徇私舞弊、枉法裁决行为的。

人民法院经组成合议庭审查核实裁决有前款规定情形之一的，应当裁定撤销。

仲裁裁决被人民法院裁定撤销的，当事人可以自收到裁定书之日起 15 日内就该劳动争议事项向人民法院提起诉讼。

（四）起诉

诉讼当事人对仲裁裁决不服的，可自收到仲裁裁决之日起 15 日内向人民法院起诉。逾期不起诉的，仲裁裁决发生法律效力。劳动仲裁并不排斥诉讼，这与一般民事纠纷的裁审择一不同。

【案例评析】《劳动合同法》将支付令制度引入了欠薪案件中，赋予劳动者快捷进入司法救济程序的途径。《劳动合同法》第 30 条第 2 款规定，用人单位拖欠或者未足额支付劳动报酬的，劳动者可以依法向当地人民法院申请支付令，人民法院应当依法发出支付令。据此，多利厂的职工可以依法向人民法院申请支付令。

第十章 经济纠纷的仲裁与诉讼

随着社会主义市场经济体制的确立和不断完善，我国的经济活动日趋丰富多彩和错综复杂，在经济交往中，也会不可避免地发生各种各样的经济纠纷。妥善处理经济纠纷，不仅有利于维护当事人的合法权益，而且有利于保障我国经济体制改革中各项政策的贯彻实施和稳定社会经济秩序。

根据我国现行法律的规定，我国解决经济纠纷的方式主要有：当事人协商、调解、仲裁和诉讼。仲裁和民事诉讼是两种有效的经济纠纷解决方式，因此本章主要介绍经济纠纷中涉及的仲裁和民事诉讼制度。

第一节　仲裁

一、仲裁概述

（一）仲裁的概念和特征

仲裁，也称公断，是一种根据双方当事人愿望而采取的争议解决方法，即在争议发生之前或者发生之后，当事人在自愿基础上达成书面仲裁协议，将协议所约定的争议提交约定的仲裁机构进行审理，并由其作出具有约束力的仲裁裁决的一种争议解决方式。仲裁不同于民事诉讼，具有以下特征：

1. 自愿性

当事人之间的纠纷，是否将其提交仲裁、仲裁庭的组成形式、仲裁员如何产生、仲裁适用何种程序规则，都是在当事人自愿的基础上，由当事人协商确定的。

2. 专业性

由于仲裁的对象大都是民商事纠纷，常常涉及复杂的法律、经济贸易和技术性问题，而仲裁员一般都是各行各业的专家，这样就保证了仲裁的专业权威性。

3. 灵活性

当事人可以选择双方当事人信任的仲裁员、双方当事人愿意的开庭方式和审理方式。

4. 保密性

仲裁以不公开审理为其基本原则，仲裁法规定仲裁员及记录员均有保密的义务。

这样有利于保守当事人的商业秘密。

5. 独立性

根据各国的通例，仲裁独立进行，不受任何机关、社会团体和个人的干涉。仲裁机构之间相互独立，不存在行政上的上下级关系。仲裁员均是兼职，是从法律和经济贸易领域的专家、学者中选聘的，仲裁员与仲裁机构之间没有隶属关系。仲裁裁决是由仲裁庭独立作出的，而不是由仲裁委员会作出的。这种机制有效地避免了长官意志和行政干预，使仲裁庭在没有外界干扰的情况下，依据事实和法律独立地作出仲裁裁决。

（二）仲裁法的概念与适用范围

仲裁法是指由国家制定和认可的，当事人和仲裁机构在仲裁活动中必须遵循的行为规则、仲裁裁决的效力及其执行等内容以及调整由此引起的仲裁法律关系法律规范的总称。狭义的仲裁法专指仲裁法典，即1994年8月31日第八届全国人民代表大会常务委员会第九次会议通过的《中华人民共和国仲裁法》（以下简称《仲裁法》），它确立了我国仲裁制度的基本框架。广义的仲裁法是指由国家制定或认可的关于仲裁的一切法律规定。除《仲裁法》之外，还包括其他法律法规，如：《民法通则》和《合同法》中有关仲裁的法律规范；我国缔结与参加的有关仲裁的国际条约，如1986年12月我国加入的《承认和执行外国仲裁裁决公约》；一些著名仲裁机构颁布的仲裁程序规则，如《中国国际经济贸易仲裁委员会仲裁规则》和《北京仲裁委员会仲裁规则》，一经当事人选用，也将成为调整仲裁活动的规范性文件。

根据我国《仲裁法》的规定，仲裁范围为平等主体的公民、法人和其他组织之间发生的合同纠纷和其他财产权益纠纷。但有关婚姻、收养、监护、扶养、继承纠纷以及依法应当由行政机关处理的行政争议不能仲裁。有关劳动争议和农村承包合同纠纷的仲裁不适用《仲裁法》的有关规定。

（三）仲裁法的基本制度

1. 协议仲裁制度

仲裁协议是整个仲裁制度的基石。将争议提交仲裁解决，必须建立在双方当事人自愿的基础上，达成仲裁协议。双方没有这种共同意愿，没有记载双方共同意愿的仲裁协议，就不能仅凭单方愿望来通过仲裁这种方式解决纠纷，而只能通过诉讼或者其他途径解决争议。因此，仲裁机构只能根据有效的仲裁协议对当事人提交的纠纷行使管辖权，仲裁协议是仲裁机构审理仲裁案件并作出对当事人有约束力的仲裁裁决的法律依据。

2. 或裁或审制度

仲裁与诉讼是两种不同的争议解决方式。因此，当事人之间发生的争议只能在仲裁或者诉讼中选择其一加以采用，有效的仲裁协议即可排除法院的管辖权，只有在没有仲裁协议或者仲裁协议无效的情况下，法院才可以行使管辖权。

3. 一裁终局制度

我国《仲裁法》明确规定，仲裁实行一裁终局制度，即裁决作出后即发生法律效力，即使当事人对裁决不服，也不能再就同一争议向法院起诉，同时也不能再向仲裁机构申请仲裁。当事人对裁决应当自动履行，否则对方当事人有权申请人民法院强制执行。

二、仲裁组织

仲裁组织包括仲裁委员会和仲裁协会。

（一）仲裁委员会

仲裁委员会是组织进行仲裁工作，解决经济纠纷的事业单位法人。仲裁委员会可以在直辖市和省、自治区人民政府所在地的市设立，也可以根据需要在其他设区的市设立，不按行政区划层层设立。仲裁委员会由设区的市人民政府组织有关部门和商会统一组建。设立仲裁委员会，应当经省、自治区、直辖市的司法行政部门登记。仲裁委员会独立于行政机关，与行政机关没有隶属关系。各仲裁委员会的法律地位是平等的，相互之间也没有隶属关系。

仲裁委员会应当具备下列条件：

（1）有自己的名称、住所和章程；

（2）有必要的财产；

（3）有该委员会的组成人员；

（4）有聘任的仲裁员。

仲裁委员会由主任1人、副主任2～4人、委员7～11人组成。仲裁委员会的主任、副主任和委员应当由法律、经济贸易专家和有实际工作经验的人员担任，其中法律、经济贸易专家不得少于2/3。

仲裁委员会应当从公道、正派的人员中聘任仲裁员，并按照不同专业设仲裁员名册。仲裁员应当符合下列条件之一：

（1）从事仲裁工作满8年；

（2）从事律师工作满8年；

（3）曾任审判员满8年；

（4）从事法律研究、教学工作并具有高级职称；

（5）具有法律知识、从事经济贸易等专业工作并具有高级职称或者具有同等专业水平。

（二）仲裁协会

中国仲裁协会经民政部登记后成立，取得社会团体法人资格。中国仲裁协会实行会员制，各仲裁委员会是中国仲裁协会的法定会员。仲裁协会的章程由全国会员大会制定。中国仲裁协会是仲裁委员会的自律组织，指导和协调仲裁委员会的工作。仲裁协会主要行使下列职责：

（1）中国仲裁协会根据《仲裁法》和《中华人民共和国民事诉讼法》的有关规定制定仲裁规则以及其他仲裁规范性文件。

（2）中国仲裁协会对仲裁委员会及其组成人员、仲裁员的违纪行为进行监督。

三、仲裁协议

仲裁协议是指各方当事人自愿将他们之间可能或已经发生的争议提请仲裁机构予以裁决的意思表示。

【案例讨论】北京甲公司与河北乙公司签订一份专利转让合同，合同约定，因本合同发生的争议交华北地区的仲裁委员会进行仲裁。合同履行过程中双方发生争议。甲公司向天津仲裁委员会申请仲裁。问：

如果乙公司在天津仲裁委员会开庭仲裁前对仲裁协议的效力提出异议，应当向哪个机构提出？

（一）仲裁协议的形式与内容

1. 仲裁协议的形式

仲裁协议必须采用书面形式，包括合同中订立的仲裁条款和以其他书面方式在经济纠纷发生前或经济纠纷发生后达成的请求仲裁的协议。

2. 仲裁协议的内容

仲裁协议应当具有下列内容：

（1）请求仲裁的意思表示。

（2）仲裁事项。

（3）选定的仲裁委员会，即约定要明确具体：①根据司法解释的规定，如果当事人约定了两个以上的仲裁委员会，而且这个约定是明确的，也是可以执行的，那么当事人可以选择约定的仲裁机构之一申请仲裁。②如果选定的仲裁委员会不存在，人民法院可以受理。

（二）仲裁协议的无效

有下列情形之一的，仲裁协议无效：

（1）口头形式的仲裁协议无效。

（2）约定的仲裁事项超出法律规定的仲裁范围的仲裁协议无效。

（3）无民事行为能力人或者限制民事行为能力人订立的仲裁协议无效。

（4）一方采取胁迫手段，迫使对方订立仲裁协议的，仲裁协议无效。

（5）仲裁协议对仲裁事项或者仲裁委员会没有约定或者约定不明确的，当事人可以补充协议；达不成补充协议的，仲裁协议无效。

仲裁协议具有相对独立性，合同的变更、解除、终止或者无效，不影响仲裁协议的效力。当事人对仲裁协议的效力有异议的，可以请求仲裁委员会作出决定或者请求人民法院作出裁定。一方请求仲裁委员会作出决定，另一方请求人民法院作出裁定的，由人民法院裁定。当事人对仲裁协议的效力有异议，应当在仲裁庭首次开庭前提出。

（三）仲裁协议的效力

仲裁协议有效成立后，产生相应的法律效力，主要体现在以下几个方面：

1. 当事人的效力——妨碍起诉权

仲裁协议有效成立后，首先对协议的双方当事人产生应有的法律效力，即妨碍双方当事人行使就该仲裁协议约定争议事项向法院起诉的权利，而对双方当事人产生了将仲裁协议约定争议提请仲裁机构仲裁的义务。如果一方当事人违反该义务，而就协议约定争议向法院起诉，则对方当事人享有以仲裁协议为由进行抗辩的权利，此时，视为当事人的起诉不合法，人民法院应当裁定驳回起诉。

2. 对法院的效力——排斥司法管辖权

仲裁协议有效成立后，在对当事人产生妨碍起诉权效力的同时，相对于法院而言，就产生了排斥司法管辖权的效力，即人民法院不得受理当事人之间有仲裁协议的争议案件，除非该仲裁协议无效或者无法实现。但是，法院在不知当事人有仲裁协议的情况下，基于一方当事人的起诉行为受理案件后，被告当事人不仅不对法院的管辖权提出异议，反而应诉答辩，此时原告的起诉行为与被告的答辩行为，视作双方当事人放弃仲裁协议，而接受法院对该争议案件的司法管辖权。

3. 对仲裁机构的效力——授权并限定仲裁的范围

仲裁协议对仲裁机构首先产生授权的法律效力，即仲裁机构作为民间性争议解决机构，其对当事人提请仲裁解决的争议案件的审理与裁决权来源于当事人基于共同意思表示而订立的仲裁协议。

【案例评析】根据法律规定仲裁协议应规定有选定的仲裁委员会方为有效，如果约定不明则仲裁协议失去效力，只能向人民法院提起诉讼。该案中双方当事人的约定不明，致使仲裁协议无效，只能向人民法院提起诉讼。

四、仲裁程序

我国《仲裁法》对程序问题只规定了必不可少的环节，主要包括仲裁庭的申请与受理、仲裁庭的组成、开庭与裁决。其他很多细节问题，均留给仲裁委员会自行规定。

【案例讨论】河北省某县食品厂与北京某综合门市部签订了购销饼干机的合同，合同中规定了仲裁条款。食品厂在提货时发现饼干机质量有问题，于是要求综合门市部退款，双方为此发生纠纷。食品厂即于2000年2月15日向仲裁委员会申请仲裁。仲裁委员会2000年2月22日受理了该案。食品厂选任任了2名仲裁员，综合门市部选定了1名仲裁员，且作为首席仲裁员。食品厂指出首席仲裁员是综合门市部的常年法律顾问，要求其回避。仲裁委员会主任驳回其回避请求。3名仲裁员组成仲裁庭公开审理该案。请指出：

本案在程序上有何违法之处？

（一）申请和受理

我国《仲裁法》规定，仲裁不实行级别管辖和地域管辖，当事人可以向双方约定的仲裁机构申请仲裁。当事人申请仲裁的条件是：有仲裁协议；有具体的仲裁请求和事实、理由；属于仲裁委员会的受理范围。

当事人申请仲裁的，应当向仲裁委员会递交仲裁协议、仲裁申请书及副本。仲裁委员会收到仲裁申请书之日起5日内，认为符合受理条件的，应当受理，并通知当事人；认为不符合受理条件的，应当书面通知当事人不予受理，并说明理由。

仲裁委员会受理仲裁申请后，应当在仲裁规则规定的期限内将仲裁规则和仲裁员名册送达申请人，并将仲裁申请书副本和仲裁规则、仲裁员名册送达被申请人。

被申请人收到仲裁申请书副本后，应当在仲裁规则规定的期限内向仲裁委员会提交答辩书。仲裁委员会收到答辩书后，应当在仲裁规则规定的期限内将答辩书副本送达申请人。被申请人未提交答辩书的，不影响仲裁程序的进行。

当事人达成仲裁协议，一方向人民法院起诉未声明有仲裁协议，人民法院受理后，另一方在首次开庭前提交仲裁协议的，人民法院应当驳回起诉，但仲裁协议无效的除外；另一方在首次开庭前未对人民法院受理该案提出异议的，视为放弃仲裁协议，人民法院应当继续审理。

申请人可以放弃或者变更仲裁请求。被申请人可以承认或者反驳仲裁请求，有权提出反请求。一方当事人因另一方当事人的行为或其他原因，可能使裁决不能执行或难以执行的，可以向仲裁委员会申请财产保全。仲裁委员会应当将当事人的财产保全申请提交人民法院，由人民法院裁定并实施。

当事人或法定代理人可以委托律师或其他代理人进行仲裁活动。凡委托律师和其他代理人进行仲裁活动的，应当向仲裁委员会提交授权委托书。

（二）仲裁庭的组成

仲裁委员会受理案件后，组成仲裁庭裁决案件，仲裁庭行使仲裁权。

仲裁庭可以由3名仲裁员或者1名仲裁员组成。由3名仲裁员组成的，设首席仲裁员。当事人约定由3名仲裁员组成仲裁庭的，应当各自选定或者各自委托仲裁委员会主任指定1名仲裁员，第3名仲裁员由当事人共同选定或者共同委托仲裁委员会主任指定。第3名仲裁员是首席仲裁员。当事人约定由一名仲裁员成立仲裁庭的，应当由当事人共同选定或者共同委托仲裁委员会主任指定仲裁员。当事人没有在仲裁规则规定的期限内约定仲裁庭的组成方式或者选定仲裁员的，由仲裁委员会主任指定。仲裁庭组成后，仲裁委员会应当将仲裁庭的组成情况书面通知当事人。

仲裁员有下列情形之一的，必须回避，当事人也有权提出回避申请：①本案当事人或者当事人、代理人的近亲属；②与本案有利害关系；③与本案当事人、代理人有其他关系，可能影响公正仲裁的；④私自会见当事人、代理人，或者接受当事人、代理人的请客送礼的。

当事人提出回避申请，应当说明理由，并在首次开庭前提出。回避事由在首次开庭后知道的，可以在最后一次开庭终结前提出。仲裁员是否回避，由仲裁委员会主任决定；仲裁委员会主任担任仲裁员时，由仲裁委员会集体决定。仲裁员因回避或者其他原因不能履行职责的，应当依照《仲裁法》规定重新选定或者指定仲裁员。因回避而重新选定或者指定仲裁员后，当事人可以请求已进行的仲裁程序重新进行，是否准许，由仲裁庭决定。仲裁庭也可以自行决定已进行的仲裁程序是否重新进行。

（三）开庭和裁决

1. 开庭

仲裁庭审理案件可采取两种方式：开庭审理和书面审理。仲裁应当采用开庭审理的方式，即仲裁庭在当事人和其他仲裁参与人的参加下，对案件进行仲裁的审理形式。但如果当事人协议不开庭的，仲裁庭采用书面审理方式，即根据仲裁申请书、答辩书以及其他材料作出裁决。

仲裁一般不公开进行。当事人协议公开的，可以公开进行，但涉及国家秘密的除外。

开庭之前，仲裁委员会应当在仲裁规则规定的期限内将开庭日期通知双方当事人。当事人有正当理由的，可以在仲裁规则规定的期限内请求延期开庭。是否延期，由仲裁庭决定。

申请人经书面通知，无正当理由不到庭或者未经仲裁庭许可中途退庭的，可以视为撤回仲裁申请。被申请人经书面通知，无正当理由不到庭或者未经仲裁庭许可中途退庭的，可以缺席裁决。

当事人应当对自己的主张提供证据。仲裁庭认为有必要收集的证据，可以自行收集。仲裁庭对专门性问题认为需要鉴定的，可以交由当事人约定的鉴定部门鉴定，也可以由仲裁庭指定的鉴定部门鉴定。根据当事人的请求或者仲裁庭的要求，鉴定部门应当派鉴定人参加开庭。当事人经仲裁庭许可，可以向鉴定人提问。证据应当在开庭时出示，当事人可以质证。在证据可能灭失或者以后难以取得的情况下，当事人可以申请证据保全。当事人申请证据保全的，仲裁委员会应当将当事人的申请提交证据所在地的基层人民法院。

当事人在仲裁过程中有权进行辩论。辩论终结时，首席仲裁员或者独任仲裁员应当征询当事人的最后意见。仲裁庭应当将开庭情况记入笔录。当事人和其他仲裁参与人认为对自己陈述的记录有遗漏或者差错的，有权申请补正。如果不予补正，应当记录该申请。笔录由仲裁员、记录人员、当事人和其他仲裁参与人签名或者盖章。

2. 和解、调解和裁决

当事人申请仲裁后，可以自行和解。达成和解协议的，可以请求仲裁庭根据和解协议作出裁决书，也可以撤回仲裁申请。当事人达成和解协议，撤回仲裁申请后反悔的，可以根据仲裁协议申请仲裁。

仲裁庭在作出裁决前，可以先行调解。当事人自愿调解的，仲裁庭应当调解。调解不成的，应当及时作出裁决。调解达成协议的，仲裁庭应当制作调解书或者根据协议的结果制作裁决书。调解书与裁决书具有同等法律效力。调解书应当写明仲裁请求和当事人协议的结果。调解书由仲裁员签名，加盖仲裁委员会印章，送达双方当事人。调解书经双方当事人签收后，即发生法律效力。在调解书签收前当事人反悔的，仲裁庭应当及时作出裁决。

裁决应当按照多数仲裁员的意见作出，少数仲裁员的不同意见可以记入笔录。仲裁庭不能形成多数意见时，裁决应当按照首席仲裁员的意见作出。

裁决书应当写明仲裁请求、争议事实、裁决理由、裁决结果、仲裁费用的负担和裁决日期。当事人协议不愿写明争议事实和裁决理由的，可以不写。裁决书由仲裁员签名，加盖仲裁委员会印章。对裁决持不同意见的仲裁员，可以签名，也可以不签名。仲裁庭仲裁纠纷时，其中一部分事实已经清楚，可以就该部分先行裁决。裁决书自作出之日起发生法律效力。

（四）申请撤销裁决

当事人提出证据证明裁决有下列情形之一的，可以在自收到裁决书之日起六个月内向仲裁委员会所在地的中级人民法院申请撤销裁决：

（1）没有仲裁协议的；

（2）裁决的事项不属于仲裁协议的范围或者仲裁委员会无权仲裁的；

（3）仲裁庭的组成或者仲裁的程序违反法定程序的；

（4）裁决所依据的证据是伪造的；

（5）对方当事人隐瞒了足以影响公正裁决的证据的；

（6）仲裁员在仲裁该案时有索贿受贿、徇私舞弊、枉法裁决行为的。

另外，人民法院认定该裁决违背社会公共利益的，应当裁定撤销。

人民法院受理撤销裁决的申请后，认为可以由仲裁庭重新仲裁的，通知仲裁庭在一定期限内重新仲裁，并裁定中止撤销程序。仲裁庭拒绝重新仲裁的，人民法院应当裁定恢复撤销程序。人民法院应当在受理撤销裁决申请之日起两个月内作出撤销裁决或者驳回申请的裁定。

（五）裁决的执行

裁决依法生效后，当事人应当自觉履行。一方当事人不履行的，另一方当事人可以依照《中华人民共和国民事诉讼法》的有关规定，向人民法院申请执行。受申请的人民法院应当执行。

被申请人提出证据证明仲裁裁决有下列情形之一的，经人民法院组成合议庭审查核实，应裁定不予执行：

（1）当事人在合同中没有订立仲裁条款或者事后没有达成书面仲裁协议的；

（2）裁决的事项不属于仲裁协议的范围或者仲裁机构无权仲裁的；

（3）仲裁庭的组成或者仲裁的程序违反法定程序的；

（4）认定事实的主要证据不足的；

（5）适用法律确有错误的；

（6）仲裁员在仲裁该案时有贪污受贿、徇私舞弊、枉法裁决行为的。

人民法院认定执行该裁决违背社会公共利益的，也应裁定不予执行。

一方当事人申请执行裁决，另一方当事人申请撤销裁决的，人民法院应当裁定中止执行。人民法院裁定撤销裁决的，应当裁定终结执行。撤销裁决的申请被裁定驳回的，人民法院应当裁定恢复执行。

【案例评析】本案中有如下违法之处：

1. 仲裁委员会应于2月20之前决定是否受理。

2. 仲裁员的选任有问题：食品厂和综合门市部应当各自选定或者各自委托仲裁委员会主任指定一名仲裁员，第三名仲裁员由食品厂和综合门市部共同选定或者共同委托仲裁委员会主任指定。第三名仲裁员是首席仲裁员。

3. 首席仲裁员是综合门市部的常年法律顾问，应当回避。

4. 当事人未申请公开审理，因此不应当公开审理该案。

第二节　民事诉讼

一、民事诉讼概述

（一）民事诉讼的概念

发生经济纠纷后，当事人如果不能通过协商或调解方式解决纠纷，订立的合同中又没有仲裁条款，也没有达成请求仲裁的书面协议，当事人就可向有管辖权的人民法院起诉，通过诉讼方式来解决纠纷。在我国，经济诉讼程序的法律依据是《中华人民共和国民事诉讼法》（以下简称《民事诉讼法》）。因此，民事诉讼是运用司法方式解决经济纠纷的主要手段。本节主要介绍经济纠纷中涉及的民事诉讼相关制度。

民事诉讼是指人民法院在当事人和其他诉讼参与人的参加下，按照法定程序审理民事、经济纠纷案件并做出裁判的活动。

（二）民事诉讼法的基本制度

民事诉讼法的基本制度是指在民事诉讼法律机制的重要环节和重要问题上起基干作用的制度。与仲裁制度相比，民事诉讼法的基本制度主要有：

1. 合议制度

合议制是相对于独任制而言，是指由三人以上的审判人员组成合议庭对案件进行审理和评议的制度，而独任制只需要一名审判员。人民法院审理案件，除简单的案件由审判员一人独任审判外，都应当组成合议庭进行审理。适用合议制还是独任制，由人民法院决定，这与仲裁程序不同。

2. 回避制度

审判人员、书记员、翻译人员、鉴定人和勘验人与案件有利害关系或其他关系，可能影响案件公正处理的，应当退出对案件的审理，以保证人民法院裁判结果的公正性。

3. 公开审判制度

公开审判是指法院审理案件和宣告判决一律公开进行的制度。与仲裁制度不同，民事诉讼以公开审判为原则，以不公开为例外。对于涉及国家秘密的案件不公开审理。涉及商业秘密的案件，当事人申请不公开审理的，也可以不公开审理。

4. 两审终审制度

两审终审，是指一个民事案件经过两个审级人民法院运用一审和二审程序进行了审判即宣告审判终结的制度。据此，当事人如果对第一审人民法院的判决或裁定不服，可以在法定期限内向上一级人民法院提起上诉。第二审人民法院的判决和裁定是终审的判决和裁定，一经送达，即发生法律效力，当事人不得再提起上诉。

二、民事诉讼的主管和管辖

（一）主管

民事诉讼中的主管，是指人民法院依法受理一定范围内民事纠纷的权限，亦即确定人民法院与其他国家机关、社会团体之间解决民事纠纷的分工。根据《民事诉讼法》第3条的规定，法院主管的确立标准为：人民法院受理公民之间、法人之间、其他组织之间以及他们相互之间因财产关系和人身关系提起的民事诉讼。对于大多数的民事、经济纠纷，当事人如无特别约定或法律特别规定外，均可采用民事诉讼途径解决。

（二）管辖

【案例讨论】锦江县、龙口县、华阳县均为南武市的市辖县，属G省。锦江县东方化工厂与龙口县生资公司在华阳县签订了一份化肥购销合同，合同约定由东方化工厂将货物送至龙口县生资公司，现当事人同意协议约定该合同发生纠纷的管辖法院，问：

依照我国法律规定，可以约定哪些法院管辖？

民事诉讼案件的管辖，是指各级人民法院之间和同级人民法院之间受理第一审民事案件的分工和权限。根据《民事诉讼法》的规定，民事诉讼的管辖主要分为级别管辖、地域管辖和协议管辖。

1. 级别管辖

级别管辖是指上下级人民法院之间受理第一审民事案件的分工和权限。确定级别管辖，主要以诉讼金额的大小、案件的性质、案件审理的难易程度和案件的社会影响大小为依据。

基层人民法院管辖除《民事诉讼法》规定由上级人民法院管辖以外的所有第一审民事案件。中级人民法院管辖以下三类第一审民事案件：①重大涉外案件；②在本辖区有重大影响的案件；③最高人民法院确定由中级人民法院管辖的案件。高级人民法院管辖在本辖区有重大影响的第一审民事案件。最高人民法院管辖在全国有重大影响和认为应当由其审理的第一审民事案件。

2. 地域管辖

地域管辖是指同级人民法院之间受理第一审民事案件的分工和权限。

（1）一般地域管辖。一般地域管辖是指根据当事人的住所地确定管辖法院。一般适用“原告就被告”的原则，即由被告住所地人民法院管辖，被告是公民的，其住所地为户籍所在地，住所地与经常居住地不一致的，由经常居住地人民法院管辖。被告是法人或者其他组织的，其住所地为主要办事机构所在地。

（2）特殊地域管辖。特殊地域管辖是指根据诉讼标的所在地或法律事实发生地为标准确定管辖法院。民事诉讼法规定了九种特殊地域管辖，如因合同纠纷提起的诉讼，由被告住所地或者合同履行地人民法院管辖。

3. 专属管辖

专属管辖是指法律规定某类案件只能由特定的人民法院管辖，其他人民法院无管辖权，当事人也不能协议变更管辖法院。如：因不动产纠纷提起的诉讼，由不动产所在地人民法院管辖；因港口作业中发生纠纷提起的诉讼，由港口所在地人民法院管辖；因继承遗产纠纷提起的诉讼，由被继承人死亡时住所地或者主要遗产所在地人民法院管辖。

4. 协议管辖

协议管辖是指对于合同纠纷案件，当事人在纠纷发生前或者纠纷发生后，以协议方式确定其纠纷的管辖法院。《民事诉讼法》第25条规定，合同的双方当事人可以在书面合同中协议选择被告住所地、合同履行地、合同签订地、原告住所地、标的物所在地人民法院管辖，但不得违反民事诉讼法对级别管辖和专属管辖的规定。

【案例评析】根据协议管辖的规定，本案中双方当事人可以约定锦江县、龙口县、华阳县人民法院中的任意一个法院管辖。

三、民事诉讼参与人

民事诉讼参与人是指依法参加民事诉讼活动，享有诉讼权利、承担诉讼义务的人。根据我国《民事诉讼法》的规定，民事诉讼参与人包括当事人和诉讼代理人。

（一）当事人

民事诉讼中的当事人，是指因民事上的权利义务关系发生纠纷，以自己的名义进行诉讼，并受人民法院判决、裁定或调解协议约束的利害关系人（可以是公民、法人，也可以是其他组织），具体包括：

1. 原告

原告是因民事权益发生争议或受到侵害，向人民法院起诉要求保护其合法权益的公民、法人或其他组织。

2. 被告

被告是指与原告发生民事权益争议或被指控侵害他人民事权益，并被人民法院通知应诉的公民、法人或其他组织。

3. 共同诉讼人

【案例讨论】甲、乙共同共有一处位于丙、丁隔壁的房产。因重新修建房屋需要，东边的丙和西边的丁拆毁自家的房屋时，砖瓦都砸到甲、乙共有的房屋，并造成房屋损坏。现在甲、乙向丙、丁提起侵权之诉。问：

该诉讼是否构成共同诉讼？若构成，构成何种共同诉讼？

共同诉讼人是指当事人一方或双方为两人以上，两人以上的一方共同起诉或共同应诉的人。两人以上共同起诉的，称为共同原告；两人以上共同应诉的，称为共同被告。

当事人一方或双方为两人以上，其诉讼标的是共同的，人民法院认为必须合并审理的诉讼，是必要的共同诉讼，其中一人的诉讼行为经其他共同诉讼人承认，对全体共同诉讼人发生法律效力；当事人一方或双方为两人以上，其诉讼标的是同一种类，人民法院认为可以合并审理，并经当事人同意合并审理的诉讼，是一般的共同诉讼，其中一人的诉讼行为对其他共同诉讼人不发生法律效力。

如果共同诉讼的一方当事人人数众多，可以由当事人推选代表人进行诉讼，代表人的诉讼行为对其所代表的当事人发生法律效力，但代表人变更、放弃诉讼请求和承认对方当事人的诉讼请求，进行和解，必须经被代表的当事人同意。

【案例评析】本案构成共同诉讼。甲、乙对丙提起的诉讼属于必要共同诉讼，对丁提起的诉讼，也属于必要共同诉讼；而就甲、乙对丙提起的诉讼和甲、乙对丁提起的诉讼，如果法院对这两个诉讼认为可以合并审理，当事人表示同意的，则构成普通共同诉讼。

4. 第三人

【案例讨论】王某与周某签订房屋买卖合同，王某将其所居住的房屋卖给周某，后来因房屋质量发生纠纷，周某起诉到法院。在法庭开庭完毕，休庭准备判决时，赵某得知这项诉讼，遂到法院要求参加诉讼，主张王某所卖房屋是其所有。问：

此时法院应如何处理？

第三人是指对他人之间的诉讼标的有独立的请求权，或者虽没有独立的请求权，但与诉讼结果有法律上的利害关系，因而参加到他人已经开始的民事诉讼中来，以维护自身合法权益的人。其中，有独立请求权的第三人与本诉的原被告双方对立，处于原告的地位，享有原告的诉讼权利，承担原告的诉讼义务；无独立请求权的第三人则依附或支持某一方当事人而参加诉讼，在诉讼中享有一定的诉讼权利，人民法院判决其承担民事责任的，享有提起上诉的权利，以及在二审程序中承认和变更诉讼请求、进行和解、请求执行等权利。

【案例评析】因赵某对该房屋有独立的请求，故赵某应作为有独立请求权的第三人参加诉讼。

（二）诉讼代理人

诉讼代理人是指为了被代理人的利益，在法定的或者委托的权限范围内，以被代理人的名义进行诉讼活动的人。诉讼代理人可分为法定代理人和委托代理人。

1. 法定代理人

法定代理人是指依据法律的规定直接行使代理权的人。如未成年人以其父母为其法定代理人；精神病人以其父母、配偶、成年子女为其法定代理人等。法定代理人之间互相推诿代理责任的，由人民法院指定其中一人代为诉讼。

2. 委托代理人

委托代理人是指依据被代理人或其法定代理人的委托行使代理权的人。当事人或其法定代理人，可以委托 1 至 2 人代为诉讼。委托代理人必须在委托权限内实施诉讼行为。

四、民事诉讼程序

人民法院审理民事案件时，必须按照法定的程序进行。经济案件审理过程中所适用的程序主要包括第一审程序、第二审程序、审判监督程序和执行程序。

（一）第一审程序

【案例讨论】杨某系周某的同学，一日在宣传单上看到一份诋毁周某的报道，杨某认为该报道侵犯了周某的名誉权，但周某在外地，很难起诉。因此，杨某便向人民法院起诉要求停止侵害，并赔偿损失。但是杨某并不知道该宣传单是谁发的，不知道告谁。问：

该诉讼是否符合起诉条件？为什么？

第一审程序包括普通程序和简易程序。适用普通程序审理的案件，由审判员、陪审员共同组成合议庭或者由审判员组成合议庭。合议庭的成员人数必须是单数。适用简易程序审理的案件，由审判员一人独任审理。第一审普通程序是民事诉讼的基础程序，是审判程序中最完整、最系统的程序，具有广泛的适用性，通常包括以下几个阶段：

1. 起诉和受理

起诉是指当事人就民事纠纷向人民法院提起诉讼，请求人民法院依照法定程序进行审判的行为。起诉是原告的一项重要的诉讼活动，是民事诉讼程序开始的前提。起诉必须符合下列条件：

（1）原告是与本案有直接利害关系的公民、法人和其他组织；

（2）有明确的被告；

（3）有具体的诉讼请求和事实、理由；

（4）属于人民法院受理民事诉讼的范围和受诉人民法院管辖。

起诉时，原告应当向人民法院递交书面起诉状，并按被告人数提交起诉状副本。人民法院经审查，认为符合起诉条件的，应当在收到起诉状后 7 日内立案，并通知当事人；认为不符合起诉条件的，应当在 7 日内裁定不予受理；原告对裁定不服的，可以提起上诉。

【案例评析】该诉讼不符合起诉条件。因为杨某与本案无直接利害关系，不能作为原告起诉，并且被告不明确。

2. 审理前的准备

人民法院应当在立案之日起 5 日内将起诉状副本发送被告，被告在收到起诉状副本之日起 15 日内提出答辩状。被告提出答辩状的，人民法院应当在收到之日起 5 日内将答辩状副本发送原告。被告不提出答辩状的，不影响人民法院审理。人民法院对决定受理的案件，应当在受理案件通知书和应诉通知书中向当事人告知有关的诉讼权利义务。合议庭组成人员确定后，应当在 3 日内告知当事人。审判人员必须认真审核诉讼材料，调查收集必要的证据。

3. 开庭审理

开庭审理是指在审判人员主持下，在当事人和其他诉讼参与人的参加下，依法定形式和程序，在法庭上对案件进行实体审理并做出裁判的诉讼活动。人民法院审理民事案件，应当在开庭前 3 日通知当事人和其他诉讼参与人。开庭审理主要有如下步骤：

（1）宣布开庭。开庭审理前，书记员应当查明当事人和其他诉讼参与人是否到庭，宣布法庭纪律。原告经传票传唤，无正当理由拒不到庭的，或者未经法庭许可中途退庭的，可以按撤诉处理；被告反诉的，可以缺席判决。被告经传票传唤，无正当理由拒不到庭的，或者未经法庭许可中途退庭的，可以缺席判决。开庭审理时，由审判长核对当事人，宣布案由、审判人员和书记员名单，告知当事人有关的诉讼权利与义务，询问当事人是否申请审判人员和书记员回避。

（2）法庭调查。法庭调查按照下列顺序进行：①当事人陈述；②证人作证，宣读未到庭的证人证言；③出示书证、物证和视听资料；④宣读鉴定结论和勘验笔录。

（3）法庭辩论。法庭辩论是由当事人及其诉讼代理人就案件事实和法律适用各自陈述自己的意见和理由。法庭辩论按照下列顺序进行：①原告及其诉讼代理人发言；②被告及其诉讼代理人答辩；③第三人及其诉讼代理人发言或者答辩；④互相辩论。

法庭辩论终结，由审判长按照原告、被告、第三人的先后顺序征询各方最后意见。双方同意调解的，可以进行调解，调解达成协议的，人民法院应当制作调解书，经双方当事人签字后生效。

（4）评议和宣判。法庭辩论终结后，对不进行调解或调解不成的，由合议庭评议，确定案件事实和认定及法律适用，依法作出裁决。宣告判决时，必须告诉当事人上诉权利、上诉期限和上诉的法院。

（二）第二审程序

第二审程序是指民事诉讼当事人不服地方各级人民法院的第一审裁判，在法定期限内通过第一审法院向上一级人民法院提起上诉，上一级人民法院对案件进行审理所适用的程序。当事人不服第一审判决的，上诉期限为15日；不服第一审裁定的，上诉期限为10日。

上诉应当递交上诉状。上诉状应当包括：当事人的姓名、法人的名称及其法定代表人的姓名或者其他组织的名称及其主要负责人的姓名；原审人民法院名称、案件的编号和案由；上诉的请求和理由，并按照对方当事人或者代表人的人数提出副本。

对上诉案件，第二审人民法院应当组成合议庭，开庭审理。经过审理，按照下列情形，分别做出处理：

（1）原判决认定事实清楚，适用法律正确的，判决驳回上诉，维持原判决。

（2）原判决适用法律错误的，依法改判。

（3）原判决认定事实错误，或者原判决认定事实不清，证据不足的，裁定撤销原判决，发回原审人民法院重审，或者查清事实后改判。

（4）原判决违反法定程序，可能影响案件正确判决的，裁定撤销原判决，发回原审人民法院重审。

当事人对重审案件的判决、裁定，可以上诉。第二审人民法院的判决、裁定，是终审的判决、裁定。

（三）审判监督程序

【案例讨论】2002年7月，茂林县人民法院对无影公司诉有形公司侵犯知识产权案作出一审判决，认定有形公司不构成侵权。在判决向双方当事人送达后的第二天，该人民法院发现原判决有错误，有形公司应当构成侵权。

问：在此情形下，该人民法院应如何处理？

审判监督程序，又称再审程序，是指人民法院对已经发生法律效力的判决、裁定，发现确有错误，依法对案件进行再审的程序。再审程序不是每个案件必经的程序，而是在第一审和第二审程序之外的特殊程序，对保护当事人的合法权益具有重要意义。提起审判监督程序有如下情形：

1. 人民法院的审判监督

各级人民法院院长对本院已经发生法律效力的判决、裁定，发现确有错误，认为需要再审的，应当提交审判委员会讨论决定。最高人民法院对地方各级人民法院已发生法律效力的判决、裁定，上级人民法院对下级人民法院已经发生法律效力的判决、裁定，发现确有错误的，有权提审或者指令下级人民法院再审。

2. 当事人的申诉

当事人对已经发生法律效力的判决、裁定，认为有错误的，可以向上一级人民法院申请再审，但不停止判决、裁定的执行。当事人的申请符合下列情形之一的，人民法院应当再审：

（1）有新的证据，足以推翻原判决、裁定的；

（2）原判决、裁定认定的基本事实缺乏证据证明的；

（3）原判决、裁定认定事实的主要证据是伪造的；

（4）原判决、裁定认定事实的主要证据未经质证的；

（5）对审理案件需要的证据，当事人因客观原因不能自行收集，书面申请人民法院调查收集，人民法院未调查收集的；

（6）原判决、裁定适用法律确有错误的；

（7）违反法律规定，管辖错误的；

（8）审判组织的组成不合法或者依法应当回避的审判人员没有回避的；

（9）无诉讼行为能力人未经法定代理人代为诉讼或者应当参加诉讼的当事人，因不能归责于本人或者其诉讼代理人的事由，未参加诉讼的；

（10）违反法律规定，剥夺当事人辩论权利的；

（11）未经传票传唤，缺席判决的；

（12）原判决、裁定遗漏或者超出诉讼请求的；

（13）据以作出原判决、裁定的法律文书被撤销或者变更的；

（14）违反法定程序可能影响案件正确判决、裁定的；

（15）审判人员在审理该案件时有贪污受贿、徇私舞弊、枉法裁判行为的。

当事人申请再审，应当在判决、裁定发生法律效力后2年内提出；2年后据以作出原判决、裁定的法律文书被撤销或者变更以及发现审判人员在审理该案件时有贪污受贿、徇私舞弊、枉法裁判行为的，自知道或者应当知道之日起3个月内提出。

当事人申请再审的，应当提交再审申请书等材料。人民法院应当自收到再审申请书之日起5日内将再审申请书副本发送对方当事人。对方当事人应当自收到再审申请书副本之日起15日内提交书面意见；不提交书面意见的，不影响人民法院审查。人民法院可以要求申请人和对方当事人补充有关材料，询问有关事项。人民法院应当自收到再审申请书之日起3个月内审查，符合当事人申诉规定情形之一的，裁定再审；不符合当事人申诉规定的，裁定驳回申请。有特殊情况需要延长的，由本院院长批准。

因当事人申请裁定再审的案件由中级人民法院以上的人民法院审理。最高人民法院、高级人民法院裁定再审的案件，由本院再审或者交其他人民法院再审，也可以交原审人民法院再审。当事人对已经发生法律效力的调解书，提出证据证明调解违反自愿原则或者调解协议的内容违反法律的，可以申请再审。经人民法院审查属实的，应当再审。当事人对已经发生法律效力的解除婚姻关系的判决，不得申请再审。

3. 人民检察院的法律监督

最高人民检察院对各级人民法院已经发生法律效力的判决、裁定，上级人民检察院对下级人民法院已经发生法律效力的判决、裁定，发现有上述第 2 点中当事人申诉规定情形之一的，应当提出抗诉。地方各级人民检察院对同级人民法院已经发生法律效力的判决、裁定，发现有上述第 2 点中当事人申诉规定情形之一的，应当提请上级人民检察院向同级人民法院提出抗诉。

人民检察院提出抗诉的案件，接受抗诉的人民法院应当自收到抗诉书之日起 30 日内作出再审的裁定；有上述第 2 点中当事人申诉第（1）项至第（5）项规定情形之一的，可以交下一级人民法院再审。人民检察院决定对人民法院的判决、裁定提出抗诉的，应当制作抗诉书。人民检察院提出抗诉的案件，人民法院再审时，应当通知人民检察院派员出席法庭。

人民法院审理再审案件，一律实行合议制度，应当另行组成合议庭。人民法院按照审判监督程序再审的案件，发生法律效力的判决、裁定是由第一审法院作出的，按照第一审程序审理，所作的判决、裁定，当事人可以上诉；发生法律效力的判决、裁定是由第二审法院作出的，按照第二审程序审理，所作的判决、裁定，是发生法律效力的判决、裁定；上级人民法院按照审判监督程序提审的，按照第二审程序审理，所作的判决、裁定是发生法律效力的判决、裁定。

【案例评析】该人民法院应先等待当事人上诉，当事人在上诉期内上诉的，该人民法院可以提出原判决有错误的意见，报送二审人民法院；当事人在上诉期内均未上诉的，由茂林县人民法院按照审判监督程序处理。

（四）执行程序

执行是人民法院的民事执行组织依法运用国家强制力将已经生效且具有给付内容的法律文书付诸实现的活动。执行在实践中具有重要的意义，它是保障当事人的民事权益得到最终实现，维护生效的法律文书权威最为重要的手段。

发生法律效力的民事判决、裁定，当事人必须履行。一方拒绝履行的，对方当事人可以向人民法院申请执行，也可以由审判员移送执行员执行。调解书和其他应当由人民法院执行的法律文书，当事人必须履行。一方拒绝履行的，对方当事人可以向人民法院申请执行。申请执行的期间为两年。申请执行时效的中止、中断，适用法律有关诉讼时效中止、中断的规定。申请执行的期间，从法律文书规定履行期间的最后一日起计算；法律文书规定分期履行的，从规定的每次履行期间的最后一日起计算；法律文书未规定履行期间的，从法律文书生效之日起计算。发生法律效力的民事判决、裁定以及刑事判决、裁定中的财产部分，由第一审人民法院或者与第一审人民法院同级的被执行的财产所在地人民法院执行。法律规定由人民法院执行的其他法律文书，由被执行人住所地或者被执行的财产所在地人民法院执行。

人民法院可采取的强制执行措施有：查询、冻结、划拨被执行人的存款；扣留、提取被执行人应当履行义务部分的收入；查封、扣押、冻结、拍卖、变卖被执行人应当履行义务部分的财产等。

被执行人不履行法律文书确定的义务，并有可能隐匿、转移财产的，执行员可以立即采取强制执行措施。被执行人未按执行通知履行法律文书确定的义务，应当报告当前以及收到执行通知之日前一年的财产情况。被执行人拒绝报告或者虚假报告的，人民法院可以根据情节轻重对被执行人或者其法定代理人、有关单位的主要负责人或者直接责任人员予以罚款、拘留。

参考文献

1. 黄学海．企业法、公司法案例精选精析［M］．北京：法律出版社，1999.

2. 赵建军．保险的道德需求［J］．金融法苑，1999（13）.

3. 赵建军．近因——原因的原因的原因［J］．金融法苑，2000（5）.

4. 廖凡．天下没有免费的午餐［J］．金融法苑，2001（1）.

5. 刘亚天．经济法［M］．北京：高等教育出版社，2002.

6. 崔建远．合同法［M］．北京：法律出版社，2003.

7. 俞里江．合同法典型案例［M］．北京：中国人民大学出版社，2003.

8. 王金荣，钟亚华．经济法基础［M］．北京：电子工业出版社，2003.

9. 张德实．经济法实务［M］．北京：高等教育出版社，2003.

10. 曲振涛，王福友．经济法［M］．2版．北京：高等教育出版社，2004.

11. 刘天善，张力．经济法教程［M］．北京：清华大学出版社，北方交通大学出版社，2004.

12. 何蓉，舒文，王志林．经济法［M］．成都：四川大学出版社，2004.

13. 杨忻，李淼．知识产权理论与实践［M］．北京：电子工业出版社，2004.

14. 陈文彬，黄强．经济法教程［M］．广州：暨南大学出版社，2005.

15. 孟建华．新编实用经济法［M］．北京：清华大学出版社，2005.

16. 范健．公司法教学案例［M］．北京：法律出版社，2005.

17. 顾功耘．公司法学案例教程［M］．北京：知识产权出版社，2005.

18. 顾功耘．最新公司法解读［M］．北京：北京大学出版社，2006.

图书在版编目(CIP)数据

经济法/王丽萍主编．—5版．—成都:西南财经大学出版社，2011.8(2015.8重印)

ISBN 978-7-5504-0350-5

Ⅰ.①经…　Ⅱ.①王…　Ⅲ.①经济法—中国—高等学校—教材　Ⅳ.①D922.29

中国版本图书馆CIP数据核字(2011)第145331号

经济法(第五版)

王丽萍　主编

责任编辑:刘佳庆
封面设计:杨红鹰
责任印制:封俊川

出版发行	西南财经大学出版社(四川省成都市光华街55号)
网　　址	http://www.bookcj.com
电子邮件	bookcj@foxmail.com
邮政编码	610074
电　　话	028-87353785　87352368
照　　排	四川胜翔数码印务设计有限公司
印　　刷	郫县犀浦印刷厂
成品尺寸	185mm×260mm
印　　张	15.25
字　　数	360千字
版　　次	2011年8月第5版
印　　次	2015年8月第6次印刷
印　　数	14001—17000册
书　　号	ISBN 978-7-5504-0350-5
定　　价	29.80元